Les Villes retrouvées

Thèbes d'Égypte, Ninive, Babylone, Troie, Carthage, Pompéi, Herculanum

Georges Hanno

Les Villes
retrouvées

Thèbes d'Égypte, Ninive, Babylone, Troie,
Carthage, Pompéi, Herculanum

INTRODUCTION

Les villes anciennes

L'homme est né sociable et il est né industrieux. Son industrie le porte à se procurer un abri. Son instinct de la société le porte à rapprocher son séjour de celui de son semblable.

Sitôt que les hommes se réunissent en société les voilà bâtisseurs. L'art de la pierre est un des premiers arts qu'ils connaissent. Ils remuent la terre et font des remparts ; ils taillent le bois et font des maisons ; ils soulèvent des monolithes et font des temples.

Ainsi naquirent certainement les premières villes.

Mais ces maisons, ces poutres mal équarries, mal jointes, ces levées de terre, ces rangées de pierre sacrées les protègent peu contre les attaques du dehors. La crainte pèse sur la tribu qui dort. Les bêtes fauves, le lion, l'ours, le loup, rôdent et veillent tout autour, profitent d'un moment de lassitude, pénètrent et font leur terrible razzia.

Il faut fuir : quel est l'abri le plus sûr, le rempart infranchissable ? L'eau. C'est donc dans les marais, au milieu des lacs que s'élèveront les premières cités. On bâtira sur pilotis des Venises lacustres où l'on pourra s'abriter et se défendre, dormir en paix loin du danger, et commencer le lent et paisible progrès de l'industrie humaine.

Les cités lacustres. – Mais pour construire la ville elle-même que de peines ! il faut couper des arbres énormes, il faut les tailler en pointe ; il faut les porter au bord du lac, il faut les piquer dans la vase et les enfoncer jusqu'au roc. Ce n'est pas tout : entre ces troncs debout, d'autres s'enlaceront pour faire treillis ; des pierres sont jetées dans les interstices et consolident tout l'ouvrage. En effet quelle force ne lui faut-il pas afin qu'il résiste à la terrible massue des vagues dans les jours de tempête !

Pour accomplir un pareil travail ces hommes anciens n'avaient que des outils de pierre, des silex aiguisés en forme de hache. L'usage du fer et même du cuivre leur était encore inconnu. Pour abattre un arbre on le brûlait au pied, lentement, avec précaution ; pour le dégrossir, on se servait alternativement du feu et du couteau de silex. Quant au procédé qu'ils employaient pour dresser ces poutres et les fixer dans le fond du lac, on n'a pu encore s'en rendre un compte exact. On voit bien que quelques tribus se contentaient de maintenir les arbres debout en entassant à leurs pieds des amas de pierres ; mais d'autres troncs pénètrent dans le sol. L'effort qu'il fallait pour obtenir ce résultat semble aujourd'hui même prodigieux. Cependant l'on connaît des cités lacustres dans lesquelles on a compté jusqu'à 40 000 pilotis.

Quels étaient le degré de civilisation, les mœurs, les usages de ces anciens architectes ? La patiente et lente étude des débris innombrables trouvés dans les stations lacustres soulève peu à peu le voile qui semblait devoir couvrir éternellement ces problèmes.

Bourgade lacustre

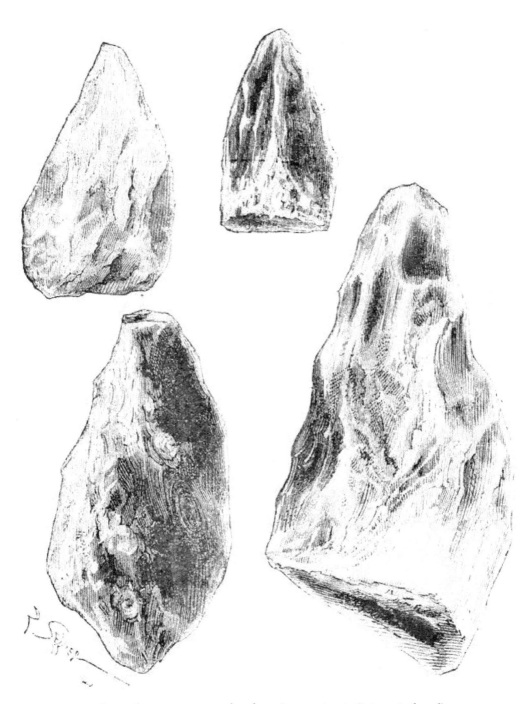

Les plus anciennes haches (trouvées à Saint-Acheul)

On a découvert de nombreux instruments en silex, les uns ayant la forme de haches, d'autres celle de couteaux, de scies, de têtes de flèche. On a trouvé de nombreux débris de poterie ; ces poteries affectent quelquefois la forme de *molettes de tisserand*. Nos aïeux ne se contentaient pas pour se vêtir de la peau des animaux tués par eux à la chasse. On a retrouvé en assez grande quantité des morceaux d'étoffe tissés avec du chanvre et de la toile ; et ces précieux débris remontent à l'âge de pierre.

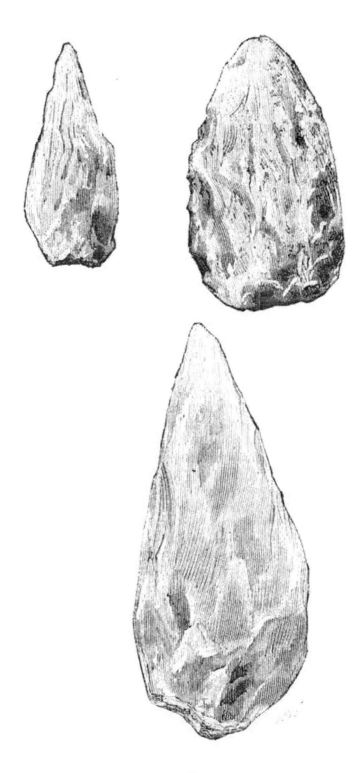

Que dis-je ? ils n'ignoraient pas la culture du blé ni l'usage du pain : la tourbe des lacs nous a conservé des espèces de gâteaux plats et ronds, faits de grains grossièrement écrasés ; des pommes et des poires séchées. Nos ancêtres avaient auprès d'eux des animaux domestiques : les bœufs, les chevaux, les moutons. Tout ce monde vivait pêle-mêle dans des habitations suspendues au-dessus des eaux.

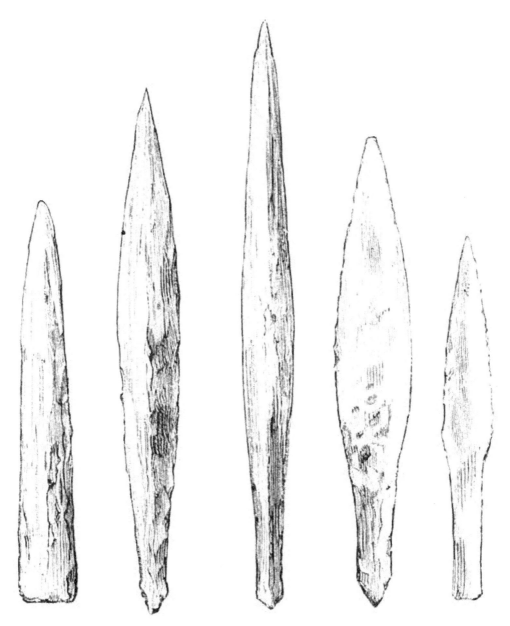

Têtes de lances

Cette civilisation antique qui apparaît peu à peu et lentement à la lumière (la première découverte de cités lacustres est de 1853) cette civilisa-

tion, dis-je, est d'une époque bien antérieure à celle où César conquit les Gaules. Ce n'est point ici le lieu d'en discuter la véritable date : contentons-nous de dire, pour en établir une évaluation approximative, que les cités datent de l'âge de pierre ; qu'à cet âge a succédé une civilisation pendant laquelle les instruments de pierre furent remplacés par des outils de bronze ; et que ce ne fut qu'après un nouveau et lent progrès de l'industrie que l'homme apprit à se servir des instruments de fer, instruments avec lesquels les Gaulois combattirent contre les légions romaines.

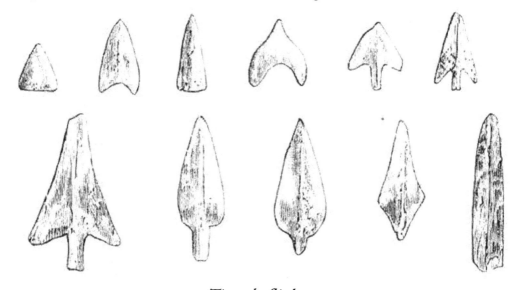

Têtes de flèches

À cette heure, on connaît plus de 200 de ces villes ou villages anciens dont le souvenir même n'avait laissé aucune trace dans l'histoire des hommes ; et les investigations, remarquons-le, n'ont porté que sur un des points les plus restreints du champ immense ouvert aux recherches des historiens et des antiquaires.

Pour trouver maintenant d'autres restes des villes anciennes, il faut se transporter en Orient : c'est là que la tradition met le berceau de l'humanité.

Débris de chanvre et de toiles

Si ces pays ont eu aussi leurs âges de pierre et de bronze, ç'a été dans des temps tellement reculés que peu de traces en sont parvenues jusqu'à nous. Les plus vieilles tombes de ces contrées renferment des objets en or, en bronze et en fer, couteaux, hachettes, faux, bracelets, boucles d'oreilles ciselées. À côté on trouve encore, et ils étaient concurremment employés, des instruments et des armes en silex taillé et poli, têtes de flèches, haches et marteaux. Le métal le plus répandu est le bronze ; c'est en bronze que sont tous les instruments usuels. Quant au fer il est plus rare et ne sert encore que comme métal précieux.

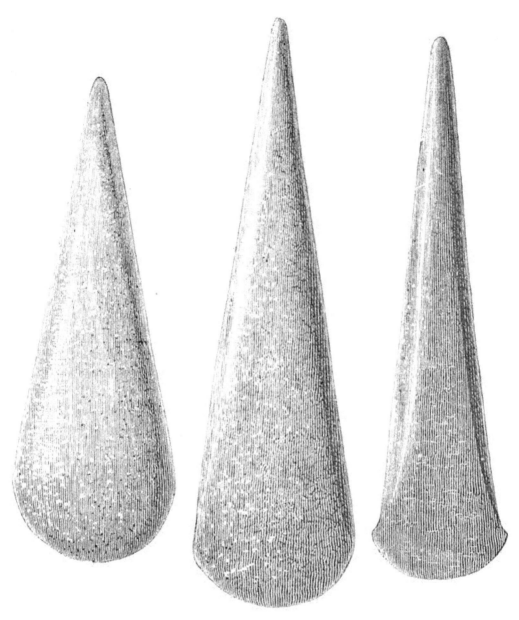

Haches en pierre polie

Voilà tout ce que la science nous apprend de plus positif sur ces origines.

Les villes bibliques. – En somme, si loin que l'on remonte, dans l'histoire de ces régions, on trouve déjà debout les énormes empires de l'Asie centrale et la vieille Égypte. La civilisation est arrivée à un tel progrès que le concert des sciences humaines préside à la construction des gigantesques monuments qui nous apportent le souvenir de ces âges reculés : l'astronomie, la mécanique, le calcul, l'écriture, les arts du dessin, la poésie, toutes les branches de l'industrie humaine ont groupé leur effort autour d'un seul de ces édifices, d'une seule des pierres qui y sont employées.

La Bible d'ailleurs place la construction de la première ville dans des temps bien reculés : c'est Caïn lui-même qui l'éleva :

« Caïn s'étant donc éloigné de la face du Seigneur habitait errant sur la terre sur la rive à l'orient d'Éden. Mais il eut de sa femme un fils, Hénoch, et il bâtit une cité, et lui donna le nom d'Hénoch du nom de son fils. »

Ce serait probablement une recherche superflue que d'entreprendre de déterminer le lieu où fut bâtie cette aînée de toutes les villes élevées par la main des hommes. Mais il n'est pas sans intérêt de noter les ruines d'autres cités nommées bientôt après par la Genèse et qui ont été découvertes et étudiées par la science moderne. C'est celles que Nemrod, le fort chasseur devant l'Éternel, bâtit dans la plaine de Sennaar.

C'est Babylone, c'est Ninive, c'est Chalè, c'est Resen. Cette dernière ville était située entre Ninive et Chalè,

« et c'était la grande ville », dit le récit ancien. Comme nous le verrons plus tard, Ninive et Babylone cachées sous le sable ont survécu en quelque sorte à leur destruction ; Chalè aussi a été découverte et ses ruines, relevées près du village de Kalah Skerkat, comptent parmi les plus belles de la Mésopotamie.

Resen enfin a été identifiée avec l'antique Larissa des Grecs, et complète ainsi le quadrilatère de ces anciennes cités dont le vénérable récit de la

Bible nous a transmis les noms.

Mais à côté de ces découvertes dont l'ensemble suffit pour attester la haute valeur historique du témoignage de la Bible, combien d'autres recherches semblent devoir rester toujours sans résultats. Il est des villes – et combien ! – dont les noms même ne sont point parvenus jusqu'à nous ; on peut leur appliquer le vers d'Horace

> Vixere fortes ante. Agamenmona.

« Il y eut des héros avant Agamemnon ; mais aucun poète ne les a chantés, ils sont tombés dans l'oubli. » Ainsi des villes. Il en est beaucoup dont le nom est le seul souvenir qui nous reste de leur antique existence. Qu'étaient autrefois et où sont maintenant Badaca d'Elem, Naditou, Khamanou de la Chaldée, qui toutes portaient le nom de villes royales : Si l'on a identifié ou à peu près Our la Bituminée (aujourd'hui Mougheir), qui lançait ses vaisseaux à travers le golfe Persique, jusque dans la mer des Indes, ce n'est qu'avec hésitation et à tâtons, pour ainsi dire, qu'on place sur la carte de ces anciennes régions l'Orech de la Bible, et Sépharvaïm, et Sirgilla, et Karrak et Ségos ; et pourtant « c'est dans l'enceinte de ces vieilles cités aujourd'hui perdues que se fit l'énorme croisement de races et d'idées d'où sortirent la nation et la civilisation chaldéenne. »

Il en est d'autres encore qui ne nous ont transmis quelque lambeau de leur histoire que mêlé au sinistre souvenir de la catastrophe qui les a fait disparaître. Tandis que leurs sœurs, plus heureuses, tombaient peu à peu dans la cendre et dans l'oubli, elles, avec plus de gloire et plus de malheur, semblent brûler encore dans la nuit des temps et attirent l'œil inquiet de l'historien, comme ces volcans dont la clarté fumeuse flambe sur un lointain horizon.

Ainsi sont Gomorrhe et Sodome : « Et le Seigneur dit : La clameur contre Sodome et contre Gomorrhe s'est multipliée, et leurs péchés se sont accrus ; je descendrai et je verrai si leurs œuvres ont ou non mérité cette clameur… C'est pourquoi le Seigneur a fait tomber sur les deux cités une pluie de soufre et de feu, et il a détruit leur cité et toute la région d'alentour, et tous les habitants des villes, et tous les verts produits de la terre. »

Contre le feu vivant, contre le feu divin,
De larges toits de marbre ils s'abritaient en vain :
Dieu sait atteindre qui le brave ;
Ils invoquaient leurs dieux ; mais le feu qui punit
Frappait ces dieux muets dont les yeux de granit
Soudain fondaient en pleurs de lave !

Ainsi tout disparut sous le noir tourbillon,
L'homme avec la cité, l'herbe avec le sillon ;
Dieu brûla ces mornes campagnes ;
Rien ne resta debout de ce peuple détruit.
Et le vent inconnu qui souffla cette nuit,
Changea la forme des montagnes.

Aujourd'hui le palmier qui croit sur le rocher
Sent sa feuille jaunir et sa tige sécher
À cet air qui brûle et pèse ;
Ces villes ne sont plus ; et, miroir du passé,
Sur leurs débris éteints s'étend un lac glacé
Qui fume comme une fournaise !

Nous avons cité quelques-unes des villes connues par les récits de la Bible ; mais l'étude des débris des civilisations antiques apprend de jour en jour l'existence de peuples anciens puissants et riches qui jusqu'ici dormaient dans l'oubli et le silence. Quand un monarque assyrien avait promené sa redoutable férocité sur les frontières de son empire, quand il avait refréné les révoltes de ses satrapes, contenu ses vassaux dans le devoir, conquis des terres nouvelles et jeté bien loin l'effroi de son nom, il s'arrêtait enfin au pied de quelque roc énorme et là taillait dans la pierre le nom des peuples qu'il avait soumis et des cités qu'il avait renversées.

Voici l'inscription du redoutable Touklat-habal-hasar : « Le dieu Assour mon Seigneur me dit de marcher, je disposai mes chars et mes armées et je m'emparai des forteresses du pays d'Itui et du pays d'Ayu, sur les pics élevés des montagnes impénétrables, aiguës comme la pointe d'un poignard et qui n'offraient pas de passage à mes chars. Je laissai mes chars dans la plaine et je pénétrai dans la montagne tortueuse. Je couvris de ruines le pays de Saranit et d'Ammanit ; depuis un temps immémorial ils n'avaient pas fait leur soumission. Je me suis mesuré avec leurs armées dans le pays d'Arouma, je les ai châtiés, j'ai poursuivi leurs guerriers comme des bêtes fauves, j'ai occupé leurs villes, j'ai emporté leurs dieux. J'ai fait des prisonniers, je me suis emparé de leurs biens et de leurs trésors, j'ai livré les villes aux flammes, je les ai démolies ; je les ai détruites ; j'en ai fait des ruines et des décombres ; je leur ai imposé le joug pesant de ma domination, et, en leur présence, j'ai rendu des actions de grâces au dieu Assour, mon Seigneur. »

« Car je suis Touklat-habal-asar, le roi puissant, le destructeur des méchants, celui qui anéantit les bataillons ennemis. »

Les villes syriennes. – Quand, dans le cours de ces excursions, quelqu'un de ces promeneurs de massacres allait du côté de la mer occidentale, il rencontrait des peuples déjà arrivés aussi à une civilisation bien avancée. Ces peuples étaient tous d'une même famille et tous, si l'on en croit les anciens récits, venaient du pays même des Assyriens. Dans des âges très reculés leurs ancêtres avaient quitté les bords du Golfe Persique et les environs de la ville d'Our pour venir, à la suite de longues pérégrinations s'installer sur les bords de la Méditerranée.

C'est le pays que les modernes appellent Syrie, pays étroit, resserré entre les sables de l'Arabie et la mer, sillonné par des chaînes de montagnes hautes et épaisses. Plutôt une côte qu'une province, plutôt le grand chemin entre l'Asie et l'Afrique qu'un lieu de séjour pour des peuples stables et puissants. – Pays toujours traversé et jamais conquis, par sa forme naturelle, il a dû subir toutes les dominations, et aussi éviter d'être le siège d'aucune ; en somme, région riche, bien située. C'est par là que se fait naturellement le transit des produits de l'Orient et de ceux de l'Occident.

Le pays étant fait pour le commerce, les peuples qui l'habitaient étaient des commerçants. Combien citerons-nous ici de villes que leur situation rend en quelque sorte immortelle ; qui apparaissent dès la plus haute antiquité et qui ont survécu jusqu'à nos jours, en vertu de cette loi historique qui fait que des groupes d'hommes subsistent là où aboutissent les grands chemins de l'humanité ? C'était, en remontant le cours de l'Euphrate, au gué le plus méridional, Thapsaque ; au gué central, Karkémish ; au gué du nord, dans les montagnes, Samosate.

Des trois villes, toutes grandes et riches, la plus importante était Karkémish. Les fêtes religieuses connues de toute l'antiquité étaient l'occasion de foires célèbres où se rencontraient toutes les jaunes figures des commerçants orientaux.

Plus au sud on trouvait Batna, Halep aux champs altérés, puis Damas ; Damas, ville fertile, à l'entrée du désert, ville ombreuse, ville pleine de verdure, de gaieté et de vie, aux confins des sables arides et étouffants de la pierreuse Arabie.

Aujourd'hui encore sa vue arrache au voyageur qui débouche de l'Anti-Liban un cri de joie et d'admiration : L'impression de ces campagnes richement cultivées, de ces vergers délicieux, séparés les uns des autres par des rigoles et chargés des plus beaux fruits, est celle du calme et du bonheur. Vous vous croyez à peine en Orient dans ces environs de Damas, et surtout au sortir des âpres et brûlantes régions de la Gaulonitide et de l'Iturée. Ce qui remplit l'âme, c'est la joie de retrouver les travaux de l'homme et les bénédictions du ciel. Depuis l'antiquité la plus reculée jusqu'à nos jours toute cette zone qui entoure Damas de fraîcheur et de bien-être n'a eu qu'un nom, n'a inspiré qu'un rêve : celui de « paradis de Dieu. »

Aux avantages d'un climat si favorable, Damas en joignait un autre : protégée par l'Anti-Liban, séparée par lui du grand chemin de la côte, elle reposait tranquillement dans ses vergers, laissant passer devant elle les fureurs belliqueuses des puissants despotes, ses voisins de l'Orient.

Sur les bords de la mer s'étageaient les villes des Phéniciens, plus puissantes, plus célèbres, mais aussi plus exposées, et que leur retraite au sein des eaux ne suffisait pas toujours à protéger. Il passait quelquefois des Alexandres qui jetaient des digues pour arriver jusqu'à elles.

C'était Gebel ou Byblos qui se vantait d'être la ville la plus vieille du monde et d'avoir été construite par les dieux. C'était Bérouth, c'était Sidon « la fleurie » avec son beau port, elle aussi s'appelait orgueilleusement « le premier-né de Canaan ». Au milieu des eaux on avait bâti Arad ; et Tyr, la reine de la mer. Faut-il citer plus au sud les noms d'Acca, de Mageddo, de Joppé, d'Ascalon, de Gaza, dont la gloire pâlit à côté de celle de leur brillante sœur. Si nous rentrons dans l'intérieur des terres, nous trouvons bien d'autres cités encore. Elles étaient déjà puissantes en ces temps anciens et opposaient aux rois de l'Assyrie une rude résistance ; la plupart d'entre elles existent encore aujourd'hui et attestent la prodigieuse vitalité qui émane de ces fertiles provinces.

Nous avons déjà cité Kadesh ; il faut ajouter Tibeskah qui devint plus tard la célèbre et opulente Baalbek ou Héliopolis, la ville du soleil. Ses ruines entassées sont encore aujourd'hui un des grands spectacles de l'Orient. Les Romains y ont, dans des temps postérieurs, épuisé tous leurs efforts, comme s'ils avaient voulu tenter d'effacer par l'étalage de leur luxe et de leur puissance celle des anciens rois qui avaient embelli les contrées voisines.

Il faut enfin citer la ville des villes, celle que son influence morale sur le monde a mise en un plus haut degré de gloire entre toutes ses sœurs, celle vers laquelle se tournent encore avec respect et avec amour les yeux de la moitié du monde occidental, Jérusalem.

Chacune des villes de la Syrie et de la Palestine était à la tête de petits États tantôt confédérés, tantôt ennemis. Cette région présentait à peu près l'aspect politique de l'Italie au Moyen Âge. Divisés entre eux ces fils d'un même sol résistaient mal aux invasions étrangères que leurs dissensions attiraient même quelquefois. Par contre chacun de ces petits États avait une activité personnelle, une force d'absorption et d'expansion qui en devait en faire au plus haut degré les intermédiaires, les instructeurs et les colonisateurs de l'Ancien Monde.

Il n'est pas inutile de constater qu'en dehors de Baalbek, qui est toute moderne relativement, nous ne trouvons pas ici de ces ruines magnifiques dont le vaste spectacle appelle la curiosité du voyageur et l'étude de l'historien. Il a fallu toute la reconnaissante attention que mérite de l'Occident la patrie de Cadmus, la mère du commerce, de la religion, la colonisatrice des bords méditerranéens pour que des savants éminents s'appliquassent à relever les traces relativement minimes de cette ancienne civilisation. Les Phéniciens construisaient peu ou plutôt construisaient mal. Des huttes faites de bois et d'argile les abritaient tous.

La mission en Phénicie, dirigée par M. Renan, n'a trouvé que des traces bien incomplètes de leur ancienne architecture. On a voulu leur en faire un reproche : « Si l'architecture, a-t-on dit, est le critérium le plus sûr de l'honnêteté, du sérieux, du jugement d'une nation ; si l'historien peut juger les peuples et les époques par la solidité et la beauté des édifices qu'ils ont laissés, c'est seulement par le défaut de ces qualités chez les Phéniciens qu'on peut s'expliquer le néant de leur œuvre d'architecture ».

Ce jugement est sévère et j'ajouterai qu'il me semble reposer sur une erreur d'argumentation. Non, les monuments durables ne sont pas toujours le critérium le plus sûr de l'honnêteté, du sérieux et du bon sens chez un peuple. Ils ne sont souvent au contraire que les témoins immortels de la folie d'un despote et du malheur de ses sujets.

Je n'en veux citer qu'un exemple ; c'est le plus éclatant de tous : Qui a construit les Pyramides de Giseh ? Est-ce une Égypte sage, réglée, développant librement la nature de son génie propre et de sa civilisation ? Non ; c'est la fantaisie barbare de quelques Pharaons maudits par leurs sujets, et qui n'ont pas même trouvé dans les flancs de ces édifices l'orgueilleux tombeau qu'ils prétendaient s'y réserver.

Certes, toutes ces ruines anciennes sont étonnantes. Méritent-elles l'admiration du sage ? J'en doute. Que de misères ne représentent-elles pas ! L'amas de douleurs qu'a coûtées leur construction ne dépasserait-il pas la plus haute d'entre elles de plus de cent coudées ? On s'étonne, et nous aurons l'occasion de nous étonner plus d'une fois, devant ces prodiges de la force. On s'écrie : Quelle civilisation avancée ! Pourrions-nous soulever de tels blocs ? Ne sommes-nous pas dégénérés ? – Non pas ; disons-le ici, une fois pour toutes. Tant de monuments merveilleux mettent souvent au cœur une grande tristesse. Si c'est une bien glorieuse histoire que celle des rois qui les projetèrent, c'est une bien mélancolique histoire que celle des malheureux – sujets ou prisonniers – qui les élevèrent. Cet idéal de l'architecture ancienne, qui consistait à faire colossal et éternel, est une préoccupation de peuples jeunes et presque de barbares ; le résultat atteint n'est nullement à comparer avec l'effort dépensé.

Il y a dans les carrières voisines de Baalbek d'immenses blocs de marbre monolithes taillés de la main des anciens peuples. Ils sont tout prêts, bons à être transportés et mis en place ; cependant ils sont restés là ; la force a manqué à ceux qui les avaient choisis. Cette fois, le rêve despotique a été plus loin que le possible. Le tyran a été battu par la nature. On a cru que ces blocs avaient été façonnés ainsi par les Romains. De leur énormité même, M. Oppert conclut avec raison que ce n'est point à eux qu'il faut les attribuer. Ils avaient le sens de l'utile et de la pratique trop développé pour tenter une pareille folie ; ils eussent coupé ces blocs en plusieurs morceaux faciles à transporter, quitte à les ajuster et à les rejoindre par du ciment quand ils eussent été en place. Et cependant les Romains étaient – même en architecture, – un peuple plein de sérieux et de jugement.

Il en fut ainsi des Phéniciens ; race de commerçants et d'industriels avant tout, ils devaient avoir le sens très éveillé pour les choses utiles, possibles.

Certes, ils n'ignoraient ni l'art ni la science ; ce sont leurs architectes que Salomon fit venir pour bâtir le temple de Jérusalem. Ils ont instruit les premiers ouvriers de la Grèce, ils savaient bâtir, décorer, orner avec goût, ils mélangeaient adroitement la pierre, le bois et le métal dans leurs constructions ; mais l'effort qu'ils dépensaient était toujours en proportion de ce qu'ils voulaient et de ce qu'ils pouvaient.

Leurs villes devaient être belles ; les ruines de ces villes sont peu intéressantes, faut-il le regretter ? Oui peut-être pour les archéologues ; mais non certainement pour l'ancien peuple phénicien lui-même, et non encore au point de vue réel de la civilisation. Car en somme si les Phéniciens n'avaient pas été ces hardis commerçants, ces navigateurs audacieux, tenant peu au sol, rapides à l'ouvrage, prompts dans le dessein, plus prompts encore dans l'exécution, tirant habilement parti des circonstances actuelles et sachant y conformer leurs besoins et leurs ambitions, ils n'eussent point eu d'occasion de porter loin de chez eux ces arts et ces sciences qu'ils avaient inventés ou qu'ils avaient empruntés à leurs voisins plus immobiles. Ce n'est pas l'Égypte qui a instruit le monde, quoi qu'en ait dit la Grèce menteuse. En réalité c'est la Phénicie ; et les descendants des Pélasges, des Hellènes et des Gaulois doivent se féliciter encore du génie hardi, industriel, mercantile, si l'on veut, qui lança sur les mers la communicative civilisation des Phéniciens.

La colonisation phénicienne. – Sur toute la ceinture du bassin méditerranéen les hardis marins de la Syrie portèrent l'influence féconde du vieil Orient. Ce furent eux qui avec Cadmus « l'inventeur des lettres » fondèrent Thèbes, et instruisirent la Grèce. Toutes les îles de l'Archipel leur appartinrent.

Sur la côte de l'Asie Mineure ils trouvèrent, déjà établi, un empire puissant, qui sous le nom de royaume de Midas est resté célèbre dans les légendes de la Grèce ; il ne fallut pas moins que l'épée d'Alexandre pour trancher le nœud gordien, seul souvenir de cette antique domination. « Près des sources du Sangarios, en Phrygie, un voyageur anglais, Leake, découvrit au commencement du siècle une vallée pleine de tombeaux antiques. Ces tombeaux sont d'une époque inconnue, mais de beaucoup antérieure à la domination grecque et romaine ; leur caractère tout indigène nous révèle le style architectural des vieux phrygiens. La langue même des inscriptions est purement phrygienne, et cette langue, avec l'alphabet encore incomplètement déchiffré, qui nous en a conservé les rares débris, reste enfermée dans les limites de l'ancien royaume où régna la dynastie de Midas. Dans toute l'étendue du pays où se trouvent ces restes vénérables du peuple indigène, on ne voit que de rares débris des monuments appartenant à l'époque Romaine ; il semble que les conquérants successifs de la contrée aient ignoré ces vallées solitaires où plus tard des familles chrétiennes vinrent chercher un refuge contre la persécution du paganisme, peut-être aussi contre l'invasion musulmane.

Quelques tombeaux, des ruines de forteresses et des bas-reliefs inexpliqués, c'est tout ce qui nous reste de ces rois de Phrygie, si célèbres au début de l'histoire grecque par leur richesse, leur amour pour les chevaux et l'adoration fanatique qu'ils rendaient à la mère des dieux (Cybèle) et à Dyonisos. »

C'est dans cette contrée encore que M. G. Perrot a découvert les ruines de l'antique Ptérium dont quelques lignes d'Hérodote formaient toute l'histoire. Le trône de ses vieux rois est renversé, enfoui sous terre auprès des fondations de leur palais et des restes de murailles que Crésus démolit ; il est reconnaissable aux deux lions de pierre qui le gardaient autrefois et qui gisent encore aujourd'hui près de lui dans la poussière comme des serviteurs fidèles morts aux pieds de leurs maîtres et reposant dans le même tombeau.

Sur cette côte les Phéniciens établirent leur domination partout où la résistance du pays ne fut point assez forte pour les rejeter à la mer. Un peu plus au nord ils rencontrèrent encore un empire redoutable que tous les efforts de la Grèce conjurée ne purent abattre qu'après dix ans de combats : c'est Pergame, l'ilion chantée par Homère ; la ville dont M. Schliemann atout récemment découvert les restes vénérables.

Suivrons-nous plus loin les marins de Tyr et de Sidon dans le cours de leurs nombreuses pérégrinations ? Pénétrerons-nous avec eux dans la Propontide, sur les noires eaux du Pont-Euxin, où, d'après la légende, les *Symplégades* écrasaient les galères à la sortie du Bosphore ? Ils étaient attirés dans ces régions lointaines par la réputation des mines d'or, d'argent et d'étain du Caucase ; les premiers ils ouvrirent ces veines abondantes que des fouilles séculaires n'ont pas épuisées.

Rentrons plutôt à la suite de l'Hercule Tyrien dans des régions plus connues et où ses efforts devaient avoir plus de gloire et ses établissements plus de durée.

C'est en Grèce d'abord ; dans la Grèce, amante des fables, qui leur paye le tribut de sa reconnaissance en célébrant dans ses légendes l'enlèvement d'Europe par Zeus, et les voyages de Cadmos à la recherche de sa sœur.

Plus loin encore c'est l'Italie, la Sicile, la Sardaigne qui les reçoivent et qui leur fournissent encore l'ambre, la pourpre, les métaux précieux et usuels. Mais là, comme ailleurs, leur domination s'étend peu dans l'intérieur des terres ; ils se heurtent à la solide confédération des Étrusques. S'ils échangent avec elle quelques-uns de leurs produits et s'ils influent sur le développement de la civilisation italienne, ce n'est qu'à la faveur de né-goce ; ils ne fondent pas de domination politique. C'est qu'ici encore les Phéniciens avaient rencontré une nation qui s'était développée par elle-même et que la force de l'originalité nationale avait repoussé l'influence de l'importation étrangère.

La civilisation des Étrusques est encore un des problèmes les plus ardus que présente l'étude de l'antiquité. Il nous manque ici la clef naturelle de toute histoire : la connaissance de la langue.

Vases de Clusium

Les Étrusques nous ont laissé bien des objets précieux, bien des vases que nous collectionnons avec soin et que nous imitons même, bien des tombeaux, bien des inscriptions, bien des documents de toutes sortes ;

l'antiquité classique a laissé sur cette race nombre de renseignements épars. Mais il manque le trait de lumière qui coordonne cet ensemble confus et donne à chacun de ces restes sa véritable valeur. L'Étrurie, on l'a dit, est pour nous ce qu'était l'Égypte avant Champollion.

Murs de Norha

Pour ne parler ici que de ce qui nous intéresse directement, qui ne connaît cette célèbre fédération des douze cités étrusques. Des murs énormes les entouraient faits à l'image de ceux qu'avaient autrefois construits les Pélasges. Leurs assises immenses formées de pierres jointes sans ciment, et non taillées, faisaient croire aux anciens qu'elles avaient été entassées les unes sur les autres par des géants. Chacune de ces villes, dont les plus célèbres étaient Véies, Céret, Clusium, Chiusi, Volterra était à la tête d'un peuple qui prenait part aux délibérations et aux entreprises de la confédération, mais qui conservait à l'égard de ses associés une sorte d'indépendance jalouse.

Ces peuples, d'abord unis, partant de Toscane leur centre commun, conquirent ou colonisèrent une bonne partie de l'Italie. Au nord ils occupèrent l'Ombrie et fondèrent Mantoue, Pérouse, Melpum, Adria, qui donna son nom à la mer Adriatique ; dans la Toscane, le val d'Arno et celui de la Chiana furent desséchés, la Maremne assainie et six des douze capitales bâties sur cette côte maintenant inhabitable.

Car les Étrusques furent avant tout un peuple industriel, appliqué aux travaux des champs et de la maison, habiles ouvriers, fins ciseleurs, les meilleurs potiers du monde antique ; l'agriculture chez eux était en grand honneur ; la charrue est souvent représentée sur leurs vases. Persuadés qu'eux-mêmes et leurs dieux devaient mourir au bout de mille ans, ils s'appliquaient surtout à tout ce qui pouvait donner à l'homme des jouissances immédiates, perçaient des routes, ouvraient des canaux, desséchaient les marais et construisaient à leurs morts de solides tombeaux. « Ainsi, dit M. Duruy, se réalisa ce problème que l'antiquité n'a presque jamais su résoudre, de grandes villes au milieu de campagnes fertiles, l'industrie et l'agriculture, la richesse et la force : *Sic fortis Etruria crevit.* »

Leurs conquêtes et leurs établissements au sud du Tibre ne furent pas moins importants que ceux que nous avons signalés dans le nord ; jusqu'au jour où ils rencontrèrent sur les bords mêmes de ce fleuve la puissance romaine contre laquelle leur confédération, déjà disjointe, se brisa. La campagne de Rome leur doit Fidènes et Tusculum. Rome leur doit une bonne partie de son éducation ; l'art d'élever des voûtes que la Grèce elle-même semble avoir ignorée ; la science des augures, si importante dans sa politique.

En Campanie s'élevèrent Volturnum qui fut plus tard Capoue, Nola, Acerroe ; Herculanum et Pompéi, dont la fin désastreuse a fait des villes à jamais célèbres. « Du haut des rochers de Sorrente que couronnait le temple de la Minerve Étrusque, ils guettaient les navires assez hardis pour s'aventurer dans les golfes de Naples et de Salerne, et leurs longues galères couraient jusqu'aux côtes de la Corse et de la Sardaigne où ils eurent des établissements. » Mais quelque importantes que fussent leurs expéditions maritimes, jamais leur puissance ne prit en ce sens l'extension de celle des Phéniciens ; ils se bornèrent le plus souvent aux deux mers qui baignent les côtes de l'Italie. Là ils régnèrent longtemps ; de là ils éloignèrent les Phéniciens et essayèrent de chasser les Grecs. Ceux-ci finirent par vaincre à leur tour. Mais les Phéniciens n'eurent jamais sur cette côte fameuse les établissements importants dont ils ont semé toute la côte méditerranéenne.

Tombeau étrusque

Les Phéniciens d'ailleurs ne s'étaient laissés effrayer ni par cette résistance, ni par les difficultés redoutables des pas de Charybde et de Scylla. Ils avaient franchi la mer Thyrrhénienne et avaient abordé aux rivages méridionaux de la Gaule. Là ils avaient apporté les arts, introduit la culture de la vigne, fondé Narbonne, Nîmes, Arles, les plus anciennes villes de notre France.

Un peu plus au sud, les îles Baléares les recevaient et l'Espagne leur offrait ses richesses. C'est le Pérou des anciens. Ils ne tarissent pas d'éloges et d'enthousiasme sur les plaines fortunées de la Bétique. L'or, disait-on, y coulait dans le gravier des fleuves, les ruisseaux étaient de lait, les arbres suaient le miel, les cavales y étaient fécondées par le vent. Assis sur les bords extrêmes du rivage occidental, on voyait, disait-on, le soleil baisser sur l'horizon et plonger tout à coup dans la mer comme un feu qui s'éteint. Là les Phéniciens fondèrent Abdère, Malaca, Gadès (Cadix), Hispalis (Séville), en un mot, les villes les plus importantes de l'Espagne méridionale.

Ils ne s'arrêtèrent pas encore, ils franchirent le grand pas du Gibraltar, rompirent le détroit, séparèrent les colonnes d'Hercule,… et là, debout sur la poupe, le marin Phénicien put voir au loin s'étendre la haute mer, l'Océan immense, et rêver dans le mirage de la brume les fortunés rivages des Hespérides et de l'Atlantide.

Autour de l'Europe, autour de l'Afrique ils naviguèrent, allant, allant toujours poussés par la soif du gain, bravant tous les courants, les vents contraires, les mers froides, inconnues et hostiles. Ils allèrent ainsi, – qui sait ? – jusqu'en Angleterre, en Danemark, en Norvège, d'une part ; de l'autre, ils s'enfoncèrent jusqu'aux îles de Pourpre (Madère), aux îles Fortunées (Canaries) ; plus bas encore ils virent les Leucœthiopiens, les hommes à queue de singe, et bien d'autres merveilles.

On dit même qu'ils firent le tour du continent Africain ; et les prêtres égyptiens racontèrent à Hérodote que, partant de la mer Rouge, des marins phéniciens, après trois ans de navigation étaient revenus par les colonnes d'Hercule : récit que nous ne pourrions croire, pas plus qu'Hérodote qui le rapporte, si dans le cours de sa narration il ne témoignait lui-même de ce fait véridique et concluant que les marins phéniciens avaient vu le soleil du côté de l'*Ourse*.

D'ailleurs si cet antique périple peut être mis en doute, il faut bien accepter comme un fait, la colonisation de l'Afrique septentrionale par les commerçants de la Syrie : c'est là que leur Hercule avait fondé la ville fabuleuse d'Hécatompyles ; c'est là que des récits plus authentiques placent la fondation de Leptis la grande, d'ŒA, de Sabrata, de Thapsos, d'Utique, et enfin de Kambê que remplaça plus tard « la ville neuve », Carthage.

C'est elle qui, s'engraissant plus tard de la ruine de sa mère Tyr, absorba à son profit tout le commerce de l'Occident, devint la reine de la Méditerranée et balança la fortune de Rome. Nous la retrouverons plus tard.

Si nous nous replions, cependant, sur les parages plus voisins de la Phénicie, si nous poursuivons la côte nord de l'Afrique jusqu'au moment où elle rejoint l'Asie, il est un point où les vaisseaux des Syriens n'osèrent jamais aborder en conquérants ; un pays que tous les puissants États de l'Asie, envièrent et respectèrent quoiqu'il fut leur plus proche voisin ; un État dont les origines remontaient aux plus liants souvenirs de l'humanité, et qui se prétendait à bon droit l'aîné de tous les peuples ; un royaume dont la force inspirait la terreur et dont les richesses excitaient l'envie. C'est l'Égypte. Que les Arabes et les Syriens (sous le nom de Pasteurs et de Khetas), que les Assyriens (au temps de Cambyse), eussent essayé de l'envahir, son peuple calme et fort avait résisté lentement et finalement culbuté et mis en fuite les armées des envahisseurs. Sa durée paraissait immortelle, et comme les sources de son fleuve, le Nil, son histoire semblait se perdre au loin dans l'inconnu et dans la nuit.

Les cités égyptiennes. – C'est par les villes énormes qu'il construisit que nous terminerons ce rapide examen des villes anciennes. L'imposant spectacle qu'elles présentent aujourd'hui encore après des centaines de siècles, donne une bien haute idée de l'état avancé et de la haute civilisation de ces peuples.

L'Égypte c'est le Nil. Dans la brûlante et morne Afrique, le Nil donne la fraîcheur, la joie, la gaieté, la vie. Est-il digne de remarque que ce fleuve immense, ce bras de mer déroulant des montagnes, inspire non seulement le respect par sa masse, mais aussi la bonne humeur par sa douce action bienfaisante. Osburn dit : « Il n'y a peut-être pas dans tout le domaine de la nature un spectacle plus gai que celui présenté par la crue du Nil. Toute la nature en crie de joie. Hommes, enfants, troupes de bœufs sauvages gambadent dans les eaux rafraîchissantes, les larges vagues entraînent les bancs de poissons dont l'écaille lance des éclairs d'argent, tandis que des oiseaux de toute plume s'assemblent en nuées au-dessus ». C'est la fête de la nature.

Agenouillées, serrées autour de cette immense mamelle, les villes de l'Égypte puisent dans son sein la vie. Le Nil est le père, c'est le Dieu ; c'est lui que célèbre, depuis l'embouchure jusqu'aux cataractes, le grand poème hiéroglyphique déroulé par la main des Pharaons : « *Salut*, ô Nil, – ô toi qui t'es manifesté sur cette terre – et qui viens en paix – pour donner la vie à l'Égypte ! – Dieu caché – qui amènes les ténèbres au jour qu'il te plaît les amener, – irrigateurs des vergers qu'a créés le Soleil – pour donner la vie à tous les bestiaux ; – tu abreuves la terre en tous lieux, – voie du ciel qui descends, – Dieu Seb, ami des pains ! – Dieu Nepra, oblateur des grains ! – Dieu Pthah qui illumine toute demeure ! SEIGNEUR des poissons, quand tu remontes sur les terres inondées – aucun oiseau n'envahit plus les biens utiles ; – créateur du blé, producteur de l'orge, il perpétue la durée des Temples ; repos des doigts est son travail – pour des millions de malheureux !… Tu as réjoui les générations de tes enfants : – on te rend hommage au Sud. – Stables sont tes décrets quand ils se manifestent – par-devant les serviteurs du Nord. – Tu bois les pleurs de tous les yeux et prodigues l'abondance des biens ! »

Énumérons les villes que ce puissant nourricier avait semé sur ses deux bords :

D'abord les villes du Delta, Saïs, Tanis, Xoïs, toutes villes anciennes et puissantes. Mais leur position excentrique empêcha qu'elles tinssent jamais d'une façon durable le premier rang en Égypte. Plus tard la fondation d'Alexandrie les ruina. Dès la plus haute antiquité elles profitaient de leur situation au bord de la mer pour se livrer à un commerce actif. Les Phéniciens y avaient des comptoirs.

Au sortir du Delta la vallée se resserre ; nous sommes en pleine Égypte ; c'est là que s'entassent l'une sur l'autre : On du nord, l'Héliopolis des Grecs, la ville sainte ; il se tenait dans ses temples une école de théologie où Solon, Pythagore, Platon étaient venus prendre les leçons des prêtres de l'Égypte ; Babylone d'Égypte si célèbre dans les récits du Moyen Âge, où les Grecs avaient cru reconnaître une ville bâtie par la main des Troyens prisonniers.

En face, sur la rive gauche, plus puissante à elle seule, et plus célèbre s'étalait l'orgueilleuse Memphis (Mannover). Au treizième siècle, l'arabe Abd-al-latif décrivait en ces termes l'aspect imposant que présentaient encore ses ruines. « Malgré l'immense étendue de cette ville, disait-il, et la haute antiquité à laquelle elle remonte, ses débris offrent encore aux yeux des spectateurs une réunion de merveilles qui confond l'intelligence et que l'homme le plus éloquent entreprendrait inutilement de décrire... Les pierres provenues de la démolition des édifices remplissent toute la surface de ces ruines ; on trouve en quelques endroits des pans de murailles encore debout, construits de ces grosses pierres dont je viens de parler ; ailleurs il ne reste que les fondements, ou bien des monceaux de décombres. J'ai vu l'arc d'une porte très haute dont les deux murs latéraux sont formés chacun d'une seule pierre ; et la voûte supérieure qui était aussi d'une seule pierre était tombée au-devant de la porte... Les ruines de Memphis occupent actuellement une demi-journée de chemin en tous sens. »

De cette ville qui dans sa splendeur avait été tellement importante qu'elle avait donné son nom à l'Égypte, (Hakaptah, c'est-à-dire ville de Phtah), si l'on s'achemine vers l'autre centre de la puissance Égyptienne vers la capitale du sud, Thèbes, on rencontre encore sur les bords du Nil bien d'autres centres importants. Il y avait la ville de Khéops, Menat-Khouwou, aujourd'hui Minieh. Il y avait l'antique Hermopolis, qui s'appelait encore Sesounnou, et qui passait pour une des plus vieilles villes de la vieille Égypte. Puis, plus haut encore, l'un des grands centres religieux de l'Égypte, une des villes dont le nom se trouve le plus fréquemment répété dans les inscriptions antiques, Abydos (Aboud), plus tard Ptolémaïs. Elle dut à certains moments balancer la puissance de Thèbes et de Memphis. Enfin après avoir traversé. On du midi (Hermonthis), dont l'existence remontait aux âges antéhistoriques, l'on arrivait à la ville qui résumait en elle seule toutes les splendeurs et toutes les gloires de l'empire, à celle dont le nom était répandu au loin, et dont les ruines donnent encore une idée si magnifique et si complète des splendeurs antiques, à la ville sainte, Ape, T-ape, la Thèbes aux cent portes des Grecs, la demeure d'Ammon-Ra, roi des dieux et créateur du monde.

I

Thèbes d'Égypte

Toutes les traditions, toutes les légendes, tous les monuments de l'antiquité parlent de Thèbes d'Égypte avec un enthousiasme que le lointain de l'espace et du temps ne fait qu'accroître ; depuis le vieil Homère, qui racontait sans les avoir vues « les fabuleuses richesses de la ville aux cent portes, par chacune desquelles passent deux cents chars tous attelés de blancs chevaux, et montés par leurs cavaliers en armes, » jusqu'à Germanicus, qui visita l'Égypte en amateur éclairé et se fit expliquer par les prêtres les hiéroglyphes inscrits sur les murailles. « Il admira la grandeur des ruines de la vieille Thèbes et s'étonna, dit Tacite, d'apprendre que la puissance des anciens rois d'Égypte avait écrasé les peuples voisins de charges et d'exactions non moins lourdes que celles dont les accable maintenant la puissance des Romains. »

Dans les temps modernes, ce fut en de grandes circonstances que ces ruines oubliées apparurent de nouveau et rentrèrent en quelque sorte dans le champ de l'Histoire dont elles étaient sorties depuis si longtemps.

L'armée française remontait en conquérante le cours du Nil. Épuisée par la fatigue, par les privations, abattue par l'âpreté d'un ciel et d'un sol inaccoutumés... tout à coup, au détour du chemin, Thèbes apparut. L'armée s'arrêta tout entière, et un cri, une acclamation sortie de toutes les poitrines salua le grand spectacle que le désert venait de dérouler tout à coup.

Quelques années plus tard, Champollion ayant découvert déjà le secret caché dans les inscriptions hiéroglyphiques, écrivait à son tour, en arrivant au même endroit : « Les Égyptiens, en présence de ce que je vois, concevaient les hommes de cent pieds de hauteur et l'imagination qui, en Europe, s'élance bien au-dessus de nos portiques, tombe impuissante au pied des cent trente-quatre colonnes de la salle de Karnak. Je me garderai bien d'en rien écrire ; car ou mes expressions ne vaudraient que la millième partie de ce qu'on doit dire en parlant de tels objets ; ou bien, si j'en traçais une fois l'esquisse très colorée, je risquerais de passer pour un enthousiaste ou peut-être même pour un fou. »

C'est que Thèbes fut en réalité la plus haute expression de l'art égyptien ; que là se résuma, se traduisit en poèmes de pierre, ce délire architectural, que se transmettaient héréditairement les vieux Pharaons l'un après l'autre. Depuis les plus reculés jusqu'aux contemporains des Grecs, ils rivalisèrent là d'effort et de dépenses : temples, maisons, tombeaux tout y fut taillé dans le colossal. L'Égypte entière a souffert des siècles pour la bâtir, et des siècles d'abandon n'ont pas suffi pour en faire disparaître les merveilleux vestiges.

La ville que les Grecs appelaient Thèbes ou Diospolis, était nommée par les Égyptiens, eux-mêmes, Ape, T-ape, la ville d'Ammon-Ra, le plus puissant des dieux de l'Égypte. Elle s'étendait sur les deux rives du Nil, beaucoup plus large en cet endroit que la Seine à Paris. Elle-même, lorsqu'elle fut arrivée au plus haut degré de son développement avait, selon Diodore, un circuit de plus de trois milles ; son diamètre était de deux lieues et demie.

Les légendes égyptiennes attribuaient sa fondation au dieu lui-même, à Osiris. C'est dans cette ville que, pour la première fois, il avait enseigné aux hommes les arts utiles, l'agriculture, le maniement de l'airain et du fer, l'architecture. Il est certain que la fondation de Thèbes se perd dans la nuit des temps.

Mais pour l'histoire son nom n'apparaît guère que vers la XIe dynastie (plus de 4 000 ans av. J.-C.).

Vue de Thèbes du plus loin qu'on peut l'apercevoir

Avant cette époque le centre politique de l'Égypte se trouvait placé plus au nord, principalement à Memphis. D'origine thébaïne, les rois de la XIe dynastie commencèrent à l'embellir, mais d'une manière rude et grossière qui contrastait avec les splendeurs dont étaient déjà revêtues les villes du centre et du nord. Les souverains de la XIIe dynastie, les Amenemha, guerriers et conquérants, continuèrent les grands travaux ; c'est un Amenemha qui fonda le grand temple de Karnak. On a retrouvé dans les ruines un fragment de la statue de ce roi et de sa femme assis sur un même socle de granit rose.

Le mouvement de construction prit alors dans ces régions un développement considérable. C'est sous le roi Ousortesen Ier, de la XIIe dynastie, qu'une stèle raconte ainsi les fonctions d'un architecte du temps : « Je suis, dit-il, le scribe Mevic, je suis un serviteur du prince, ingénieur en chef des travaux, une palme d'amour. Mon maître m'envoya en grande mission d'ingénieur pour lui préparer une grande demeure éternelle. Les couloirs et la chambre intérieure étaient en maçonnerie et renouvelaient les merveilles de construction des Dieux. Il y eut là des colonnes sculptées belles comme le ciel, un bassin creusé qui communiquait avec le Nil, des portes, des obélisques, une façade en pierre blanche de Rouwou ; aussi, Osiris, seigneur de l'Ament, s'est-il réjoui des monuments de mon seigneur, et j'ai été moi-même dans le transport et l'allégresse en voyant le résultat de mon travail. » Ce récit ne nous expose-t-il pas de la façon la plus claire le projet de la construction, l'ordre des travaux et l'aspect extérieur d'un temple dans ces temps antiques dont trop peu de monuments nous restent à l'heure qu'il est dans cette région ?

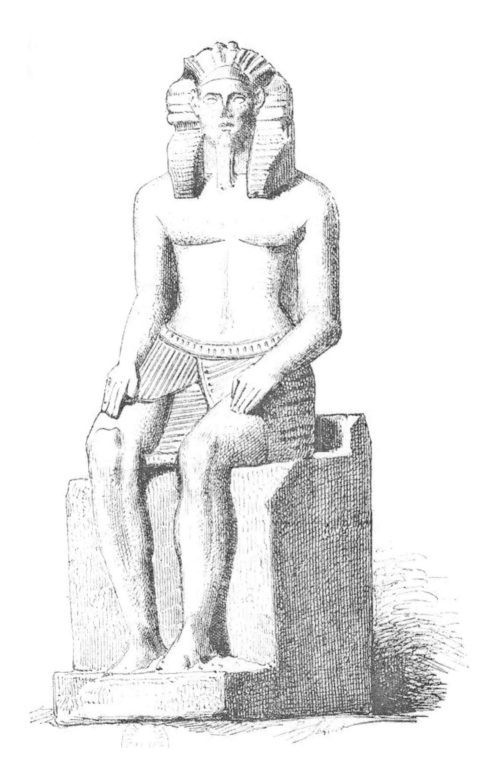

Roi égyptien (Sevekhotep III)

L'art à cette époque avait déjà atteint un degré d'élévation et une habileté d'exécution qu'il ne dépassa presque jamais. Nous n'en voulons pour preuve que la belle statue de Sevekhotep III, conservée aujourd'hui au Musée du Louvre. L'élégance du torse, le port gracieux de la tête, l'expression de sérénité douce et majestueuse qui se dégage des moindres détails de la pose et de la figure royale ; le fini de l'exécution, en particulier dans les jointures des genoux, font de cette statue un des plus beaux modèles de l'art égyptien. Ce sont là des qualités qui ajoutent un prix inestimable à une œuvre que sa haute antiquité suffirait seule à illustrer.

Dans toutes les parties de l'architecture une ère d'apogée se manifeste. C'est le moment où les premières colonnes remplacent les lourds massifs des âges précédents ; elles sont fortes, cannelées et couronnées d'un simple dé. La sculpture adopte des formes plus allongées et plus grêles. Les bas-reliefs fouillés avec beaucoup de soin et de finesse, atteignent parfois, par un heureux rendu des détails, une expression naturelle et vraie, quoique la perspective soit tout à fait négligée. Ils sont toujours soigneusement peints. Les statues de pierre calcaire sont peintes des pieds à la tête ; quant aux statues de granit, les yeux et les cheveux seuls sont coloriés.

Malheureusement pour Thèbes, les dynasties suivantes l'abandonnèrent presque complètement et reportèrent leurs efforts vers les villes du Delta. D'ailleurs une ère de misère allait peser sur l'Égypte tout entière. Les gens du désert, les pasteurs (peut-être les Arabes et les Hébreux), envahirent le pays, détruisirent les temples, renversèrent les statues sacrées, interdirent le culte des dieux indigènes.

Il semble bien, à la vérité, que Thèbes ne fut pas touchée par eux. C'est là que se réfugièrent les restes de l'indépendance nationale ; c'est de là que partit le mouvement de résistance, qui, peu à peu, après une lutte bien des fois reprise et bien des fois abandonnée, finit par chasser les étrangers ;

mais pendant plus de deux siècles, les embellissements des villes et les grandes constructions furent délaissés.

Le premier des rois conquérants, Ahmès Ier, reprit la tradition ancienne, répara les temples des Dieux et rouvrit solennellement les carrières. Ses successeurs suivirent ses traces et, tandis que les bataillons égyptiens s'ébranlant lourdement commençaient la période des conquêtes et allaient porter la terreur jusqu'aux frontières de la Syrie d'une part, jusqu'à celles de la Nubie de l'autre, Thèbes, enfin, sous les rois de la dix-huitième et de la dix-neuvième dynastie, atteignait le plus haut degré de sa splendeur. C'est la grande époque des Amenophis, des Ramsès (le Sésostris des Grecs) et des Seti. Ce sont ces princes qui furent les véritables constructeurs de Thèbes. C'est à leur époque qu'il faut se placer pour donner de cette ville un tableau qui reproduira, en quelque sorte, la grande impression que dut faire, sur les visiteurs étrangers, l'aspect de la puissante capitale.

Avant d'entrer dans cette description, donnons en raccourci le récit des conquêtes des princes de la dix-huitième et de la dix-neuvième dynastie. La puissance de leur domination sera en quelque sorte la mesure de la splendeur de leur capitale.

Les premiers rois de la dix-huitième dynastie, Thoutmès Ier, Thoutmès II et sa femme et sœur Hatasou, qui dirigea les affaires sous son règne, avaient ouvert à la domination égyptienne les frontières de la Syrie et de l'Arabie. Sans établir une domination durable leurs incursions avaient jeté au loin la terreur du nom égyptien et préparé les triomphes de leurs successeurs. Le premier en date et l'un des plus redoutables par son habileté politique et sa vaillance fut Thoutmès III. C'est lui qui réprima dans une rapide campagne la révolte des nouveaux sujets de l'Égypte.

Nous avons le récit de la bataille dans laquelle, par une habile manœuvre déconseillée par ses officiers, il mit en fuite sans effusion de sang la formidable armée des Syriens révoltés ; c'est de lui dont il est dit dans les stèles de Thèbes : Je suis venu, lui dit le dieu Ammon ; je t'accorde d'écraser les princes de Frahi ; je les jette sous tes pieds à travers leurs contrées ; je leur fais voir ta majesté telle qu'un seigneur de lumière, lorsque tu brilles sur leur tête comme mon image. – Je suis venu, je t'accorde d'écraser les barbares d'Asie, d'emmener en captivité les chefs des tribus des Routennou ; je leur fais voir ta majesté couverte de ta parure de guerre, quand tu saisis tes armes, sur le char. – Je suis venu, je t'accorde d'écraser la terre d'Orient. Kewa et Âsi sont sous la terreur ; je leur fais voir ta majesté comme un taureau jeune, ferme de cœur, muni de ses cornes, auquel on n'a pu résister. – Je suis venu, je t'accorde d'écraser les peuples qui résident dans les îles ; ceux qui vivent au sein de la mer sont sous ton rugissement ; je leur fais voir ta majesté comme l'hippopotame seigneur de l'épouvante sur les eaux, et qu'on n'a pu approcher… (et après une longue énumération qui se poursuit ainsi ; le poète termine son ode en ces termes flatteurs pour la famille royale tout entière) : « Je suis venu ; je t'accorde d'écraser les barbares de Nubie ; jusqu'au peuple de Pat, tout est dans ta main ; je leur fais voir ta majesté semblable à tes deux frères dont j'ai réuni les bras pour assurer ta puissance. » Après la mort de ce grand roi, qui ne régna pas moins de cinquante-quatre ans, ses quatre successeurs immédiats maintinrent l'Égypte au degré de gloire où il l'avait élevée. Ils poussèrent même leurs conquêtes jusqu'à Ninive qui dut leur payer tribut : de toutes ces expéditions ils ramenèrent force prisonniers qui, comme nous le verrons, ne contribuèrent pas peu à l'embellissement de toute l'Égypte et à la gloire de Thèbes en particulier.

Ils travaillèrent à l'Assassif, à Medinet-Habou, à Deir-el-Bahari, où la reine Hatasou fit peindre et sculpter en détail sa campagne contre l'Arabie.

Le plus célèbre d'entre eux fut Amenhotep III, le Memnon des Grecs ; c'est lui qui fit élever au sud de Karnak, à l'endroit nommé aujourd'hui Louqsor, un temple consacré au dieu Ammon, qui peut passer à bon droit pour un des chefs-d'œuvre de l'art égyptien. À la porte de ce temple s'élevaient, et aujourd'hui encore au milieu des ruines s'élèvent deux énormes colosses de pierre représentant chacun un Pharaon assis, les mains sur les genoux, dans une attitude de repos. L'un d'entre eux est celui qui fut si célèbre dans l'antiquité sous le nom de statue de Memnon.

On racontait que cette statue était l'image d'un roi égyptien, fils de l'Aurore, qui combattit avec les Troyens contre les Grecs, et qu'Achille sacrifia aux mânes de Patrocle. On ajoutait qu'aux premiers rayons du soleil, l'image, baignée des larmes de l'Aurore pleurant son fils, rendait des sons harmonieux. Ce fut dans toute l'antiquité romaine un but de pèlerinage et même un objet de dévotion que cette statue miraculeuse ; des empereurs lui rendirent hommage ; des poètes la chantèrent. Bien des inscriptions gravées sur le socle même de la statue attestaient que devant les visiteurs la statue avait chanté.

Cependant vers le temps de Septime-Sévère la voix se tut. Aujourd'hui, c'est en vain que le voyageur prête une oreille attentive ; la statue est muette. « Je ne nie pas, écrivait de Thèbes même, Champollion le jeune, la réalité des harmonieux accents que tant de témoins affirment unanimement avoir entendu moduler par le merveilleux colosse, aussitôt qu'il était frappé des premiers rayons du soleil ; je dirai seulement que, plusieurs fois, assis, au lever de l'aurore sur les immenses genoux de Memnon, aucun accord musical sorti de sa bouche n'est venu distraire mon attention du mélancolique tableau que je contemplais, la plaine de Thèbes, où gisent les membres épars de cette aînée des villes royales. »

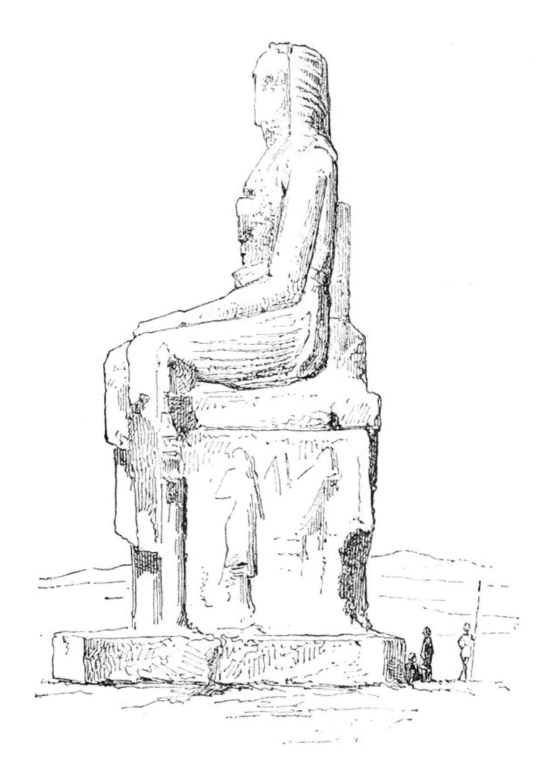

Quels sont les faits historiques que cache cette gracieuse légende ? Champollion-Figeac, en s'aidant des travaux de Letronne, sans en accepter les conclusions les a résumés ainsi qu'il suit : 1° deux colosses firent partie du magnifique édifice que le roi Amenophis (Amenhotep III) fit élever à Thèbes ; 2° ces colosses, selon l'usage, représentaient le roi lui-même et portent encore son nom ; 3° ils subirent comme tous les autres monuments de l'Égypte les effets du temps et des invasions étrangères ; 4° un tremblement de terre, l'an 27 avant l'ère chrétienne, brisa celui des deux colosses qui est placé vers le nord et en détacha la partie supérieure ; 5° quelques années après, il était bruit dans le pays des sons que rendait au lever du soleil la partie de la statue restée en place ou le socle qui la portait ; 6° dès le règne de Néron la réputation de ce phénomène était généralement répandue et attirait les curieux de toute condition ; 7° dès cette même époque la statue parlante fut considérée comme étant une figure de Memnon, fils de Tithon et de l'Aurore, qui saluait sa mère de sa voix miraculeuse tous les jours au lever du soleil ; 8° à l'intérêt qu'excita cette merveille il se mêla bientôt un caractère religieux envers le héros d'Homère, le demi-dieu d'Hésiode, le roi de l'Orient ; l'admiration le divinisa et lui offrit des libations et des sacrifices ; 9° la statue mutilée fut restaurée par Septime-Sévère et sa voix merveilleuse ne se fit plus entendre ; le prodige et les chants cessèrent aussitôt. Ce fut l'époque fatale à bien des oracles antiques, et l'empereur voulut en vain opposer les miracles de Memnon à ceux du christianisme ; on pensait que la statue restaurée devait posséder une voix bien plus harmonieuse, rendre de véritables oracles : on fit disparaître le phénomène parce qu'on en ignorait la nature.

Voici l'explication naturelle qu'a donnée la science d'aujourd'hui. « Il est constaté, dit M. de Rozières, que les granits et les brèches produisent souvent un son au lever du jour ; et quant à la statue de Thèbes, les rayons du soleil venant à frapper le colosse, ils séchaient l'humidité abondante dont les fortes rosées de la nuit avaient couvert sa surface, et ils achevaient ensuite de dissiper celle dont les surfaces dépolies s'étaient imprégnées. Il résultait de la continuité de cette action que des grains ou des plaques de la pierre cédant ou éclatant tout à coup, cette rupture subite causait dans la pierre rigide et un peu élastique un ébranlement, une vibration rapide qui produisait ce son particulier que faisait entendre la statue au lever du soleil. »

Telles sont les traditions qui se répètent, telles sont les discussions qui s'élèvent encore aujourd'hui après plusieurs milliers de siècles autour du monument qu'avaient construit les rois de la dix-huitième dynastie. Telle est la longue durée de gloire que peut-être n'aurait pas osé espérer le constructeur Amenophis.

Malheureusement, sous les héritiers de ces glorieux Pharaons les traditions de gloire s'éteignirent ; pendant plusieurs règnes l'espoir de la conquête et des arts s'arrêta. Thèbes même, sous le fanatique Kounatès, perdit un instant le rang de capitale. Sa splendeur ne devait reprendre et briller cette fois d'un éclat suprême qu'à l'avènement de la dix-neuvième dynastie.

Ramsès Ier, originaire de la basse Égypte, la fonda ; son fils Séti (le Sethos des Grecs) la consolida par ses conquêtes et par son mariage avec la fille des anciens rois ; il prépara en un mot l'avènement de son glorieux fils Ramsès II, le Sésostris tant vanté des légendes grecques, le Napoléon des siècles anciens.

D'après Hérodote et Diodore de Sicile ce héros aurait rangé sous sa domination la moitié de l'Afrique, de l'Asie, et aurait même poussé jusqu'en Europe ; il aurait semé de stèles à sa louange et de ses statues triomphales les contrées de l'Arabie, de la Syrie, de l'Asie Mineure et du Haut-Nil, qu'il aurait parcourues en vainqueur. Comme plus tard Alexandre il aurait poussé jusqu'aux Indes ; comme Darius il se serait mesuré avec les Scythes ; et ce même Darius aurait fait l'aveu, quand il vint en Afrique plus tard, que sa statue n'était pas digne d'être posée auprès de celle de Sésostris dans les temples égyptiens. Ces récits sont en partie démentis, en partie confirmés par la lecture des nombreuses inscriptions que Ramsès a laissées.

Il n'est certainement pas un roi égyptien sur lequel nous ayons plus de renseignements ; pas un qui ait élevé d'édifices plus nombreux et plus importants ; pas un qui se soit plu davantage à faire graver son royal cartouche sur des monuments destinés à aller à la plus lointaine postérité.

Son histoire peut donc être reconstruite avec précision. Les premières années de son règne furent consacrées à des guerres contre les peuples nègres de la Nubie. Dans un temple construit dans ces régions, on voit l'expédition représentée dans une série de tableaux. Le roi seul debout sur son char de guerre, l'arc bandé, se jette dans des masses de nègres armés de très longs arcs, vêtus de peaux d'animaux que les coursiers du roi foulent aux pieds. Les vaincus s'enfuient vers leurs villages, dans une vallée qu'ombragent des cocotiers auxquels grimpent des singes. Des femmes et des enfants viennent au-devant, tout affligés. Puis on amène au Roi les prisonniers et le butin. Ce sont des chefs et des nègres enchaînés qui portent des dents d'éléphant et du bois d'ébène, qui conduisent des tigres, des lions, des panthères, des antilopes, des gazelles, des autruches, et une girafe c'est-à-dire un animal de l'intérieur de l'Afrique. Les inscriptions disent que « le roi dans la première et la seconde année de son règne a pénétré au cœur des neuf peuples et dispersé la race des Cousch. »

Ce succès comme on le voit fut grand, mais il fut loin d'égaler la célèbre campagne de Ramsès en Syrie contre la coalition à la tête de laquelle se trouvait le prince des Khétas.

Tous les peuples de la Syrie, une bonne partie de ceux de l'Asie Mineure, les gens de Kati, de Kadès, de Karkemish et d'Arad, jusqu'aux Pardaniens, jusqu'aux Mysiens, jusqu'aux Lyciens, jusqu'aux Troyens d'Illion s'associèrent dans cette levée d'armes contre le Pharaon. Le bruit des richesses de l'Égypte excitait toutes ces convoitises et ramassait ce troupeau de loups. Leur prince était un habile homme de guerre. Ils s'avancèrent vers l'isthme de Suez ; Ramsès ne les laissa pas approcher davantage ; il accourut avec ses légions qui portaient chacune le nom d'un des dieux nationaux, Ammon, Phra, Pthah et Souteckh. Lui-même marchait en avant à la tête de sa garde. Mais il fut trompé par les habiles dispositions de l'ennemi. Sous les murs de Kadesh il fut attaqué à l'improviste, son armée coupée en deux, la légion de Phtah écrasée et lui presque seul au milieu du gros de l'armée ennemie.

C'est dans ce moment suprême que le héros prêt à se jeter dans la mêlée et à vendre chèrement sa vie élève son âme vers les dieux qui semblent l'abandonner. Écoutons le poète contemporain, qui raconte cette glorieuse journée :

Mes archers et mes chars m'ont abandonné ; aucun d'eux n'est là pour combattre avec moi. Quelle est la volonté de mon père Ammon ? Est-ce un père que celui qui renie son fils ? Est-ce moi qui me suis confié en mes pensées ? Ne me suis-je point mis en campagne sur ta parole ? N'est-ce point ta bouche qui a dirigé mes expéditions, ton conseil qui les a guidées. Ne t'ai-je point donné des fêtes solennelles, brillantes, nombreuses et n'ai-je point rempli ta maison de mon butin ? Je t'ai élevé des temples en pierres de taille, je tire des obélisques d'Éléphantine et je fais venir des pierres éternelles afin de te bâtir une demeure qui durera des milliers d'années. Je t'ai immolé trente mille taureaux avec des herbes odoriférantes et toutes sortes de parfums ; les grands vaisseaux voguent pour toi sur la mer afin de t'apporter les tributs des peuples. Pareille chose est-elle jamais arrivée ? Honte à celui qui résiste à ta volonté, salut à celui qui te comprend ! Je t'invoque Ammon ! Je suis seul devant toi au milieu de peuples inconnus.

Le roi Ramsès dans la bataille

Mes archers et mes chars m'ont abandonné tandis que je les appelais ; aucun d'eux n'a entendu ma voix quand je criais au secours. Mais je préfère Ammon à des milliers d'archers, à des millions de chars de guerre. Les multitudes des hommes ne sont rien. Ammon l'emportera sur eux.

Ma voix a retenti jusque dans Hermonthis, Ammon vient à mon invocation : il me donne la main, je pousse un cri de joie ; il parle derrière moi. « J'accours à toi, ô Ramsès Meiamoun, je suis avec toi. C'est moi, ton père ! Ma main est avec toi et je vaux mieux pour toi que des centaines de mille. Je suis le seigneur de la force aimant la vaillance ; j'ai trouvé un cœur courageux et je suis satisfait. Ma volonté s'accomplira. »

« Pareil à Mouth, de la droite, je lance des flèches ; de la gauche je bouleverse les ennemis, je suis comme Baal en son heure, devant eux. Les deux mille cinq cents chars qui m'environnent sont brisés en morceaux devant mes cavales. Pas un d'entre eux ne trouve sa main pour combattre ; le cœur manque dans leur poitrine et la peur énerve leurs membres ; ils ne savent plus lancer leurs traits et ne trouvent plus de force pour tenir leurs lances. Je les précipite dans les eaux comme y tombe le crocodile ; ils sont couchés sur la face l'un sur l'autre et je tue au milieu d'eux. Je ne veux pas qu'un seul regarde derrière lui ni qu'un seul se retourne. Celui qui tombe ne se relèvera pas. »

Ainsi l'intervention de la divinité et surtout le carnage héroïque de Ramsès, rétablissent les affaires compromises par la défaite des légions et par la lenteur de l'arrière-garde. Ramsès après la victoire se retourne sur le gros de l'armée encore enveloppée par les ennemis ; il la dégage, rassemble ses généraux et les accable de reproches ; c'est ici un des plus beaux passages du poème du Pentaour :

« Que dira la terre entière, lorsqu'elle apprendra que vous m'avez laissé seul, et sans un second ; que pas un prince, pas un officier de chars ou d'archers n'a joint sa main à la mienne ? J'ai combattu, j'ai repoussé des millions de peuples à moi seul. Mes grands chevaux sont *Victoire à Thèbes* et *Noura satisfaite* ; c'est eux seuls que j'ai trouvés sous ma main quand j'étais seul au milieu des ennemis frémissants. Je leur ferai prendre moi-même leur nourriture devant moi chaque jour, quand je serai dans mon palais, car je les ai trouvés quand j'étais au milieu des ennemis, avec le chef Menna mon écuyer, et avec les officiers de ma maison qui m'accompagnaient et sont mes témoins pour le combat : voilà ceux que j'ai trouvés. Je suis revenu après une lutte victorieuse et j'ai frappé de mon glaive les multitudes assemblées. »

Cette grande victoire assura la paix à l'Égypte pendant la fin du règne de Ramsès. Ce roi mit à profit la tranquillité qu'il s'était assuré et utilisa les prisonniers qu'il avait ramenés de ses expéditions, en couvrant l'Égypte de palais, de temples et de tous les monuments de la paix.

Ce fut un grand constructeur ; M. Mariette dit de lui qu'il n'existe peut-être pas en Égypte une ruine importante qui ne porte son nom. Il poussa même le désir de perpétuer sa gloire jusqu'à un excès dont l'Égypte dut se sentir accablée. Il n'est pas croyable que les prisonniers étrangers si écrasés de corvées que nous les montrent les récits des Hébreux, aient pu suffire à tant de travaux. Le peuple d'Égypte dut apporter à leur exécution une bonne part de fatigues et de sueurs.

Ramsès II n'en est pas moins resté le plus populaire de tous les Pharaons ; il a obtenu le résultat qu'il avait poursuivi si ardemment : son nom aujourd'hui est encore dans toutes les bouches. Les légendes et les vanteries racontées à Hérodote par les prêtres de l'Égypte au sujet de leur Sésostris ont été longtemps et sont presque encore aujourd'hui la seule histoire officielle de ce vaniteux Pharaon.

Thèbes, surtout, profita du goût de Ramsès II pour les constructions. Elle se revêtit bientôt d'une nouvelle splendeur ; il agrandit le temple d'Aménophis III à Louqsor, et planta devant l'entrée deux superbes obélisques en granit rose, couverts de hiéroglyphes et d'images en son honneur.

Le plus beau des deux est maintenant à Paris, sur la place de la Concorde ; l'autre est seul, là-bas, dans le désert, et montre encore aux descendants des Égyptiens, qui ne peuvent plus les lire, les glorieux récits de leur ancienne histoire que les hommes d'Occident sont venus déchiffrer. L'enlèvement de l'obélisque et son installation sur une des places de notre Paris, n'est-il pas un juste tribut de la reconnaissance que doit la vieille Égypte à la patrie de Champollion ?

Ramsès II mit aussi la main au grand temple de Karnac, que son père avait commencé et dont nous aurons l'occasion de détailler plus loin les merveilles. Enfin, c'est lui qui construisit sur la rive gauche du Nil, ce fameux tombeau du roi Osymandias que l'antiquité plaça au nombre de ses sept merveilles, dont Diodore nous a laissé une description si enthousiaste et que la science moderne a retrouvé dans les ruines du monument nommé *Ramesséion*, du nom de son fondateur.

À la mort de Ramsès II, cinquante ans de troubles intérieurs et de guerres civiles firent prévoir à l'Égypte que le moment de la décadence n'était pas éloigné. C'est au milieu de ces discordes que les esclaves amenés d'Asie commencèrent à lever la tête et à songer à rejeter le joug qui les avait écrasés jusque-là. Une bonne partie d'entre eux, originaires de la Palestine, se rassemblèrent sous les ordres d'un sage, instruit dans tous les mystères de la science et de la religion égyptienne. Il les constitua en corps de nation, leur donna des lois et les emmena hors de l'Égypte, du côté du désert. Ce sage se nommait Osarsyph ou Moïse, et cette histoire est celle de l'*Exode*, ou fuite du peuple hébreu.

Un prince guerrier, un nouveau Sésostris, avec qui on l'a confondu souvent, Ramsès III, releva bientôt l'Égypte, et lui assura, pour quelque temps encore, la domination sur l'Éthiopie et la Syrie, la paix au dedans, et le respect jusque chez les peuples les plus éloignés. Il battit plusieurs fois encore ces éternelles coalitions de Khétas qui se renouvelaient sans cesse et profitaient de la moindre faiblesse des Égyptiens pour pénétrer sur son riche territoire et y faire de terribles razzias. Ils venaient par terre et par mer ; et la surveillance des côtes ne demandait pas moins d'attention et de dépenses que celle de l'isthme et du continent.

Aussi le monarque ne pouvait plus même songer à quitter les régions de la Basse-Égypte. C'est dans les environs du Delta qu'il établit sa résidence habituelle. Thèbes, qui était toujours le centre vénéré de la religion et des traditions égyptiennes, vit son importance politique diminuer de jour en jour. Cependant Ramsès III continua encore à l'embellir. Il éleva, près de Karnak, un temple au dieu de la lune Chounsou. Il ajouta au grand temple le petit sanctuaire d'Ammon. À Louqsor, il fit de nombreux embellissements et son cartouche se lit sur notre obélisque à côté de celui de Ramsès II ; enfin il construisit sur la rive gauche du Nil, à Medinet-Habou, deux palais qui, par l'élégance de la construction et la perfection des détails, ne le cèdent en rien aux monuments élevés par son illustre aïeul.

Après la mort de Ramsès III, la décadence, un moment arrêtée, s'abattit rapidement sur l'Égypte. Le temps des expéditions guerrières et des grandes constructions était passé. La force de l'ancien empire se dissipa peu à peu dans la mollesse et les luttes intestines. Des usurpateurs remplacèrent sur le trône les rois vénérés de l'antique dynastie thébaïne. Ces usurpateurs, pour se maintenir, appelèrent les Barbares. L'ère de l'asservissement commençait pour les Égyptiens, en même temps que Thèbes cessait de leur donner des rois.

Nous ne poursuivrons pas plus loin l'histoire de cette antique capitale. Souvent prise et reprise, pillée et rebâtie, quelquefois regagnant un reste d'influence, le plus souvent délaissée et tombant peu à peu dans une sorte d'oubli, elle ne retrouvera plus jamais la splendeur dont elle brillait sous les rois dont nous avons signalé la puissance.

Certes, plus d'un des rois postérieurs, même parmi les étrangers, s'attachèrent à restaurer les monuments anciens, à les compléter quelquefois. Il n'est pas rare de trouver dans ces ruines les cartouches d'un Ptolémée ou même d'un empereur romain. Mais ce sont là des exceptions. Somme toute, Thèbes perd son rang de capitale dès la XXIe dynastie. Depuis ce temps, elle n'a fait que décroître ; son histoire n'est plus celle de l'Égypte. C'est à cette époque ancienne qu'il convient de se placer pour rêver le spectacle idéal que présentait l'ancienne ville et qu'on essaye de reconstruire à tâtons à l'aide des ruines actuelles.

Ruines de Thèbes

Imaginez-vous donc une ville immense, couvrant d'édifices publics et privés un espace de plusieurs milles carrés, parcourue du nord au sud par le Nil, comme Paris l'est par la Seine. Toute la partie de la rive droite semble avoir été consacrée spécialement au culte des dieux et à la demeure des prêtres. La rive gauche, où la vallée s'élargit, embrasse les nombreuses habitations privées, les palais des rois et des temples encore. Au-delà, dans une ceinture de collines qui couvre l'horizon de teintes bleuâtres, s'étagent les tombeaux des rois et les tombeaux des particuliers, *la Cité des Morts*.

Quoique Homère ait parlé avec admiration d'une merveilleuse ceinture de murailles qui entourait Thèbes, il semble que cette enceinte n'ait jamais existé. Diodore remarquait déjà que le poète ancien avait dû indiquer par ces mots les merveilleux pylônes qui de leur masse fermaient les temples.

Chaque temple égyptien était, en effet, entouré d'une quadruple muraille. Elle avait pour objet de délimiter le terrain sacré, de le protéger contre toute agression extérieure et surtout de dissimuler, aux yeux des profanes, les cérémonies secrètes du culte et les mystères qu'on célébrait dans l'intérieur. Ces enceintes, réunies entre elles par d'interminables allées de sphinx, devaient donner à Thèbes l'aspect général d'une ville fortifiée ; les nombreux pylônes qui servaient de portails s'élevaient à une hauteur démesurée. Ce sont là les *cent portes* de la légende homérique.

En remontant le cours du Nil, le premier monument important qui se présentait et qui, de loin, attirait l'œil par sa masse, la hardiesse de sa construction et l'importance de sa destination, c'était le grand temple du dieu national de Thèbes, d'Ammon. C'était vers ce temple que se dirigeaient de préférence, dans les jours de fête, les files interminables des adorateurs du soleil ; c'est ce temple qui a pris aujourd'hui le nom du village arabe construit sur ses ruines, c'est le *grand temple de Karnak*.

L'impression produite par les restes de la salle du temple est tellement forte, qu'il faut, sous peine de l'affaiblir, laisser parler un visiteur encore tout plein de l'émotion qu'il a ressentie : « Au risque de passer pour un enthousiaste ou pour un fou, dit M. Ampère, j'essayerai de donner une idée de la prodigieuse salle de Karnak et de l'impression qu'elle a produite sur moi. Imaginez une forêt de tours ; représentez-vous cent trente-quatre co-lonnes égales en grosseur à la colonne Vendôme, dont les plus hautes ont soixante-dix pieds de hauteur (c'est presque la hauteur de notre obélisque) et onze pieds de diamètre ; couverts de bas-reliefs et de hiéroglyphes. Les chapiteaux ont soixante-cinq pieds de circonférence. La salle a trois cents dix-neuf pieds de longueur, presque autant que Saint-Pierre de Rome, et plus de cent cinquante pieds de largeur. Il est à peine besoin de dire que ni le temps, ni les deux races de conquérants qui ont ravagé l'Égypte, les Pas-teurs, peuple barbare, et les Perses, peuple fanatique, n'ont ébranlé cette architecture impérissable.

Elle est restée exactement ce qu'elle était il y a trois mille ans à l'époque florissante des Ramsès. Les forces destructives de la nature ont échoué ici contre l'œuvre de l'homme. Le tremblement de terre qui a renversé les douze colonnes de la cour que je viens de traverser a fait, je l'ai dit, crouler le massif du grand pylône, qui me rappelait tout à l'heure une chute de montagne ; mais les cent trente-quatre colonnes de la grande salle que je contemple maintenant n'ont pas chancelé. Le pylône, en tombant, a en-traîné les trois colonnes les plus voisines de lui ; la quatrième a tenu bon et résiste encore aujourd'hui à ce poids immense de débris. Cette salle était entièrement couverte ; on voit encore une des fenêtres qui l'éclairaient. Ce n'était point le temple, mais un vaste lieu de réunion destiné probable-ment à ces assemblées solennelles qu'on appelait des *panégyries*. Le hiéro-glyphe dont ce mot grec semble être une traduction, se compose d'un signe qui veut dire *tout*, et d'un toit supporté par des colonnes semblables à celles qui m'entourent. Ce monument forme donc comme un immense hiéroglyphe au sein duquel je suis perdu. »

Tâchons, à l'aide de M. de Rougé et de M. Mariette, de déchiffrer les différentes parties de ce hiéroglyphe architectural. Il faut faire d'abord une remarque générale sur l'ensemble du massif de Karnak ; tout dans cet immense pâté de monuments se rattachait au grand temple que nous allons décrire ; les autres constructions partaient de lui et aboutissaient à lui.

Cependant, on ne peut pas dire que Karnak ait été construit tout d'une pièce, et même sur un plan unique une fois tracé ; il n'y a pas l'harmonie, la préoccupation de la symétrie et de l'ensemble qui existe, par exemple, dans notre Louvre, bâti, lui aussi, sous plusieurs générations des rois.

M. Mariette fait, à ce sujet, une observation qui jette sur la formule de l'art égyptien un véritable trait de lumière : « On pourrait supposer, dit-il, que cette confusion est un effet voulu par les architectes, dans le but de varier et de donner de l'imprévu à l'aspect extérieur de l'ensemble des édifices sacrés. Je m'étonnerais bien, cependant, que les constructeurs de Karnak aient eu cette pensée. Tout au contraire, le pêle-mêle des temples provient de leur profonde indifférence en matière de symétrie, et je dirai presque en matière d'art. Pour eux, un temple était parfait s'il était durable ; à certains égards, le beau n'était qu'un accessoire. »

Si le *durable* était, avant tout, l'idéal des architectes égyptiens, on peut dire qu'ils ont réalisé leur rêve dans le grand temple de Karnak, qui reste en partie debout après plusieurs milliers d'années d'abandon.

Ce grand temple donc, dont la description résume à peu près celle de tous les temples importants de l'Égypte, s'annonçait, en remontant du nord au sud, par une première allée de sphinx. Ces sphinx étaient jetés, comme en avant-garde, soixante mètres environ avant l'entrée principale. Quelques obélisques complétaient la figure de ce péristyle peu important. C'était comme un temps d'arrêt, un point de repère, où l'on pouvait avantageusement se placer pour jouir dans une contemplation religieuse de l'effet imposant de la masse du temple. De là, en effet, on découvrait en plein l'immense pylône qui servait de portail. Les restes de ce pylône, tels que nous les voyons aujourd'hui, datent, à ce qu'il semble, du temps des Ptolémées ; mais on a de fortes raisons de croire que la dynastie grecque n'a fait que réparer ou reproduire les constructions telles qu'elles existaient dès les plus anciens âges.

Ce pylône conduisait à une immense cour fermée de toutes parts par une enceinte en briques cuites au soleil. L'ensemble de cette enceinte, aujourd'hui presque détruite, était coupé par quatre portes monumentales qui, sur les divers côtés, donnaient accès dans l'intérieur.

Au milieu de cette cour, étaient debout (plus tard, sous la XXIVᵉ dynastie), dix ou douze colonnes du plus bel effet. Elles étaient rangées six par six et s'élevaient fièrement dans les nues. En outre, dans deux des coins de cette immense cour deux temples avaient été construits, l'un par Sethos Iᵉʳ, l'autre par Ramsès III. Tous deux, servant, en quelque sorte, d'accessoires gigantesques, consacraient la piété particulière que ces deux princes avaient pour le dieu adoré dans le grand temple.

Le grand temple, lui-même, s'ouvrait au fond de la cour. Deux statues colossales en granit rose veillaient aux portes et représentaient l'image du constructeur, Ramsès le Grand. Sur les murs d'un petit vestibule qui les suit s'entremêlent et se surchargent les représentations des exploits des Ramessides. Suit enfin la porte dernière, la *très grande*, comme l'appellent les monuments anciens. Elle ne mesurait pas moins de 29^m,50 de hauteur. C'était pour des géants qu'on l'avait taillée.

Comment ne pas s'arrêter ici un instant, pour essayer de donner à l'esprit écrasé un point de comparaison ? Cette porte, construite par trois rois : Ramsès Ier, Sethos et Ramsès II, avait à peu près la taille de la porte de Saint-Denis. Et ce n'était qu'une partie d'un monument énorme. Elle ne faisait qu'annoncer les grandioses merveilles de la grande salle.

Après avoir franchi un nouveau pylône, que le tremblement de terre de l'an 27 a fait écrouler, on arrivait enfin dans cette salle hypostyle aux cent trente-quatre colonnes. Les murs d'enceinte portent, gravés en planches gigantesques, les exploits des Sethi et des Ramsès ; ce sont leurs campagnes au Nord et au Sud ; ce sont leurs victoires en Asie et en Afrique, c'est le fameux poème du *Pentaour*, dont nous avons donné plus haut des extraits : défilés de prisonniers, processions en l'honneur d'Ammon, hécatombes d'offrandes, peuples entiers en prière, la confusion de la mêlée dans les batailles, l'ordre et la symétrie des peuples dans les marches triomphales, tels sont les tableaux qui se déroulent sur les murailles de cet autre Vatican.

Et au milieu s'élancent, pleines d'orgueil royal et d'effort surhumain, les cent trente-quatre colonnes qui portent aux pieds d'Ammon, comme une clameur triomphale, l'hommage de la reconnaissance et de la piété des Pharaons. Ramsès Ier, Sethi et Ramsès II furent les bâtisseurs de cet hymne monumental.

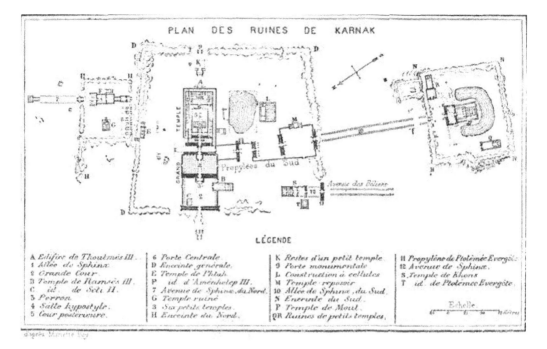

PLAN DES RUINES DE KARNAK

Il semble qu'après avoir décrit ces splendeurs l'on doive s'arrêter. Le narrateur, le lecteur se fatiguent à poursuivre l'énumération de ces incroyables beautés… mais non l'architecte. Il a poursuivi, lui. Ce sont encore des colonnes, des labyrinthes de salles et de vestibules, des temples succédant à des temples, tout cela coupé, séparé, fermé par des obélisques, par des sphinx, par des pylônes gigantesques.

Traversons rapidement, arrivons enfin dans la cour intérieure, où se cachait loin des yeux du profane vulgaire le sanctuaire du dieu.

C'est ici la gloire de Thèbes, le temple vénéré des rois, celui qui attirait les files solennelles des adorateurs, dont les étrangers, regardant de loin les toits, interrogeaient avec respect les rares visiteurs. C'était là que se cachait l'animal sacré qui représentait la haute pensée des prêtres de l'Égypte. La vénération et le mystère l'entouraient.

Aujourd'hui, de ce sanctuaire il ne reste plus aucune trace. Quand tant d'autres splendeurs ont survécu, celle-ci, qui les dépassait et qui les motivait toutes, a disparu complètement.

Les fondations mêmes sont à peine visibles.

Quelle a été la cause d'une si complète destruction ? Ici les paroles froides de l'archéologue et du savant, qui enregistre des faits qui peuvent se passer de commentaire, seront plus éloquentes que tout ce que l'on peut dire sur la vanité des choses humaines. « Nulle part, dit M. Mariette, la destruction n'a été plus complète. Les fondations elles-mêmes ont disparu, et c'est à peine si on lit encore aujourd'hui, le nom d'Usertesen Ier sur quelques fûts de colonnes, qui seuls ont échappé au désastre… On remarque que sur les colonnes le nom d'Ammon est martelé. Le sanctuaire avait donc traversé intact la période des Pasteurs et il était encore debout avant la fin de la dix-huitième dynastie. Mais comment a-t-il si complètement disparu, quand toutes les autres parties du temple sont relativement conservées ? Thèbes a supporté plus d'un siège. Sennachérib, Cambyse, Ptolémée-Lathyre (sans compter ceux que nous ne connaissons pas) l'ont saccagée. Le sanctuaire est-il tombé sous les coups d'un ennemi victorieux qui, en le détruisant, a cru frapper Karnak au cœur ? Le calcaire dont il était construit, n'a-t-il pas plutôt été employé dans la construction des murailles et des fondations relativement modernes, et ne faut-il pas rendre *responsables de la destruction les entrepreneurs de fours à chaux* ? Évidemment, cette cause suffit à expliquer la totale disparition d'un édifice qui n'a pour ainsi dire pas laissé de trace sur le terrain qu'il occupait et semble avoir été emporté minutieusement pierre à pierre. »

Derrière la cour du sanctuaire se développait encore un nouveau système de salles et de vestibules que l'architecte semblait avoir élevé pour accompagner et préparer l'effet de la grande salle. C'était là que s'arrêtaient les processions et qu'elles se disposaient à la vénération dans le sanctuaire. Dans telle salle le roi venait adorer ses ancêtres. Telle autre était une sorte de chapelle consacrée au culte des éperviers, des crocodiles dont on a retrouvé les momies saintes.

Plus loin encore, après un nouveau petit temple s'étendait l'espace réservé aux eaux sacrées. Il y avait le lac qui servait aux jours des processions ; là descendaient et circulaient les barques des prêtres. Leur marche lente autour du lac représentait soit la marche du soleil dans le ciel, soit l'entrée de l'âme dans le royaume des morts. Ce lac n'était alimenté autrement que par l'infiltration ; aucun canal ne le faisait communiquer avec le Nil. Il avait été creusé de main d'homme et des quais superbes ornaient tous ses contours.

Les puits fournissaient l'eau employée pour les libations et pour les ablutions des prêtres.

Ainsi se complétait l'ensemble du grand temple. Nous verrons plus loin quel était le chemin colossal qui le réunissait aux édifices de Louqsor.

Résumons donc notre impression.

Entassez l'un sur l'autre l'arc de triomphe de Constantin et la grande salle de Saint-Pierre de Rome ; étendez en avant et en arrière les cours du Louvre et les bassins de Versailles ; plantez devant les portes les obélisques qui ornent nos places et que nous avons ravis à l'Égypte ; élevez l'une auprès de l'autre une forêt de colonnes presqu'égales en grosseur à nos colonnes *Vendôme* et de *Juillet* ; bâtissez une immense enceinte qui enveloppe et protège cet amas de temples, de couloirs, de pylônes, de statues, de salles, de cours et de palais : vous aurez enfin une idée assez complète du grand temple de Karnak.

Et cependant les points de comparaison que vous fournissent les splendeurs des villes modernes ne vous auront pas suffi encore. Il reste une œuvre que rien n'égale et de laquelle nous n'avons pas dit un mot jusqu'ici : c'est l'immense allée de *mille sphinx* qui, longue de plus de deux mille mètres, reliait Karnak à Louqsor. Cette allée partait du flanc sud du temple et faisait ainsi régner l'*aire sacrée* sans interruption d'un bout des Apetu (Thèbes) à l'autre. L'allée avait vingt-trois mètres de largeur. De quatre mètres en quatre mètres, les sphinx étaient assis et regardaient avec leurs grands yeux mélancoliques et mystérieux passer la foule des adorateurs du Dieu. Aucun cartouche, aucune inscription ne révélait le nom du souverain dont la monumentale modestie avait étendu et déroulé aux portes du temple cette incommensurable prière.

Suivons à notre tour cette allée aujourd'hui presque entièrement disparue. En remontant le cours du Nil, nous arrivons à un nouveau massif de monuments. C'est *Louqsor*.

Louqsor, qui en arabe, veut dire les *Palais*, reproduit, sans les égaler quelques-unes des splendeurs des constructions de Karnak. L'art à Louqsor est peut-être plus raffiné, plus élégant même, mais l'effort a été moindre et le résultat est moins imposant.

Ici encore se suivent et s'entremêlent en l'honneur *d'Ammon Ra*, les parties essentielles d'un temple égyptien, c'est-à-dire pylônes, cours, salles hypostyles et sanctuaires.

Deux souverains surtout s'étaient appliqués à la construction de cet édifice.

C'étaient Amenhotep III et Ramsès le Grand. Celui-ci ne fit que compléter les travaux de son prédécesseur. Mais il s'assura la meilleure part de la gloire en élevant à l'entrée du temple un portique du plus grandiose effet.

Ce portique se composait de deux pylônes très élevés sur lesquels se déroulait la suite des exploits de Ramsès. Entre ces deux pylônes était ménagée, une porte de plus de cinquante pieds de haut. En avant, quatre statues colossales de plus de quarante pieds de hauteur et taillées chacune dans un seul bloc de marbre de Syène représentaient le conquérant. En avant encore, on avait dressé deux obélisques dont le hardi pyramidion perçait les nues et attirait vers le ciel l'attention du pieux visiteur.

De ces deux obélisques l'un, comme nous l'avons dit déjà, est aujourd'hui sur la place de la Concorde. Il est haut de 70 pieds ; son poids est de plus de 220 mille kilogr. ; il reposait sur un dé de granit assez élevé. C'est une pierre monolithe sortie des carrières de Syène. Sur chacune de ses deux faces sont gravées en caractères d'une pureté admirable, des inscriptions en l'honneur de Ramsès II qui éleva le portique et de Ramsès III, qui l'acheva. Tous deux y sont mentionnés avec leurs titres ordinaires et en quelque sorte patronymiques de « *seigneur de la région d'en haut et d'en bas, fils des dieux et des déesses, seigneur du monde, soleil gardien de la vérité, approuvé de Phré* » ; ou bien encore d'« *Aroéris puissant, ami de la vérité, roi modérateur, très aimable comme Thmon, étant un chef né d'Ammon, et son nom étant le plus illustre de tous.* »

Il n'était pas inutile d'insister quelque peu sur les obélisques du temple de Louqsor ; car outre l'intérêt que leur donne leur moderne destinée, il faut noter que chez les Égyptiens eux-mêmes, ces monuments passaient pour le type même de la construction, pour le monument par excellence. Ils représentaient un des attributs les plus mystérieux du dieu Ammon, et on les vénérait parfois comme symboles divins.

On trouve sur certains scarabées la scène suivante :

 c'est-à-dire un homme adorant un obé-lisque.

C'est là un témoignage certain et confirmé plusieurs fois de l'importance que ces représentations monumentales avaient aux yeux mêmes des anciens Égyptiens.

L'importance des ruines de Louqsor est infiniment moins grande que celle de Karnak. Outre les causes de faiblesse relative qu'il y avait dans l'infériorité de la masse générale de l'édifice, l'usage qu'ont fait des pierres les habitants arabes du village de Louqsor pour élever leurs mosquées, et même leurs masures, a complètement défiguré l'ensemble des ruines. Les dépôts successifs du Nil, des arbres poussés, çà et là, les habitations éparses permettent à peine de retrouver quelque chose de la grande impression que dut faire le temple.

Même dans les parties qui subsistent, plus d'un fragment important, comme le grand quai sur le Nil, comme le nouveau sanctuaire en granit, sont d'une époque relativement moderne et doivent être attribués soit aux Lagides, soit même aux Césars.

Nous n'insisterons donc point sur la description du palais de Louqsor. Nous franchirons rapidement la vaste enceinte qui l'entourait et dont quelques restes apparaissent encore ; et nous descendrons jusque sur les bords du Nil, dont les quais somptueux accompagnaient dignement l'ensemble des édifices qui couronnaient ses rives.

Il n'y avait pas de pont dans l'ancienne Thèbes pour passer sur l'autre bord. Des barques de toutes les grandeurs sillonnaient continuellement le fleuve, en descendaient ou remontaient le cours ; depuis les fragiles canots de papyrus que les habitants du haut Nil portaient sur leurs épaules, aux endroits où les cataractes faisaient obstacle à la navigation, jusqu'aux bâtiments plus lourds, poussés par l'effort de dix ou douze rameurs, et destinés aux transports des marchandises ou des riches propriétaires. À l'arrière, une cabine élégamment aménagée servait de lieu de refuge, et sur le sommet était accroupi l'homme chargé de manier l'aviron servant de gouvernail. Quelques-uns de ces bateaux allaient à la voile. Mais la voile triangulaire dite *latine* n'était pas encore connue à cette époque et les monuments nous représentent toujours la voile carrée, aujourd'hui abandonnée presque partout.

Si nous mettons le pied sur la rive gauche du Nil, nous nous trouvons dans le milieu vraiment industriel, actif et laborieux de la grande capitale. Il semble, comme nous l'avons dit, que la rive droite était plutôt réservée aux cérémonies religieuses et aux maisons des champs. Ici, au contraire, se pressaient probablement ces maisons à plusieurs étages dont parle Diodore de Sicile. Ces maisons, d'après le même auteur, étaient construites en brique ; c'est ce qui explique, en dehors du long abandon et de la moindre importance des édifices, leur complète disparition.

De l'ancienne Égypte, il n'est resté debout que les maisons des Dieux, les maisons des Rois et les maisons des Morts. Les Dieux, les Rois et les Morts étaient l'objet des suprêmes vénérations et des plus extraordinaires efforts. L'Égyptien des anciens âges serait satisfait s'il pouvait voir les mo-

numents qui leur étaient consacrés subsister seuls au milieu de la disparition complète de toute autre trace de l'ancienne civilisation.

Au rez-de-chaussée des maisons particulières, de nombreuses boutiques
offraient au passant les divers produits de l'industrie et du commerce
égyptien.

On y trouvait *les toiles de Byssus*, servant à l'habillement des Momies ;
les toiles de lin, taillées en forme de manteaux et ornées de franges en cor-
delettes ; des cuirs maroquinés ; des chaussures nommées *Tabtebs* en
langue égyptienne, faites en feuilles de palmier tressées, et munies de cor-
dons pour les lacer ; des miroirs de métal ayant pour manche le buste de la
déesse Hathor (Vénus) ; des ingrédients de toilette de toutes sortes, enfer-
més dans des coffrets richement ciselés ; des anneaux de métal ou d'ivoire
que l'on passait dans les oreilles ; des représentations d'animaux, l'ibis, le
scarabée, la grenouille, portées par les pieuses Égyptiennes comme nous
portons l'agneau du Christ ; des bijoux en lentisques, en œils, en grains,
en olives, formés des pierres les plus précieuses, le jaspe, l'agate, la chalcé-
doine, le lapis, le grenat, la sardonyx, le granit ; des serpents roulés en spirale pour servir de bagues, d'autres bagues chargées des camées d'Osiris,
d'Isis et de Nephtis.

On y trouvait aussi tous les ustensiles domestiques, les outres, les
coupes et les amphores ; les vases à deux anses ornés de palmettes ; les paniers en jonc ou en feuillage ; les bassins en métal ; les fauteuils et les ta-
bourets richement sculptés ; les armes, soit l'arc, soit les flèches, soit la
lance.

Des parfums venant de l'Inde ou de l'Arabie ; des amulettes venant du
centre de l'Afrique ; des peaux de lion, de tigre ou de panthère ; des dents
d'éléphant, des cornes de bœufs étrangers ; des albâtres, des onyx, en un
mot tout ce que produisait l'Orient ou l'Occident, tout ce que pouvait rêver le luxe le plus inouï se trouvait réuni dans ces boutiques de la capitale

et y provoquait les désirs des contemporains et des contemporaines des Pharaons.

Bon nombre de ces objets ont été retrouvés de nos jours par les patients fouilleurs de ces ruines. Ils donnent l'idée de la richesse des habitants de Thèbes, de la prospérité de ce commerce qui se pressait sur la rive gauche du Nil, comme les boutiquiers d'aujourd'hui s'entassent aux abords du Palais-Royal.

La rive gauche du Nil présentait d'ailleurs de nombreux avantages. La plaine qui s'étendait sur les bords du fleuve était assez large pour laisser au développement des édifices publics et privés un suffisant espace. Cependant, elle était protégée contre les vents du désert par une rangée épaisse de collines qui l'enveloppait d'un demi-cercle et en faisait comme un vaste hémicycle. Sur les premières rampes de ces collines pouvaient s'étager agréablement les palais, les maisons et les jardins. Sur les points plus élevés, au sein des arrière-chaînes, plus âpres et plus tristes, pouvaient s'ouvrir dans le roc dur et éternel les portes nombreuses des tombeaux des particuliers et des rois.

En raison de ce double avantage, cette plaine se peupla rapidement. C'est là encore, en remontant du sud au nord, que nous trouverons les ruines imposantes de *Medinet-Habou*, du *Memnonium*, du *Ramesséion*, de *Kurnah*, et dans le fond, couronnant l'horizon, les murailles criblées de l'*El-Assasif* et les bouches innombrables de la *Vallée des Tombeaux*.

L'amas de Medinet-Habou, que nous trouvons tout d'abord, offre pour le visiteur studieux l'attrait d'une succession de ruines datées de toutes les époques. Sous les couches peu intéressantes formées par les restes des habitations privées qui se sont remplacées en cet endroit, on trouve bientôt écrits sur des pierres les noms des *Césars* de Rome (Antonin le Pieux), des *Ptolémées* de la Grèce (Ptolémée Soter II) et des *Pharaons* égyptiens de toutes les époques, depuis Nectanebo, jusqu'aux conquérants éthiopiens ;

de ceux-ci au constructeur principal, Ramsès III ; de celui-ci enfin aux premiers fondateurs, Thoutmosis I et Thoutmosis III.

Nous nous occuperons seulement ici des constructions anciennes. Car, – comme on l'a déjà remarqué plusieurs fois, – l'introduction de l'influence grecque et romaine dans l'architecture et dans l'art égyptien, loin d'être une cause de progrès, fut au contraire un principe de déclin et d'affaiblissement.

Ni pour la pureté des formes, ni pour la solidité des constructions, ni pour l'élégance des œuvres de décoration et des hiéroglyphes, les œuvres modernes ne peuvent soutenir la moindre comparaison avec les monuments de la véritable ère des Pharaons ; et c'est vers les plus anciennes époques qu'il faut se reporter si l'on veut saisir dans sa véritable théorie et dans sa plus parfaite expression l'idéal artistique des Égyptiens.

La partie la plus curieuse, sinon la plus importante, des constructions anciennes à Medinet-Habou est un monument à plusieurs étages qui semble avoir servi d'habitation privée, à son constructeur, Ramsès III. C'est un des rares monuments subsistants qui puisse nous donner une idée – grandie encore – de ces sortes de constructions. C'était, à ce qu'il semble, le harem du roi. L'entrée regardait le Nil, le dos était tourné à la montagne. Des jardins analogues à celui que représente notre gravure, pouvaient facilement s'élever en étages jusqu'au pied des collines. Sur les murs de l'intérieur étaient gravés des scènes domestiques.

On y voit le roi entouré de ses femmes, et de ses filles. Elles lui offrent des fruits et des fleurs ; ses enfants sont à ses pieds, il joue lui-même avec la reine une sorte de jeu analogue à celui des échecs.

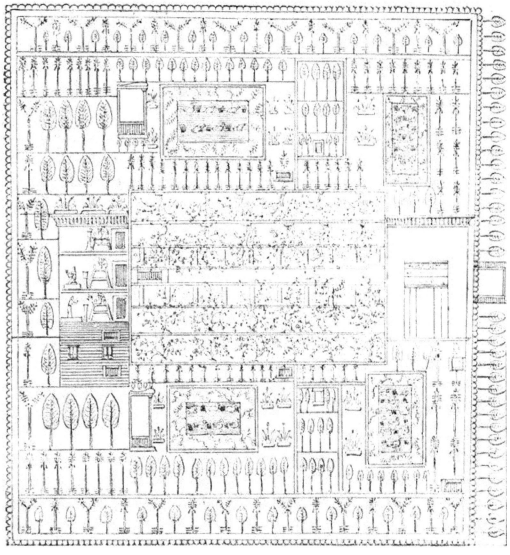

Jardins d'Hathor

Au centre de cet édifice dont la partie extrême et la plus élevée semblait réservée aux habitations privées, se développait une cour assez grande enfermée de toutes parts par des pavillons ou de hauts pylônes ; à l'intérieur de cette cour, des fenêtres et des balcons décorés avec beaucoup de goût, permettaient de jouir de la fraîcheur et de l'ombre. Cette disposition se remarque encore dans la plupart des constructions de l'Orient. Sur les murs formant les parois, des scènes gravées dans la grande manière de cette époque détaillaient, une fois encore, les victoires du roi. Sa figure colossale, terrassant ses ennemis, attirait le regard et rappelait le respect dû, même dans cet asile, à la puissance et à la majesté royale.

À quelques mètres derrière ce palais s'élevait le temple que Ramsès III avait élevé au dieu Ammon en souvenir des victoires que la protection divine lui avait fait remporter. Peu s'en fallait que ce temple – l'un des types les plus remarquables de l'art égyptien aux bonnes époques, – n'égalât les splendeurs de l'autre rive.

La conception générale de l'édifice est simple ; il se compose de deux cours d'inégale grandeur annoncées toutes deux par de superbes pylônes ; la dernière étant la plus grande, la plus richement décorée était terminée par un massif de constructions aujourd'hui presqu'entièrement ruiné.

Les parties qui, aujourd'hui, restent encore presque entièrement debout (quelques-unes même enfouies sous le sol), sont les deux pylônes que nous avons déjà indiqués, et les murailles et portiques qui formaient les bas-côtés des deux cours.

Le premier pylône qui est la porte d'entrée de l'édifice, a $21^{\text{m}},45$ de hauteur. Sur chacun des deux massifs qui le forment, sont gravés en figures colossales les exploits de Rhamès-Mei'amoun dans la onzième et la douzième année de son règne ; treize nations asiatiques d'une part, vingt-neuf de l'autre sont abattues par la force que lui a prêtée le dieu Ammon. Ammon-Ra a dit : « Mon fils, mon germe chéri, maître du monde, gardien de justice, ami d'Ammon, toute force t'appartient sur la terre entière ; les nations du septentrion et du midi sont abattues sous tes pieds ; je te livre les chefs des contrées méridionales, conduis-les en captivité et leurs enfants à ta suite ; dispose de tous biens existant dans leur pays ; laisse respirer ceux d'entre eux qui voudront se soumettre et punis ceux dont le cœur est contre toi. » (C'est là justement la politique du Sénat romain résumée dans la formule de Virgile : *Parcere sabjectis, debellare superbos*).

Sur les parois de la première cour d'autres exploits encore sont représentés. On a cru pouvoir reconnaître dans les peuples qui y figurent le type des races hindoues : cette identification ferait du Sésostris un autre Bacchus vainqueur des Indes. Sans pouvoir rien affirmer de précis à ce sujet, on ne peut cependant s'empêcher de reconnaître que Ramsès III a lutté contre des peuples distincts des ennemis habituels et permanents des Égyptiens.

Au fond de cette cour s'élève un nouveau pylône, richement orné et partagé en deux massifs par une magnifique porte de marbre rose. Il donne accès à la seconde cour intérieure. Son aspect majestueux rappelle les merveilles de Karnak. « Là, dit encore Champollion, la grandeur pharaonique se montre dans tout son éclat, la vue seule peut donner une idée de ce péristyle, soutenu à l'est et à l'ouest par d'énormes colonnades, au nord par des piliers contre lesquels s'appuient des cariatides derrière lesquels se montre une seconde colonnade. Tout est chargé de sculptures revêtues de couleurs très brillantes encore ; c'est ici qu'il faut envoyer, pour les convertir, les ennemis systématiques de l'architecture peinte. Les parties des quatre galeries de cette cour conservent toutes leurs décorations. De grands et vastes tableaux sculptés et peints appellent de toute part la curiosité des voyageurs. L'œil se repose sur le bel azur des plafonds ornés de couleur jaune doré ; mais l'importance et la variété des scènes reproduites par le ciseau absorbe bientôt toute l'attention. »

Entrer dans le détail de ces scènes que Champollion appelle à bon droit *héroïques* nous est malheureusement impossible : ce serait reprendre un à un et dans leurs détails les faits les plus intéressants de l'histoire et de la civilisation égyptienne à l'époque de Ramsès III. Indiquons seulement que l'objet principal de cette vaste décoration est la campagne entreprise contre les peuples de l'Asie par Ramsès-Méïamoun et la victoire navale à la suite de laquelle il leur imposa sa domination et les frappa de lourds tributs. Depuis l'enrôlement et l'armement des troupes jusqu'au retour et au triomphe du Pharaon, toutes les scènes importantes de la guerre sont figurées sur ces murailles. Leur étude n'a pas été d'un médiocre secours pour éclairer l'histoire et la généalogie passablement embrouillée des Pharaons de la XIXe dynastie.

Quittons maintenant – quoique à regret – ce massif de Médinet-Habou qu'on a appelé avec raison le Karnak de la rive gauche ; descendons de nouveau le cours du Nil, en nous rapprochant du fleuve.

D'autres splendeurs appelaient autrefois les visiteurs anciens.

Mais aujourd'hui quel changement !

De loin deux colosses assis dominent la plaine et attirent seuls notre attention. Ce sont les deux célèbres statues de Memnon, et leur présence indique la place du célèbre palais d'Amenophis, l'*Amenophion* ou *Memnonium*.

Ici, malheureusement, l'architecte avait employé la pierre calcaire et non le grès dur qui servit à Medinet-Habou. Les Barbares ont exploité cette vaste carrière si facile à détailler et à réduire en chaux. Leurs ignobles cahutes sont bâties avec les restes transformés des palais des rois ; ils ont enlevé minutieusement, pierre à pierre, tout ce qui pouvait leur être de quelque utilité ; et les voyageurs affirment qu'il en a coûté presque autant de peines pour démolir cet édifice qu'il en avait fallu aux constructeurs pour le bâtir. Cependant que de restes précieux pour l'archéologie et pour l'historien subsistent encore, cachés par les hautes herbes, gisant au fond de quelque trou, apparaissant de loin au-dessus du limon du fleuve, et labourant en quelque sorte cette plaine faite d'alluvions régulièrement amoncelée.

Combat naval contre les alliés de l'Asie Mineure

Nous avons mentionné déjà les colosses ; il est inutile de reprendre ici l'histoire et la légende de ces célèbres statues de Memnon. Ils étaient auparavant placés en sentinelle à la porte du riche palais d'Aménophis ; mais ils n'étaient pas seuls. On a compté plus de dix-huit colosses monolithes dont les membres épars gisent encore çà et là. Deux, entre autres, mieux conservés indiquent une autre entrée du palais d'Aménophis et donnent une juste idée de son étendue.

Derrière l'Aménophion, un peu plus au nord, et près de ces derniers colosses que nous venons d'indiquer s'élevait un nouvel édifice dont le nom et le fondateur ont été méconnus jusqu'à Champollion le Jeune. C'est le Rhamesséum ou tombeau d'Osymandyas. Le Pharaon qui le construisit, n'est autre, cela est certain aujourd'hui, que Rhamsès le Grand, le véritable Sésostris. Ce monarque qui fut un des plus grands bâtisseurs du monde, qui a poussé le désir de faire vivre son nom jusqu'à s'emparer souvent des cartouches et des inscriptions de ses prédécesseurs, qui a complété la plupart de leurs travaux, et dont on a pu dire, en un mot, qu'il n'était peut-être par un monument important en Égypte où l'on ne retrouvait sa trace,

Ramsès, dis-je, a été pris du désir fort naturel d'élever aussi son monument à lui, et d'y consacrer le souvenir de ses fabuleuses victoires.

C'est de cette pensée qu'est sorti le Rhamesséum. Ce ne fut certainement pas le plus grand monument de Thèbes : mais ce fut peut-être le plus pur, le plus noble et le mieux proportionné. On a remarqué qu'aucun des autres monuments de cette capitale ne se rapprochait davantage de l'art grec. C'est peut-être ce qui lui a valu la bonne fortune d'être décrit tout entier par un Grec qui le visita, alors qu'il était encore debout. Cette description complétée par les ruines très belles qui restent encore à l'heure qu'il est, donne une juste idée du palais où le grand conquérant se reposait de ses travaux, remerciait les Dieux, en méditant peut-être de nouveaux exploits :

« Sur la rive gauche du Nil, dit Diodore, s'élève le monument du roi Osymandyas. Un pylône couvert de sculptures, large de deux cents pieds, haut de quarante-cinq coudées, conduit à une cour carrée entourée de colonnes, de 400 pieds de côté ; mais les colonnes sont remplacées par des statues debout, hautes de seize coudées, toutes d'un seul bloc en style archaïque. Le toit du portique, épais de deux toises, également composé de monolithes, est parsemé d'étoiles peintes sur un fond bleu. Derrière cette cour est un second pylône, semblable au premier, mais orné de sculptures encore plus riches. À l'entrée se dressent trois statues d'un seul bloc. Celle du milieu, qui est assise, est la plus grande de toute l'Égypte, car le pied seul a plus de sept coudées de long. À côté des genoux de cette statue sont deux figures de femmes, l'épouse et la fille du roi, et toutes les trois statues sont d'une seule pièce et l'on n'y voit nulle part ni joint ni fente. Il y a encore une quatrième statue, haute de vingt coudées, pareillement monolithe : c'est la mère d'Osymandyas.

À ce pylône succède une seconde cour à colonnes, plus remarquable encore que la première et dans laquelle une foule de sculptures représentent la guerre d'Osymandyas contre les Bactriens. Ceux-ci ayant fait défection, le roi se mit en campagne avec 400 000 fantassins et 20 000 cavaliers, divisa son armée en quatre corps et en confia un à chacun de ses quatre fils. Sur la première muraille, le roi à la tête de son armée, attaque une forteresse entourée d'un cours d'eau ; il est accompagné d'un lion qui le seconde. Sur la seconde muraille on emmène les prisonniers ; ils n'ont ni parties génitales, ni mains pour marquer qu'ils ont combattu sans courage. La troisième muraille montre le sacrifice du roi et son retour triomphant.

Au milieu de la cour à colonnes s'élève un autel d'une grandeur et d'un travail merveilleux. Devant la quatrième muraille se trouvent deux statues assises de 27 coudées de hauteur, à côté desquelles trois sorties débouchent dans une salle à colonnes dont chaque côté mesure deux cents pieds. Il y a dans cette salle une multitude de statues en bois. Elles représentent des hommes debout qui attendent la décision de leurs procès, les yeux tournés vers les juges. Ceux-ci au nombre de trente, sont taillés dans un des murs, rangés autour du chef des juges qui porte suspendue à son cou une statuette de la Vérité, les yeux fermés ; il a à ses pieds une foule de livres.

On entre ensuite dans un espace destiné à la promenade où sont figurés des mets exquis et très variés. C'est là qu'on voit encore le roi paré des plus brillantes couleurs, offrant aux dieux l'or et l'argent que lui rapportent chaque année les mines d'Égypte, et la somme est écrite à côté : cela montait à 320 000 mines.

Suit la bibliothèque sacrée garnie des statues de tous les dieux d'Égypte et de celle du roi, qui offre à chacun son dû comme pour montrer à Osiris et à ses assistants ou collègues du monde inférieur, que le roi a été toute sa vie juste envers les hommes et pieux envers les dieux. Contre le mur de la bibliothèque s'appuie encore un autre bâtiment où se trouvent vingt lits de repos, les statues de Zeus et d'Héra et la statue du roi. C'est dans ce bâtiment que le roi est, dit-on, enseveli. Il est d'ailleurs entouré de beaucoup d'autres pièces qui renferment de très belles statues de tous les animaux honorés en Égypte. Par ces pièces on arrive sur le dessus du tombeau où se trouve un cercle d'or de 36 coudées de circonférence et d'une coudée d'épaisseur. Tous les jours de l'année sont marqués et inscrits sur ce cercle avec des observations qui donnent pour chacun le lever et le coucher des groupes d'étoiles, plus les influences que les astrologues d'Égypte attribuent à ces constellations. »

Les détails que Diodore nous donne sur le tombeau dit d'Osymandyas, sont assez précis pour que nous y reconnaissions le palais de Ramsès. Les ruines nous présentent encore le pylône grandiose, la cour à colonnes avec ses colosses en forme de cariatides. On a trouvé aussi les débris d'une gigantesque statue, haute de près de 20 mètres, et dont le doigt mesure $1^m,36$. Enfin sur les murs se déroule cette série de batailles et de triomphes remportés par Ramsès II non contre les Bactriens, comme le croit Diodore, mais bien contre les Chètas. Ce sont ces mêmes exploits, si souvent reproduits en Égypte que raconte le poème du Pentaour dont nous avons donné plus haut quelques extraits.

Une salle portée par cinquante colonnes rappelle dans des proportions plus modestes la grande salle de Karnak. Les colonnes elles-mêmes bâties avec la plus harmonieuse élégance, décorées des plus riches peintures et des motifs d'ornementations les plus variées, mériteraient de nous arrêter plus longtemps.

C'est avec regret que nous laissons ici de côté cette intéressante question de la colonne Égyptienne. Sa conception originale et ses transformations successives sont un des points les plus curieux de l'histoire de l'art sur lequel nous ne pouvons qu'attirer en passant l'attention du lecteur.

La série des monuments élevés directement sur les bords du Nil se termine par le palais dit de Gournah, qui se trouve à l'extrême sud. C'est une élégante construction qui date de la bonne époque de Séthos et de Rhamsès II. Ses proportions plus restreintes, comparées aux immenses édifices que nous venons de décrire ont fait penser à Champollion que nous n'avions là affaire qu'à une splendide construction privée. Mais aujourd'hui d'après Lepsius, on s'entend à y reconnaître un temple élevé par Séthos et terminé par Ramsès II en l'honneur de leur prédécesseur immédiat Ramsès Ier.

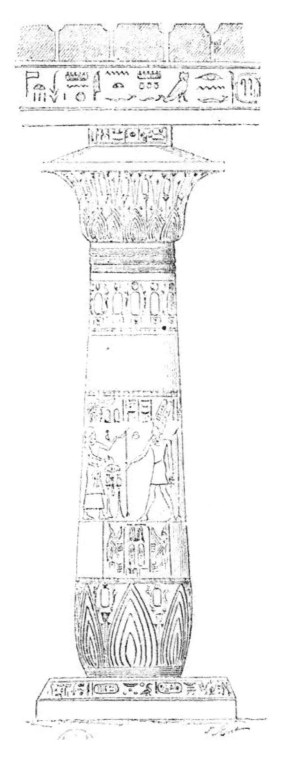

Il est inutile d'ajouter, que ce que l'on entend par des proportions modestes, quand il s'agit de Thèbes, passerait encore ailleurs pour suffisamment respectable. Ainsi le portique d'entrée n'a pas moins de cent cinquante pieds de long, sur trente de hauteur ; il est soutenu par dix colonnes au chapiteau en forme de lotus. De belles salles intérieures, soutenues également par des colonnes retracent les scènes de la dédicace du temple, de l'éducation du roi, des cérémonies en l'honneur des dieux. L'élégance de la décoration générale mérite d'attirer sur ce palais l'attention de l'archéologue ; c'est une sorte de résumé de la science architecturale des Égyptiens. À ce point de vue on l'a quelquefois comparé au Parthénon des Grecs.

Quittons maintenant les bords du Nil ; portons-nous vers la montagne qui à l'Occident attire nos regards.

Examinons en passant ces ruines de l'El-Assassif, desquelles M. de Rougé a dégagé récemment une bonne partie de l'histoire de l'ancienne dynastie. « Cette vallée d'El-Assassif, dit l'illustre archéologue, est située à l'ouest du Nil, au pied de la montagne qui renferme sur son versant opposé les tombeaux des rois. Au fond de la vallée et adossé au pied de rochers abrupts, se trouvent une série de monuments qui présentent aujourd'hui encore l'effet le plus pittoresque. Ce sont les restes d'un temple dédié à la déesse *Hathor*, et dont la disposition singulière est unique en son genre parmi les temples de l'Égypte. Épousant les nombreuses variations du terrain, ce temple se composait de divers étages reliés par des escaliers et des terrasses qui devaient présenter un merveilleux coup d'œil. La dernière partie est adossée à la montagne, et plusieurs sanctuaires sont même creusés en crypte dans ses flancs. Les souterrains sont taillés à même dans le roc, et leur voûte a une forme hémisphérique qui n'est pas ordinaire dans l'architecture égyptienne. Tout y est l'œuvre de la reine Hatsepou et de ses deux frères, Tahutmès II et Tahutmès III. »

Dépassons maintenant les dernières constructions du temple de la déesse Hathor ; du haut de ces jardins entretenus à grands frais par des drainages et des canalisations, nécessaires dans un pays où l'on attend toujours en vain une pluie qui ne tombe jamais, jetons un dernier regard sur cette ville active, vivante, grand centre religieux, grand marché commercial, capitale politique et militaire.

Sur le ciel « implacablement pur » se détachent, – et il semble qu'on les prendrait avec la main, – les innombrables pointes des obélisques, les prodigieux remparts des pylônes, les toits des habitations privées. Tous ces édifices semblent former une mer où, comme des îlots, apparaissent par masses les constructions régulières et symétriques des palais des rois. Le Nil, chargé de mille barques joyeuses qui vont et viennent, descendent et remontent, roule doucement et paternellement au milieu de merveilles qu'il a créées. Les colosses pharaoniques tranquillement assis les mains sur leurs genoux, lèvent la tête de loin en loin au-dessus de la ville royale et la contemplent avec majesté.

À leurs pieds la foule bruit, s'agite, s'essouffle et se tourmente : gens du peuple vêtus du simple pagne ; marchands portant sur leur tête les lourdes corbeilles chargées de fruits ; esclaves nègres vêtus de peaux de bêtes les poils en dehors ; bateleurs montrant des singes à tête de chiens, des panthères, des autruches et des hommes difformes amenés de l'intérieur de l'Afrique ; soldats pesamment armés, balançant fièrement sur leur tête un plumet de plumes d'autruches et chantant de gais refrains tandis qu'ils se rendent à la manœuvre ; grands prêtres de la famille royale, coiffés de la bandelette aux deux têtes de vipère, couverts de broderies et accompagnés d'une suite nombreuse de hiérogrammates et de scribes. On se fatiguerait à vouloir décrire le mouvement de la grande capitale dont l'aspect change à chaque instant, selon les caprices de la foule qui se précipite dans le temple des dieux ou s'amasse sur les places publiques, qui suit quelque pompe militaire, attirée par le bruit retentissant des instruments d'airain, ou qui s'allonge pieusement en longues théories à la suite des prêtres promenant par les rues les représentations mystérieuses de la triade thébaïne.

La sourde et interminable rumeur en laquelle se fondent tant de bruits distincts, monte jusqu'à nous et vient troubler de son bourdonnement les paisibles échos de la montagne.

Retournons-nous. Le spectacle a changé soudain. Nous quittons la ville des vivants ; nous voici dans la *Cité des Morts*. Ici s'ouvrent les mille gueules noires des Tombeaux des Rois.

Ici le désert commence. Le paysage est purement africain. Ce n'est plus cette verdoyante plaine arrosée, enrichie, transformée par les crues du Nil. Les eaux ne peuvent atteindre jusqu'aux sommets du Riban-el-Molouk. La montagne est en proie au soleil de l'Afrique. Horriblement brûlée et crevassée, sans air et sans ombre, portant la mort dans ses flancs, menaçante et farouche, telle est l'enceinte qui protège Thèbes. C'est à elle que les Égyptiens ont confié ce qu'ils ont de plus précieux : les cadavres. Ils ont ajouté à l'âpreté du paysage, la sévérité de la présence des morts.

Ils comptaient bien que dans de telles retraites les momies pourraient dormir en paix leur éternel sommeil. Les interminables chambres creusées à la lampe dans le flanc de la montagne, les enfoncements des corridors pareils à des labyrinthes, les lourdes pierres roulées devant les portes, les puits s'ouvrant comme des gouffres sous les pas des visiteurs, tout était fait pour assurer la tranquillité à ces dormeurs, pour lesquels le repos dans la mort était le suprême espoir, et le plus sacré de tous les vœux.

Tant de précautions n'ont pas suffi. La rapacité des Arabes barbares, et, – non moins barbare – l'indiscrète curiosité des amateurs et des curieux, n'ont point été arrêtés par tant d'obstacles. Tous les secrets de la mort ont été violés par des mains indignes, et trop souvent le savant respectueux qui entre à son tour pour étudier et pour conserver ces précieux restes, sort tristement n'ayant pu ramasser que quelques pauvres débris, seules épaves de tant d'efforts et de tant de soins.

La pensée de la mort a été l'idée fixe des anciens Égyptiens. Cette préoccupation avait sa source dans une haute conception religieuse, celle de l'immortalité de l'âme. Faire durer le corps, même après la mort, le conserver par tous les moyens, l'entourer de riches monuments, le mettre de toutes manières à l'abri du sacrilège, et sous la protection des dieux, c'était rendre un hommage attentif et permanent à l'idée de l'âme qui avait habité ce corps, et qui, elle, jouissait dans l'*Amenth* des faveurs réservées aux âmes des justes. De là les soins pris pour la purification des cadavres, pour l'embaumement des corps, pour la construction des tombeaux.

Dans le nord de l'Égypte comme il n'y avait point d'asiles naturels pour cacher les sarcophages, on construisait des montagnes factices, afin que leur énorme abri ne manquât pas aux cendres des rois : telle est l'idée des *pyramides.*

Dans le sud, la montagne était plus proche : on la creusait, on y taillait des chambres, des corridors et des voûtes analogues à celles qu'on retrouve dans les pyramides de Giseh. C'est ainsi que peu à peu les premières collines de la Chaîne lybienne (Biban-el-Molouk), se creusèrent comme de véritables fourmilières, et recueillirent dans leurs flancs tous les morts de la grande capitale.

Les simples particuliers, comme les rois et les reines, eurent là leur place pour l'éternité. Ceux qui n'étaient pas assez riches pour se faire creuser un tombeau particulier, payaient une certaine redevance aux prêtres et achetaient ainsi un coin étroit dans de vastes chambres communes, où les momies étaient rangées symétriquement.

Ainsi s'ouvrirent ces catacombes qui n'en finissent pas pendant plus de deux lieues, le long de la montagne.

Les plus illustres de ces tombeaux, ceux qui ont tout naturellement provoqué les recherches les plus minutieuses, ce sont les *Tombeaux des rois.*

Ils ne sont pas mêlés à ceux des simples particuliers. Une colline placée plus à l'ouest dans un endroit plus écarté, plus solitaire et plus sinistre, leur est réservée. L'antiquité n'ignorait pas les splendeurs qui y étaient renfermées. Strabon et Diodore parlent avec admiration des quarante sépulcres royaux. Les recherches de la science moderne en ont découvert un nombre à peu près égal.

Un des faits les plus curieux qui ressort de l'examen de ces diverses tombes royales, c'est que la première chose que faisait un Pharaon en montant sur le trône était d'entreprendre la construction de son tombeau. En effet, plus le prince a régné longtemps, plus le caveau est profond, plus les ornements sont riches et abondants. Il en est où tout se résume en une simple salle, presque nue, creusée à la hâte, mal décorée ; c'est que le règne a été court. Chacun y allait pour soi ; les successeurs réservaient pour leurs propres sépulcres les fastuosités de l'art et de la décoration. On pourrait presque juger, d'après l'état des tombes, de la longueur du règne des Pharaons qui y sont déposés.

Tous les tombeaux qui se trouvent à Thèbes sont ceux des rois de la dix-septième, de la dix-huitième et de la dix-neuvième dynasties, c'est-à-dire des dynasties thébaïnes. On a fouillé plus particulièrement ceux des Ramsès : la description de l'une de ces tombes suffira pour donner l'idée de toutes les autres.

Il est bon de dire tout d'abord qu'aucun ordre symétrique ou chronologique ne présidait au choix de l'emplacement. Chacun des constructeurs prenait à son gré telle ou telle place dans la montagne, selon que le sol lui semblait plus ou moins favorable à l'exécution de son projet.

Originairement les tombes ne communiquaient point entre elles. Chacune d'elles formait un tout isolé. Les communications qui existent à l'heure qu'il est, ont été percées par les chercheurs, ou par les Arabes qui, parfois, ont habité ces salles funéraires.

Donnons maintenant la description du tombeau de Pharaon Ramsès, fils de Meïamoun.

La porte d'entrée creusée à la surface du sol est des plus simples et ne laisse deviner en rien les splendeurs de l'intérieur. Sur le fronton un simple bas-relief montre le roi à genoux devant les divinités infernales ; près de lui un gros scarabée symbolise l'idée de la régénération et des renaissances successives. À côté de ce bas-relief une inscription dit le nom du roi qui doit dormir dans cet asile et qui lui-même l'a construit. Le Dieu lui parle et dit : « Je t'ai accordé une demeure dans la montagne sacrée de l'Occident, comme aux autres dieux grands (les rois, ses prédécesseurs) ; à toi, Osirien, roi, seigneur du monde, Rhamsès, etc… encore vivant. »

Cette porte franchie, on pénètre dans un premier corridor. Là, sur un nouveau bas-relief, le roi se trouve encore représenté ; mais dans toute la plénitude de la vie, et dans la tranquille espérance des longs jours qui lui restent encore, avant de venir se reposer dans la tombe. C'est ce qu'explique la nouvelle légende mise encore dans la bouche d'Ammon : « Nous t'accordons une longue série de jours pour régner sur le monde et exercer les attributions royales d'Horus sur la terre. »

À ce corridor, qu'on pourrait croire orné tout exprès pour rassurer le futur possesseur du tombeau, succède une salle et des corridors consacrés tout entiers à la figuration du mythe solaire et du voyage des âmes. C'est le soleil pendant le jour et le roi pendant la vie ; c'est le soleil pendant la nuit et le roi après la mort : deux destinées assimilées et qui sont représentées dans un nombre immense de compartiments variés par la plus ingénieuse et quelquefois la plus obscure mysticité.

Nous arrivons ainsi, enfin, dans la salle qui précède immédiatement celle où repose le sarcophage royal.

Là est représentée cette fameuse scène si souvent répétée dans les tombeaux égyptiens, et commentée de façons si diverses : le jugement de l'âme du défunt.

Quels étaient les juges ? Dans la représentation c'est Osiris lui-même, assisté de quarante-deux assesseurs, chacun ayant ses fonctions propres. Dans la réalité l'âme du roi défunt subissait réellement un jugement devant les prêtres ; mais là encore ce n'était que l'image de l'arrêt rendu par le jury infernal. Le roi comparaît donc devant ce redoutable tribunal, et, aux quarante-deux questions qui lui sont posées, il répond par quarante-deux réponses – négatives, bien entendu : « Ô Dieu ! *le Roi*, soleil modérateur de justice approuvé d'Ammon, n'a pas commis de méchanceté, n'a pas blasphémé, ne s'est point enivré, n'a point été paresseux,… etc., etc. »

Enfin, la dernière salle du tombeau de Ramsès, celle qui renfermait le sarcophage, surpassait aussi les autres en grandeur et en magnificence. C'est ici qu'il convient encore de laisser la parole à Champollion, qui la visita dans toute la fraîcheur de la nouvelle découverte. « Le plafond creusé en berceau est d'une très belle coupe, il a conservé toute sa peinture : la fraîcheur en est telle qu'il faut être habitué aux miracles de la conservation des monuments de l'Égypte pour se persuader que ces frêles couleurs ont résisté à plus de trente siècles. Les parois de cette vaste salle sont couvertes, du soubassement au plafond, de tableaux sculptés et peints comme dans le reste du tombeau, et chargées de milliers d'hiéroglyphes formant des légendes explicatives. Le soleil est encore le sujet de ces bas-reliefs dont un grand nombre contiennent aussi sous formes emblématiques tout le système cosmogonique et les principes de la physique générale des Égyptiens. Une longue étude peut seule donner le sens entier de ces compositions… C'est du mysticisme le plus raffiné ; mais il y a certainement sous ces apparences emblématiques de vieilles vérités que nous croyons très jeunes. »

Il nous reste maintenant à dire un mot du *sarcophage* dans lequel sous deux ou trois enveloppes successives faites des plus riches matières, reposait la momie, entourée de bandelettes, du roi défunt. Ce sarcophage se composait de deux parties, une cuve et un couvercle. La cuve affectait la forme d'un cartouche royal. Elle était large et assez haute pour pouvoir contenir les divers cercueils où reposait le roi ; elle était couverte au-dehors et au-dedans de hiéroglyphes et de scènes figurées qui n'étaient souvent rien autre chose que la reproduction de celles qui ornaient les parois et les plafonds de la salle.

Ainsi sur le beau sarcophage en granit rose de Ramsès III qui est au musée du Louvre, on voit représenter encore une fois la course du soleil dans le domaine d'Osiris. La barque solaire est remorquée par les douze dieux qui y étaient attachés ; on assiste à la victoire du Dieu sur ses ennemis les démons des ténèbres. Des scènes diverses symbolisent le mythe, cher aux Égyptiens, du cycle perpétuel de la vie renaissant de la mort. Enfin, on voit Neith, la grande mère divine, promettant de réunir les membres du roi ; de les conserver à toujours. Dans un sépulcre orné de cette sorte reposait la momie sainte du roi.

La plume à la fois éloquente et exacte d'un de nos contemporains a décrit les sombres mystères de l'intérieur d'un tombeau égyptien. Nous lui en emprunterons les poétiques détails, ne croyant pouvoir mieux finir que par l'idée de la mort, ce trop court chapitre consacré à la civilisation antique des bords du Nil.

En allant du dehors au dedans on trouvait d'abord autour de la momie, une sorte de cartonnage épais, à masque doré, moulant autant que possible les formes du corps enseveli.

Assistons maintenant à l'ouverture d'une des momies *soignées* de l'ancienne Égypte. « Le cartonnage une fois ouvert, une vague et délicieuse odeur d'aromates, de liqueur de cèdre, de poudre de santal, de myrrhe et de cinnamome, se répandit par la cabine de la cange, car le corps n'avait pas été englué et durci dans ce bitume noir qui pétrifie les cadavres vulgaires, et tout l'art des embaumeurs, anciens habitants des Memnonia, semblait s'être épuisé à conserver cette dépouille précieuse.

Un lacis d'étroites bandelettes en fine toile de lin, sous lequel s'ébauchaient vaguement les traits de la figure, enveloppait la tête ; les baumes dont ils étaient imprégnés avaient coloré ces tissus d'une belle teinte fauve.

À partir de la poitrine, un filet de minces tuyaux de verre bleu, semblables à ces cannetilles de jais qui servent à broder les basquines espagnoles, croisait ses mailles, réunies à leurs points d'intersection par de petits grains dorés, et, s'allongeant jusqu'aux jambes, formait à la morte un suaire de perles digne d'une reine ; les statuettes des quatre dieux de l'Amenti en or repoussé, brillaient, rangées symétriquement au bord supérieur du filet, terminé en bas par une frange d'ornement de goût le plus pur. Entre les figures des dieux funèbres, s'allongeait une plaque d'or au-dessus de laquelle un scarabée lapis-lazuli étendait ses longues ailes dorées.

Sous la tête de la momie était placé un riche miroir en métal poli comme si l'on eût voulu fournir à l'âme de la morte le moyen de contempler le spectre de sa beauté pendant la longue nuit du sépulcre ; à côté du miroir, un coffret en terre émaillée, d'un travail précieux, renfermait un collier composé d'anneaux d'ivoire, alternant avec des perles d'or, de lapis-lazuli et de cornaline. Au long du corps on avait mis l'étroite cuvette carrée en bois de santal, où de son vivant la morte accomplissait ses ablutions parfumées. Trois vases en albâtre rubané, fixés au fond du cercueil, ainsi que la momie par une couche de natrum, contenaient, les deux premiers, des baumes d'une odeur encore appréciable, et le troisième, de la poudre d'antimoine et une petite spatule pour colorer le bord des paupières et en prolonger l'angle externe, suivant l'antique usage égyptien pratiqué de nos jours par les femmes orientales.

… La momie une fois hors du cartonnage, le savant commença à la démailloter avec l'adresse et la légèreté d'une mère voulant mettre à l'air les membres de son nourrisson ; il défit d'abord l'enveloppe de toile cousue, imprégnée de vin de palmier, et les larges bandes qui, d'espace en espace, cerclaient le corps. Puis il atteignit l'extrémité d'une bandelette mince enroulant ses spirales infinies autour des membres de la jeune égyptienne. Il pelotonnait sur elle-même la bandelette, comme eût pu le faire un des plus habiles tarischeutes de la ville funèbre, la suivant dans tous ses méandres et ses circonvolutions. À mesure que son travail avançait, la momie, dégagée de ses épaisseurs, comme la statue qu'un praticien dégrossit dans un bloc de marbre, apparaissait plus svelte et plus pure. Cette bandelette déroulée, une autre se présenta plus étroite et destinée à serrer les formes de plus près. Elle était d'une toile si fine, d'une trame si égale qu'elle eût pu soutenir la comparaison avec la batiste et la mousseline de nos jours. Elle suivait exactement les contours, emprisonnant les doigts des mains et des pieds, moulant comme un masque les traits de la figure déjà presque visible à travers son mince tissu. Les baumes dans lesquels on l'avait baignée l'avaient comme empesée ; et, en se détachant sous la traction du docteur, elle faisait un petit bruit sec comme celui du papier qu'on froisse ou qu'on déchire. »

Enfin la jeune égyptienne, morte depuis des siècles, apparût belle encore et comme endormie, aux regards du savant et de son ami émerveillés ; de même que l'Égypte ancienne, morte aussi, et entourée de l'obscurité de sa langue et de ses hiéroglyphes indéchiffrables, renaît et revit pour ainsi dire maintenant sous nos yeux après l'évocation qu'a jetée sur elle la patience et le génie d'un Champollion.

II

Ninive et Babylone

C'est un fleuve qui a fait l'Égypte. On peut dire que c'est un chemin qui a fait les grands empires de Ninive et de Babylone.

Lorsque l'histoire, à force de patientes recherches, sera parvenue à découvrir les raisons des choses, – si toutefois un tel idéal est réalisable pour les forces humaines, – alors on saura peut-être pourquoi la civilisation partit du centre de l'Asie, pourquoi elle suivit cette marche permanente et inflexible d'Orient en Occident, pourquoi, toujours plus vive aux extrémités, elle s'est insensiblement éteinte vers le point de départ. Ce sont là des lois inexplicables dont nous osons à peine poser les problèmes, et que nos travaux contribuent peu à peu à résoudre, bien lentement au gré de l'impatience humaine.

Si antique que soit l'Égypte, personne n'oserait dire que les empires de la Chaldée ne soient pas plus anciens encore. Dans les premières migrations qui remuèrent, au début des temps historiques, les peuples mobiles de l'ancien continent, il se trouva que dans cette région de la Mésopotamie, des éléments de stabilité ne tardèrent pas à fixer une partie de cette masse flottante.

C'était un chemin : on y passait. C'était une vallée, un *éden*, on s'y arrêtait. Ainsi, là, peu à peu, comme émergèrent de la face des eaux les masses solides des premiers continents, s'agrégèrent et se fixèrent les tribus nomades ; et sur leur masse s'élevèrent les premiers empires.

Voici dans quels termes les plus vieilles légendes racontent leur fabuleuse origine : « Tout d'abord, il y eut à Babylone une grande multitude d'hommes de races diverses qui avaient colonisé la Chaldée. Ils vivaient sans règle à la manière des animaux.

Mais dans la première année apparut, sortant de la mer Rouge, en un endroit où elle confine à la Babylonie un animal doué de raison, nommé Oannès. Il avait tout le corps d'un poisson, mais par-dessous sa tête de poisson, une autre tête qui était celle d'un homme, ainsi que des pieds d'homme qui sortaient de sa queue de poisson : il avait une voix humaine, et son image se conserve encore aujourd'hui.

Cet animal passait la journée au milieu des hommes sans prendre aucune nourriture ; il leur enseignait la pratique des sciences, des lettres et des arts de toutes sortes, les règles de la fondation des villes et de la construction des temples, les principes des lois et de la géométrie. Il leur montrait les semailles et les moissons, en un mot il donnait aux hommes tout ce qui contribue à l'adoucissement de la vie. Depuis ce temps rien d'excellent n'a été inventé. Au coucher du soleil ce monstrueux Oannès se plongeait de nouveau dans la mer et passait la nuit sous les flots : car il était amphibie. Il écrivit sur l'origine des choses et de la civilisation un livre, qu'il remit aux hommes. »

Longtemps après l'apparition d'Oannès commença le règne d'une première dynastie semi-héroïque. Elle ne dura pas moins de six cent quatre-vingt-quinze mille deux cents ans, et elle se termina au déluge. Ce cataclysme, d'après les vieilles traditions assyriennes, était arrivé du temps du roi Xisouthros. Celui-ci, comme Noé dans le récit biblique, fut averti par Dieu, construisit une arche, flotta sur les eaux déchaînées. Après avoir, comme le patriarche dont il est le type, lâché la colombe et le corbeau, il aborda enfin aux monts d'Arménie, et fut la source de la nouvelle race des hommes.

Cette race, race de géants, construisit Babel. C'est la Bible qui nous apprend ensuite l'histoire de ses anciens rois : « Au nord régna Nimrod, qui commença à être puissant sur la terre. Il fut un puissant chasseur devant l'Éternel ; c'est pourquoi l'on dit jusqu'à ce jour : Comme Nimrod le puissant chasseur devant l'Éternel. Et le commencement de son règne fut Babel, Erekh, Accad, et Calnêh au pays de Sennaar. »

Ce que l'on a pu démêler de plus clair parmi tant de renseignements incomplets ou contradictoires, en s'aidant des plus anciens documents fournis par les monuments archéologiques et ethnographiques nouvellement rassemblés, c'est que des peuples descendus du nord de la Chaldée et de race Touranienne, se mêlèrent en Mésopotamie avec des peuples venant du sud, où ils étaient depuis longtemps établis, et nommés Koushites.

Entre les deux fleuves, le Tigre et l'Euphrate qui, par le sud et par le nord avaient servi de chemin à ces deux occupations diverses, une contrée basse, fertile, humide, facile à arroser, facile à cultiver, facile à défendre ; une terre portant naturellement le froment et les arbres fruitiers, en particulier l'utile palmier ; une situation avantageuse, centrale, non loin de la mer et non loin de la montagne, arrêta de bonne heure l'humeur vagabonde de nos antiques aïeux.

Autour d'un premier noyau établi au point même où les deux fleuves rapprochent le plus leurs eaux dans leur cours moyen, se rangèrent successivement, alliés ou soumis, des peuples de races diverses. Au milieu de toutes ces hordes, incessamment menacées par les attaques des peuples étrangers qui voulaient ou le passage ou la place elle-même ; au-dessus de tribus d'origines diverses et toujours portées à la révolte et aux luttes intestines, les nécessités de l'existence, non moins que la nature d'esprit particulière aux peuples de l'Asie, établirent vite le pouvoir monarchique.

Le monarque fut comme la clef de voûte de tout le système, le grand défenseur, le grand protecteur, le représentant de la Divinité, une sorte de Dieu lui-même. Il se trouva, par la nature même de son pouvoir, forcé de couvrir de mystère et d'envelopper dans un secret hautain et redoutable, une puissance que, dans l'intérêt du salut public, il fallait immense. Tout le troupeau des peuples pouvait vivre en paix, s'appliquer à la culture, aux arts, sous la protection sombre du roi enfermé dans son palais, au milieu de ses eunuques guerriers, de ses prêtres magiciens et de ses astronomes, qui, veillant sans cesse au sommet des observatoires septicolores, lisaient dans les astres la volonté des dieux.

Si quelque bruit d'armes se faisait entendre aux frontières ou dans les provinces, le roi sortait de son repaire. Il se mettait lui-même à la tête de ses soldats. Il marchait avec eux soit à pied, soit à cheval, au milieu des contrées les plus âpres et des dangers les plus redoutables ; il commandait la bataille, sa vaillance décidait souvent de la victoire, et sa cruauté présidait au massacre. Puis ayant assuré le salut de l'empire, il revenait, précédé et suivi de longues files de prisonniers : captifs que l'on emploiera dans les grandes constructions d'irrigation ou de canalisation, femmes en pleurs traînant leurs enfants après elles, animaux domestiques et animaux sauvages, tentures, armes, vases, trophées de toutes sortes, jusqu'aux dieux du peuple vaincu, que le dieu vainqueur, le Nabuchodonosor, emportait dans sa victoire et étalait dans son triomphe.

À de tels empires, il fallait des capitales taillées sur leur modèle. Ce n'étaient pas ces villes pharaoniques, ouvertes à tout venant, couvertes de temples et d'obélisques, entourées de tombeaux, habitées par des prêtres et des cultivateurs, villes de paix, de travail et de prière. Il fallait des villes militaires avant tout.

Il fallait qu'entourées d'un bon mur, ceinte d'un fossé large et profond, baignées par les eaux du fleuve, elles pussent quand les hasards de la guerre amenaient l'ennemi devant elles, recevoir dans leur sein une population immense, la protéger, la nourrir, et attendre que la longue résistance lassât l'ennemi, ou que la fortune des combats délivrât de son étreinte.

Il fallait autre chose encore. Car si le roi faisait beaucoup pour le peuple, il convenait que le peuple fit pour le roi plus encore. Du milieu des maisons faites en terre séchée au soleil, et couvertes de paillassons, bonnes assez pour la populace, s'élevaient de place en place, formant de véritables quartiers, et comme des villes dans la ville, les palais des rois.

Le plus souvent même, comme si le monarque eut eu quelque défiance de ses sujets et qu'il eut voulu conserver une porte ouverte sur la campagne, le monument était à cheval sur la muraille extérieure, un côté pénétrant dans la ville, l'autre s'étendant sur la plaine. Le tout était surélevé sur une énorme colline artificielle faite de main d'homme et dont la seule construction avait coûté bien des sueurs. On ne pouvait parvenir à la plate-forme supérieure que par un chemin construit en pente, où chars et cavaliers pouvaient marcher de front, mais qu'il était facile de fermer en un clin d'œil et de rendre inaccessible. Sur le plateau s'étendait le palais du Roi, salles du trône, sérails, harem, écuries et dépendances de toutes sortes. Une seule et même entrée donnait accès dans ce dédale de cours et de chambres au fond duquel se cachait la majesté royale.

Chaque prince puissant ou victorieux construisait ainsi sur un plan uniforme le palais qui devait conserver son nom et sa mémoire, et dont les murs couverts de bas-reliefs racontaient ses exploits. Tout dans l'édifice, depuis la moindre brique jusqu'aux statues colossales des taureaux à têtes d'homme, veillant aux portes, tout était consacré à la seule louange du constructeur et à ses sanglants travaux. Guerres et chasses étaient toute sa vie et faisaient toute son histoire. Les dieux eux-mêmes négligés ici, ne formaient en quelque sorte que l'accessoire, et leur présence ne servait qu'à ajouter un nouveau relief à la gloire de celui qui les représentait sur la terre.

Dans ces villes si avantageusement situées, tout l'effort des intelligences et des bras s'appliquant à satisfaire les moindres désirs, les fantaisies et les caprices du despote, des progrès importants se manifestèrent rapidement par tout le domaine des arts et du luxe. Les artistes indigènes s'attachèrent en particulier à représenter fidèlement les diverses actions et les exploits des armées royales. Dans cet effort, ils parvinrent à se dépouiller rapidement de la naïveté primitive, et surtout de la convention archaïque, qui — par une loi des plus curieuses de l'intelligence humaine, — se trouve toujours au début du développement artistique d'une nation.

Les bras ne manquaient pas : le peuple lui-même en fournissait un grand nombre, que les captifs faits dans chaque campagne augmentaient régulièrement. Ces captifs eux-mêmes instruisaient l'Assyrie dans les arts et les pratiques inventés par eux ; et ce pays profitait ainsi du labeur des contrées voisines.

Ces diverses causes expliquent la rapidité, la variété et la perfection relative des résultats obtenus par les peuples de la Chaldée.

Ils furent bientôt à leur tour les agents de la civilisation et les instructeurs du monde. Dans leurs conquêtes ils répandaient ces arts que leurs conquêtes avaient rassemblés chez eux. Les riverains de la mer Occidentale (Méditerranée), comme les peuples de l'Est et du Nord (Mèdes et Perses), s'instruisirent à leur école. Jusqu'en Syrie, jusqu'en Asie Mineure, jusqu'en Europe pénétrèrent leur influence et leurs modèles. Si nous en croyons M. Layard, c'est aux ornements Assyriens que les anciens Grecs empruntèrent les types de leurs plus charmants motifs d'architecture. L'influence de la magie chaldéenne sur la mythologie des Hellènes est aujourd'hui hors de doute. Il suffit de voir, au musée du Louvre, leur Hercule dompteur de lions et écraseur de serpents, leur Jupiter à ailes d'aigle, pour être persuadé de l'analogie.

Dans une autre région et chez un autre peuple l'influence assyrienne ne fut pas moins considérable. Dix fois les puissants monarques de l'Asie centrale mirent le pied en passant sur la nation toujours rebelle des Juifs du Jourdain ; dix fois ils prirent leur ville, la ruinèrent. Ils les entraînèrent captifs sur les rives de l'Euphrate. Ils les écrasèrent d'énormes travaux et de charges onéreuses. Toujours le peuple tenace survécut à de si nombreuses ruines.

Mais l'influence du vainqueur se grava bien profondément dans les mœurs et les œuvres du vaincu. N'est-ce pas sur l'arbre mystique des Ninivites que fut calqué le chandelier à sept branches ? Le trône de Salomon, ce « grand trône d'ivoire, orné d'or dont les bras étaient deux lions », n'a-t-il pas bien du rapport avec ces beaux trônes retrouvés par M. Layard dans les fouilles de Ninive ? Les veaux d'or tant haïs des prophètes hébreux, n'avaient-ils pas bien de l'analogie avec ces taureaux chaldéens symboles de la force divine par excellence, et le temple rebâti de Jérusalem ne devait-il pas se ressentir quelque peu de l'étude que les architectes juifs avaient pu faire, sur les lieux, des somptueux palais qui bordaient les rives du Tigre et de l'Euphrate ?

Aussi, les antiquités grecque et hébraïque, témoins parfois inconscients de ces incontestables ressemblances, s'inquiétèrent de bonne heure de l'histoire ancienne et des mœurs présentes de cet aîné de tous les peuples. Hérodote écrivit une histoire de l'Assyrie, malheureusement perdue aujourd'hui. La Bible est en quelque sorte bourrée d'allusions à ces redoutables voisins des Hébreux. Ctésias, qui habita à la cour des rois Perses, écrivit, sur leurs prédécesseurs, un livre dont il ne nous reste que des fragments. Bérose, Abidène, Mégasthène, Alexandre Polyhistor, Diodore de Sicile, Strabon, travaillèrent sur le même sujet.

Malheureusement, les renseignements que devaient contenir tant d'ouvrages importants n'avaient pas survécu à ce grand naufrage du Moyen Âge, dans lequel ont sombré tant de précieux restes de l'antiquité. C'est à peine si quelques fragments vagues et décolorés pouvaient faire apprécier l'étendue de la perte. Désastre plus déplorable encore ! Depuis longtemps les moindres traces matérielles de l'existence de ces anciens empires avaient complètement disparu.

Des capitales les plus considérables et les plus renommées, il ne restait même pas des ruines. Les patients érudits qui rassemblaient péniblement ce que les écrivains grecs et latins nous disaient de la Chaldée, dissertaient stérilement sur le site de Babylone, de Ninive, sur l'étendue de la ville, sur l'histoire légendaire de leur empire.

Devait-on rester toujours dans une telle ignorance ?

En 1836, un résident anglais, M. Rich, après avoir étudié avec soin la contrée, crut pouvoir signaler au monde savant l'existence de ruines Assyriennes, dans deux monticules ou collines *artificielles*, élevées aux environs de Mossoul, sous les villages de Koyundjick et de Nebbi-Younos (tombeau de Jonas). Pour lui, ces ruines n'étaient autres que celles de Ninive. Des cylindres couverts d'inscriptions, des briques gravées, qu'il réunit en grand nombre dans cette région, quelques coups de bêche qu'il donna en cet endroit le confirmaient dans cette opinion.

Cinq ou six ans plus tard, M. Botta était nommé résident français à Mossoul. Il partit avec le projet de s'occuper de l'ancienne histoire des pays où il allait séjourner. Un savant, membre de l'Institut, M. Mohl, appela son attention sur les détails donnés par M. Rich, et, du fond de son cabinet, il put, à l'aide de l'étude attentive des documents anciens, indiquer l'endroit où, selon lui, devaient se trouver les restes de l'ancienne capitale.

À peine arrivé dans le pays, M. Botta, à ses risques personnels, et malgré les difficultés que souleva immédiatement l'administration turque, ouvrit des tranchées dans les monticules qui, sur la rive gauche du Tigre, semblaient, d'après les récits populaires, renfermer des ruines antiques. Son attente fut trompée tout d'abord. Il s'était attaqué au monticule de Koyundjick qui, nous le savons maintenant, pouvait lui fournir une ample moisson ; mais l'inexpérience où il était des recherches de cette nature fit que les travaux furent mal dirigés. Il ne trouva que des débris insignifiants, et il était sur le point d'abandonner l'entreprise.

Cependant le bruit de ses recherches se répandit rapidement dans le voisinage. Un teinturier chrétien lui apporta quelques briques couvertes d'inscriptions cunéiformes, et lui offrit de lui en procurer un nombre plus grand encore, « tant qu'il voudrait. » M. Botta, d'abord incrédule, envoya vers la demeure de ce brave homme quelques ouvriers intelligents ; ils firent des fouilles et découvrirent des pans de mur, des bas-reliefs.

À leur retour, M. Botta était à peine convaincu de la véracité de leurs récits et craignait encore une désillusion. Cependant, il se transporta en toute hâte sur les lieux, c'était près du village turc de Khorsabad. Il se trouva en présence des premières ruines de Ninive.

Plein de joie cette fois, et plein d'espoir, il poussa activement ses recherches et délaissa presque absolument les fouilles de Koyundjick. Peu à peu, des pans de mur couverts de bas-reliefs, des fondations importantes, des formes de palais apparurent à ses yeux ravis. Sans retard, il annonça à l'Europe la bonne nouvelle dans des lettres adressées à l'Académie des inscriptions et belles-lettres. Sur un rapport de cette illustre compagnie, le gouvernement français s'émut ; on envoya des secours au hardi explorateur. Les vœux des savants et du public s'attachèrent à ses travaux et les encouragèrent. Un peintre habile, M. Flandin, lui fut adjoint, pour dessiner les monuments que l'on découvrait de jour en jour.

Ainsi apparut peu à peu l'un des palais les plus importants des rois de Ninive, la demeure du roi Sargon, l'édifice connu dans la science sous le nom de *Khorsabad*.

Cependant, de loin, un Anglais, M. Layard, suivait avec attention les travaux de M. Botta. Lui-même avait parcouru cette plaine couverte de monticules d'apparence singulière ; lui-même avait songé à en interroger les profondeurs ; il avait encouragé M. Botta dans ses travaux, et ne désespérait pas de devenir bientôt son heureux rival. La découverte de Khorsabad, confrontée avec les récits des anciens le confirma de plus en plus dans l'idée qu'il avait conçue déjà que Ninive s'étendait sur toute la région et que les autres terres environnants valaient la peine d'être fouillés à leur tour.

Il demandait depuis longtemps au gouvernement anglais de l'aider à entreprendre ces recherches.

À ce moment même arrivait à Paris et était déposée au Louvre la première série des antiquités assyriennes envoyées par M. Botta, entre autres ces deux magnifiques taureaux à tête d'homme, que l'on avait transporté par les mêmes moyens dont s'étaient servis autrefois les Assyriens, et que l'on trouva reproduits sur les bas-reliefs.

L'orgueil national anglais se réveilla cette fois, et le gouvernement britannique consentit à se charger des frais de toutes les fouilles que M. Layard proposait d'entreprendre.

En arrivant à Mossoul, M. Layard n'hésita pas sur l'endroit où il devait commencer ses travaux. Il avait été frappé déjà de la configuration de la colline de Nimroud, située à vingt et quelques kilomètres au sud de la ville arabe. Ce fut là qu'il se dirigea aussitôt.

Transport de matériaux

Profitant de l'expérience acquise par les premières recherches de M. Botta, il put immédiatement attaquer la colline sur un point favorable, et bientôt il rencontra à son tour, des chambres, des palais, des murs, enfin tout une ville assyrienne.

Mais ici, il ne s'agissait pas de Ninive, comme on l'avait cru tout d'abord, et comme on le crut quelque temps encore. C'était plutôt Calach, ville ancienne dont parle la Bible. D'autres savants ont identifié ces ruines avec celles de Larissa, que Xénophon décrit en ces termes : « Là, fut une grande ville, qui s'appelait Larissa ; autrefois les Mèdes l'habitaient. La largeur du mur était de 20 pieds, la hauteur de 100, le pourtour était de 2 parasanges ; il était bâti de briques cuites ; il avait, au-dessous, un soubassement de pierre de 25 pieds.

Le roi des Perses, quand les Perses enlevèrent l'empire aux Mèdes l'assiégea et ne pouvait pas s'en rendre maître. Un nuage obscurcit et fit disparaître le soleil, jusqu'à ce que les hommes eussent abandonné la ville, qui fut prise alors. Auprès de cette ville est une pyramide en pierre d'un plèthre de largeur et de deux plèthres de hauteur. Sur cette pyramide beaucoup des barbares s'étaient réfugiés des villages environnants. »

Ce qui appuie surtout l'identification des ruines de Nimroud avec Larissa, c'est précisément la présence d'une pyramide analogue à celle dont parle Xénophon.

Sans entrer dans la discussion soulevée à ce sujet, nous nous contenterons d'ajouter que les découvertes faites à Nimroud fournirent à la science les plus utiles renseignements sur l'histoire d'Assyrie antérieure au roi Sargon fondateur de Khorsabad ; à l'archéologie un complément utile et souvent nécessaire des études faites sur d'autres points. Enfin cette première découverte, riche en résultats de premier ordre, encouragea M. Layard et ouvrit à la science un champ bien vaste, puisqu'elle faisait espérer que de pareilles trouvailles seraient faites dans tous les monticules artificiels dont la rive gauche du Tigre était parsemée.

M. Layard fut le premier qui mit à profit ces heureux pronostics. Comme les fortes chaleurs de l'été le forçaient à suspendre les fouilles de *Nimroud*, qu'il se trouvait à Mossoul, il résolut de reprendre les travaux de Koyundjick que M. Botta avait à cette époque presque entièrement abandonnés.

Le consul français, nous l'avons dit, avait débuté, dans la série de ses recherches, par cette colline située en face de Mossoul, sur l'autre rive du Tigre. Mais il avait obtenu peu de résultats, car il ne savait point encore que les édifices assyriens étaient tous élevés sur un monticule construit de mains d'hommes et que c'était à une certaine hauteur qu'il fallait chercher. M. Layard ne se laissa pas décourager par cet insuccès, et tandis que M. Botta abandonnait décidément Koyundjick pour s'appliquer uniquement à l'entreprise de Khosabad, le consul anglais persévéra. Il trouva bientôt quelques débris, mais non pas assez pour le satisfaire. Les travaux de Nimroud qu'il reprit à cette époque arrêtèrent alors ceux de Koyundjick.

Quand il y revint l'été suivant, son expérience s'était accrue ; ses réflexions avaient mûri sa conviction ; son plan était mieux arrêté. Les recherches cette fois furent couronnées de succès, et une nouvelle série d'édifices qui, comme Khorsabad, portaient des traces de la ruine par le feu, fut exhumée peu à peu. Le palais découvert par M. Layard était celui de Sennachérib, fils de Sargon. Il était situé à l'extrémité sud du tumulus de koyundjick. Les formes de son architecture étaient semblables à celles des palais de Khorsabad et de Nimroud. Les inscriptions, il est vrai, y étaient rares ; mais elles acquéraient un grand prix, aux yeux de la science, par la mention qu'elles faisaient des campagnes du monarque contre les Juifs et les autres peuples de la Syrie. C'est aussi dans une des salles de ce palais que l'on rencontra les mémorables archives du roi Sardanapale V dont la lecture fournit à l'histoire de l'Asie centrale nombre de détails curieux.

Plus tard (1852), vers le centre et le nord de cette même colline de Koyundjick, MM. II. Rassam et Loftus continuant les recherches de M. Layard, découvrirent le palais de Sardanapale V, fils d'Assarhaddon. Ce palais de construction plus tardive que ceux que nous avons indiqués jusqu'ici offrait le type d'une nouvelle évolution dans l'art assyrien. Si les plans d'ensemble étaient les mêmes, il y avait dans les détails une recherche, une minutie qui s'écartait des grandes lignes affectées par les monuments plus anciens.

Cependant là encore le goût des artistes conserve une pureté qui permet de mettre leurs œuvres à côté des plus remarquables produits de l'art Ninivite.

Dans les ruines de Koyoundjick, on rencontra une inscription qui ne laissait aucun doute sur le nom à donner à ces ruines. C'était bien Ninive, et même une Ninive déjà rebâtie que l'on avait sous les yeux. Car c'est ainsi que s'exprime Sennachérib :

« Sennachérib, roi puissant, grand roi, roi des légions, roi d'Assyrie, roi des quatre contrées, favori des grands dieux, Assour et Istar m'ont confié la garde des peuples. Pour humilier les ennemis de l'Assyrie, j'ai contraint mes adversaires à marcher dans l'adoration sublime des dieux. Depuis le commencement jusqu'à la fin, je me suis fait obéir par mes armées ; j'ai soumis à mes lois tous les princes qui habitent les coins des quatre régions. Ils se convertirent à la piété.

Puis je dis : Ninive est la ville de ma royauté ; j'en ai renouvelé les demeures, restauré les rues. J'ai changé le camp royal, et je l'ai fait reluire comme le soleil. J'ai fait l'enceinte et le boulevard en entier, et j'en ai fait mention dans les inscriptions. Jusqu'à 100 grandes mesures j'ai fait élargir les fossés ; à plusieurs reprises j'ai employé les journées de mon armée royale à faire transporter les tables des carrières… Je mesurai 62 grandes mesures à partir de mon camp royal jusqu'à la grande porte des façades. Que celui des habitants de cette ville qui change une ancienne maison en bâtisse une nouvelle. Que celui qui touche aux fondations de ce palais soit écrasé par les décombres. »

Après des découvertes aussi précieuses, que complétaient encore les fouilles de Nebbi-Younès, de Sippara, de Calah-Sergat, et de bien d'autres monticules de cette contrée qu'un voyageur compare à une Suisse archéologique, les fouilles en Mésopotamie se trouvèrent bientôt à l'ordre du jour. On ne désespéra plus de rencontrer les restes d'autres villes voisines de Ninive et dont la renommée était tout aussi considérable.

Babylone bientôt attira le regard.

Des voyageurs instruits, Nieburh, Rich, Ker Potter en avaient déjà exploré les ruines. Ils avaient donné sur leur situation quelques détails précis et intéressants. M. Layard, à son tour, s'en occupa activement. Un autre Anglais, sir Henri Rawlinson, le premier déchiffreur des caractères cunéiformes, y porta ensuite toute son attention. Il en explora les restes, les rapprocha des textes anciens, lut bon nombre d'inscriptions et mit enfin en pleine lumière les principaux résultats que l'on pouvait obtenir.

Le gouvernement français, à son tour, ne resta pas en arrière. Un illustre assyriologue, M. Oppert, aidé de MM. Fresnel et Thomas, l'un homme de science, l'autre artiste de talent fut envoyé en Mésopotamie (1852-1853). L'expédition parcourut toute la contrée, s'enquit d'abord à Ninive des résultats acquis et de la méthode suivie dans les fouilles, puis gagna le cours de l'Euphrate, descendit jusqu'à Babylone, au lieu voisin de la ville turque de Hillah, et là commença ses recherches et ses vérifications. De cette expédition, dont les travaux ont été contrôlés et complétés par les études des Lenormant, des Rawlinson, des Layard, des Menant, des Renan et des Maspero, date la véritable théorie archéologique et historique relative aux fouilles babyloniennes.

Combien cette autre capitale ne devait-elle pas attirer les efforts, les investigations de la science ! N'était-ce pas « cette reine de l'Orient » qui avait hérité de la fastueuse puissance de Ninive livrée aux flammes ? N'était-ce pas la ville des Sémiramis et des Nabuchodonosor, celle qu'avait prise Cyrus et qu'avait pillée Xerxès ?

« N'était-ce pas là, comme dit Nabuchodonosor lui-même, cette grande Babylone dont j'ai fait le siège de mon empire, que j'ai bâti dans la grandeur de ma puissance et dans l'éclat de ma gloire ? »

Quelle curiosité anxieuse ne devait pas naître dans l'esprit à l'idée de fouiller pour la première fois, après tant de siècles, les débris d'une ville dont les monuments comptaient parmi les *Merveilles* de l'ancien monde ! Peut-être allait-on rencontrer quelque pan de ces anciens murs sur lesquels six chars pouvaient passer de front. Peut-être quelque arbre centenaire, débris des fameux jardins suspendus, ombrageait encore leurs ruines effondrées. Peut-être enfin la terre avait-elle conservé quelque chose de cette fameuse tour de Babel, le lieu où « les langues s'étaient confondues, » et dont la destruction avait été le signal de la dispersion des peuples sur la surface de la terre. Tant de souvenirs, tant de traditions, tant de légendes… et tant de rêves allaient-ils enfin trouver une base réelle ; la terre allait-elle s'ouvrir pour raconter à son tour ces antiques histoires ?

On pouvait craindre de n'obtenir que des résultats négatifs. Babylone, en effet, n'avait jamais été absolument abandonnée pendant l'antiquité et le Moyen Âge. Sur les ruines anciennes – de destruction facile, car elles aussi consistaient en matériaux d'argile, – sur ces ruines et à côté de ses ruines, des villes, des villages s'étaient bâtis, qui s'étaient ruinés à leur tour. Séleucie et Ctésiphonte s'étaient, on le savait, construites tout entières à ses dépens. Du temps de saint Jérôme, les rois Parthes avaient fait de son enceinte un parc pour chasser les bêtes féroces. La ville arabe de Hillah avait si bien mis à profit le voisinage de cette mine abondante en matériaux tout préparés, que M. Oppert reconnaissait par dizaines, sur les murs de sa chambre à coucher, des traces d'inscriptions babyloniennes.

Devait-on craindre que les paroles de la Bible ne fussent accomplies à la lettre et que de l'orgueilleuse cité, il ne restât plus pierre sur pierre ? « Là se coucheront les animaux du désert ; leurs demeures seront habitées par des chouettes, les chacals crieront ainsi que les chiens dans les maisons de leurs voluptés ! »

Il faut avouer qu'une partie de cette prédiction se trouva réalisée et que les résultats obtenus furent loin d'être aussi satisfaisants que les découvertes faites à Ninive. Babylone a énormément souffert. Je ne sais même si l'on peut dire que l'on ait trouvé sur son emplacement autre chose que des masses informes et sans traces des arrangements anciens ; plutôt de quoi soulever de nouveaux doutes que des faits certains apportés pour résoudre les anciennes conjectures.

Au point de vue archéologique, les fouilles de Babylone ont été presque nulles ; un énorme lion en basalte d'un travail médiocre, quelques restes de murs et de canaux, quelques crampons, de bronze, ce fut là tout le butin sur lequel dut s'ingénier la sagacité des érudits. « Aujourd'hui, dit M. Raoul-Rochette, la plaine où fut Babylone est couverte, sur une étendue de dix-huit lieues, de débris, de monticules à demi renversés, d'aqueducs et de canaux à demi comblés. Ces décombres se sont mêlés à un tel point, qu'il est souvent impossible de reconnaître la place et les limites certaines des édifices les plus considérables. La désolation y règne dans toute sa laideur. Pas une habitation, pas un champ cultivé, pas un arbre en feuilles ; c'est un abandon complet de l'homme et de la nature. Dans les cavernes formées par les éboulements ou restes des antiques constructions habitent des tigres, des chacals, des serpents et souvent le voyageur est effrayé par l'odeur du lion. »

Heureusement l'abondante moisson d'inscriptions trouvées dans les ruines de la ville put compenser en quelque chose l'insuffisance des résultats que les voyageurs s'étaient donné tant de peine à réunir. Si l'on ne rencontrait pas les palais, on put au moins prétendre à fixer leur ancien emplacement et l'on put dire quelque chose sur l'histoire des rois qui les avaient élevés.

C'est ainsi que l'on put déterminer, d'après des traces de talus anciens, la position ancienne et l'étendue de Babylone.

À l'endroit dit *El-Kasr* (le château) ou *Mudjelibeh* (la ruine) on retrouva les restes du palais que Nabuchodonosor fit, selon Bérose, élever en dehors de celui de ses pères. Ce palais était fait de briques cuites et souvent vernissées. On trouva même, chose extrêmement remarquable, des traces de peintures à l'encaustique.

Au milieu de ces ruines, à l'endroit le plus élevé et le plus aride, se dresse un arbre gigantesque, le seul végétal considérable de toute la contrée. Sa vieillesse, l'isolement où il se trouve, la manière dont il a poussé sur un terrain si ingrat, ont fait naître à son sujet bien des légendes.

Les Arabes racontent que lorsque Ali livra la bataille de Hillah il se trouvait sur cette hauteur. Là il aurait fait sortir de terre ce superbe tamarix en enfonçant son bâton, pour s'abriter des rayons du soleil. Sur cette légende des voyageurs ont renchéri encore. Ils ont voulu reconnaître dans cet arbre quelque survivant de ceux qui décoraient les jardins suspendus de Babylone. Il est inutile d'insister sur ce qu'il y a d'invraisemblable dans l'existence d'un arbre de 2 500 ans. Constatons simplement que les jardins suspendus étaient en un autre endroit plus voisin du Tigre.

Le château dont les ruines se trouvent maintenant à *El-Kasr*, était autrefois le centre même de Babylone, l'acropole ou l'arx. Deux enceintes l'entouraient ; des jardins, des cours, des dépendances de toutes sortes s'y rattachaient ; des aqueducs y conduisaient les eaux. On trouva des briques gravées constatant l'existence de ces anciens bâtiments. La plus importante de toutes ces inscriptions et la plus générale disait :

« Nabuchodonosor, roi de Babylone, restaurateur de la pyramide, et de la tour, fils de Nabopolassar, roi de Babylone, moi.

Je dis : J'ai construit le palais, le siège de ma royauté, le cœur de Babylone dans la terre de Babylone ; j'ai fait poser les fondations à une grande profondeur au-dessous du niveau du fleuve. J'ai relaté sa construction sur des cylindres couverts de bitume, et sur des briques.

Avec ton assistance, ô dieu Mérodach, le sublime, j'ai bâti ce palais indestructible. Que ma race trône à Babylone, qu'elle y élise sa demeure, qu'elle y septuple le nombre des naissances. Puisse-t-elle, à cause de moi, régner sur des peuples de Babylone jusqu'en des jours reculés ! »

Un peu au sud de *El-Kasr*, et réunis peut-être à lui par une même enceinte, s'étageaient graduellement les fameux jardins suspendus, au lieu nommé maintenant *Tell Amran ibn Ali*.

La hauteur du tumulus actuel est d'environ 30 mètres. Au pied se creuse un grand ravin, dans lequel M. Oppert reconnut l'ancien lit de l'Euphrate. Au sein de la colline, on rencontra un grand nombre de tombeaux anciens mais fouillés déjà, et qui ne pouvaient guère remonter à une date plus haute que l'empire des Parthes.

Sur les jardins, l'antiquité nous a laissé de nombreux renseignements. Le plus explicite de tous les auteurs qui en ont parlé est Diodore de Sicile : « Il y avait, dit-il, près de l'Acropole, le jardin dit suspendu, qui n'était pas l'œuvre de Sémiramis, mais celle d'un roi syrien postérieur, qui le fit construire pour complaire à sa maîtresse. Celle-ci étant, à ce qu'on dit, Perse d'origine, demanda, dans son désir de voir des prairies accidentées, que le roi imitât par une plantation artificielle le caractère spécial du pays de la Perside.

Le jardin s'étend de chaque côté, environ de quatre plèthres ; il présente une montée accidentée et des édifices qui s'y tiennent les uns aux autres en offrant ainsi une mise en scène théâtrale. Au-dessous des montées artificielles, il y avait des arcades pour supporter à la fois la pesanteur de la masse du jardin, et les arcades hautes étaient plus longues et avançaient sur celles qui étaient bâties dessous. La dernière voûte, la plus élevée, avait 50 coudées de hauteur ; au-dessus d'elle se trouvait la plus haute plate-forme dont l'élévation égalait celle de l'enceinte crénelée. Puis les piliers étaient construits avec une grande solidité ; ils avaient 22 pieds d'épaisseur, et chacun était séparé de l'autre par un intervalle de 10 pieds.

Les étages étaient couverts par des poutres en pierre qui mesuraient, avec la partie qui dépassait, 16 pieds de longueur et 4 de largeur. L'étage ainsi construit avait sur ces blocs de pierre un parquetage de roseaux mêlé de beaucoup d'asphalte, ensuite une double couche de briques reliées avec du plâtre. Cette troisième structure était garantie par une couverture en plomb afin que l'humidité de la terre apportée ne pénétrât pas dans les profondeurs. Sur cette base on avait accumulé une masse de terre suffisante pour contenir les racines des plus grands arbres.

Toute cette surface, en forme de plancher aplani, était remplie d'arbres qui pouvaient enchanter le spectateur par leur grandeur et leurs autres agréments. Les tunnels eux-mêmes recevaient la lumière par les voûtes qui leur étaient superposées ; ils avaient des emplacements en grand nombre et offraient beaucoup de variété pour que les rois pussent y séjourner. Au niveau de la vue la plus élevée, il y avait un édifice ayant des tranchées perpendiculaires et des machines pour porter l'eau à la hauteur : on tirait par ces moyens une quantité d'eau du fleuve, sans que personne au dehors pût s'en apercevoir. Ce jardin, comme je l'ai annoncé plus haut, était d'une construction plus récente. »

D'après cette description, que Diodore emprunta lui-même à des auteurs plus anciens, on peut s'imaginer facilement l'aspect à la fois singulier et délicieux que devait offrir l'ensemble de la construction. Les jardins en forme de colline s'élevaient graduellement vers l'intérieur des terres. Leur pied baignait dans le fleuve. Sous la construction colossale des piliers et des voûtes qui en soutenaient la masse, des chambres étaient disposées et pouvaient servir d'habitations royales. La dernière plate-forme, celle qui couronnait l'œuvre, pouvait avoir à peu près l'étendue de la grande cour du Louvre.

Il va sans dire, qu'aujourd'hui, l'ensemble de la construction s'est effondré. Ce monument fait, à force de bras, pour satisfaire un caprice de femme, était à la fois la plus hardie et la plus étonnante, mais aussi la plus déraisonnable et la plus fragile de toutes les œuvres de l'homme.

Aussi l'ensemble de la ruine actuelle ne présente plus que de vagues points de ressemblance avec les descriptions que nous ont laissées les anciens. La sécheresse et les inondations, les racines des arbres vivants et la chute des arbres morts, les bouleversements naturels et les destructions voulues ont suffi pour tout changer, tout confondre.

Chose curieuse, on n'a retrouvé jusqu'ici, dans les ruines de Babylone, aucune trace assyrienne de l'existence des jardins suspendus. Ce n'a donc été que par des conjectures tirées des auteurs anciens et de l'état actuel des lieux qu'on a pu aboutir à une identification qui, d'ailleurs, est encore aujourd'hui discutée par plusieurs savants.

Au nord des monticules d'El-Kasr et de Tell Aram dont l'ensemble formait la *Cité royale* par excellence, une masse de ruines importantes et d'une forme toute particulière attirait l'attention des visiteurs. Le nom seul de cette ruine suffisait pour éveiller la curiosité : les Arabes l'appellent Babil. Déjà Rich avait fait des fouilles en cet endroit. M. Layard avait, non sans succès, percé quelques tranchées et avait atteint des formes de chambres et des murs ruinés. M. Oppert reprit les recherches. Comme ses prédécesseurs il trouva des pierres, des briques et même des verreries.

Mais tout cela ne présente point encore de résultat complet. Il faut se contenter jusqu'ici, en attendant qu'on puisse fouiller jusqu'au centre même de la masse, d'étudier la forme générale de cet énorme terrassement et d'essayer de rapprocher l'état actuel, des descriptions que nous ont laissées les anciens auteurs. Pour les uns c'est le temple de Jupiter, le Bel des Assyriens ; pour d'autres c'est le tombeau de Bélus, le sépulcre du dieu immortel, l'endroit même où les prêtres chaldéens rendaient leurs oracles et sur lequel s'acharna la fureur destructive de Xerxès. La forme générale de l'édifice était, suivant M. Oppert, celle d'une pyramide très élancée. Sur la plate-forme qui la couronnait, trois statues divines appelaient l'attention et la vénération des adorateurs du dieu national assyrien.

Si nous ajoutons à ces différentes ruines la mention de quelques autres moins importantes comme *El Homeira* où l'on trouva beaucoup de poterie et de verrerie ; un tumulus où l'on crut reconnaître les restes du *tombeau d'Héphestion*, construit par Alexandre ; les traces des quais, arrangés de façon à arrêter la violence des inondations, et celles des murs d'enceinte de l'Acropole, il ne nous restera plus qu'à insister un instant sur deux derniers vestiges, dignes à eux seuls d'attirer toute l'attention des chercheurs et des curieux : ceux des murs d'enceinte de la ville et de la Tour de Babel.

Babil

Les restes de ces fameux murs d'enceinte que l'antiquité grecque plaça au nombre de ses merveilles, sont reconnaissables encore aujourd'hui dans une série de tumulus, désignés par les Arabes sous les noms de *Abou Bezzoum* (*collines aux Chats*), *Toloul Soufar* (les collines jaunes) *et Tell Zawiyeh*, (collines du coin). Du moins c'est l'identification qu'a proposée M. Oppert, et elle répond, d'une manière très satisfaisante, aux renseignements que nous ont fournis les auteurs grecs et latins, confirmés par la lecture des inscriptions assyriennes.

Ces murailles immenses formaient une double enceinte dans la forme d'un carré très exact. La première de ces enceintes embrassait un territoire grand comme le département de la Seine ; dans la seconde, la plus petite, la ville de Londres eût tenu à l'aise. L'enceinte extérieure portait le nom *d'Imgur Bel* (que Bel le protège) ; la seconde le nom de *Nivitti Bel* (le séjour de Bel).

C'est ce qu'atteste la précieuse inscription de Nabuchodonosor.

« *Imgur Bel* et *Nivitti Bel*, voilà le grand mur de Babylone que Nabopolassar, roi de Babylone, le père qui m'a engendré, commença sans en achever la magnificence. Il fit les creusements ; deux fossés énormes furent construits, dont il limita les bords par du bitume et des briques. Il fit des fossés concentriques et il entoura de digues les bords de l'Euphrate ; mais il n'accomplit pas son œuvre… Pour moi, je fis mesurer *Imgur Bel*, le grand mur de Babylone, l'inexpugnable, qu'aucun roi n'avait fait avant moi : 4 000 mahargagars (72 000 pieds ou 120 stades, c'est le côté du grand carré de Babylone), voilà la superficie de Babylone. Je fis en guise de refuge inexpugnable, ce mur, le boulevard du soleil levant de Babylone. J'exécutai les creusements et les bords, je les bordai en bitume et en briques. Un autre grand mur, je le bâtis en deçà de celui-ci comme un renfort, je l'entourai de grandes portes… »

Et, dans une autre inscription également traduite par M. Oppert, il ajoute ces détails intéressants :

« Babylone est le refuge du dieu Mérodach. J'ai achevé Imgur Bel, sa grande enceinte. Dans les seuils des grandes portes j'ai ajusté les battants en airain, des rampes et des grilles très fortes. J'ai creusé ces fossés, j'ai atteint le fond des eaux, j'ai construit les bords de la tranchée en bitume et en briques. Voulant préserver plus efficacement la pyramide et la défendre contre l'ennemi, et contre les attaques qui peuvent être dirigées sur Babylone l'impérissable, je fis construire en maçonnerie, dans les extrémités de Babylone, une seconde grande enceinte, le boulevard du soleil levant, qu'aucun roi n'avait fait avant moi. Je fis creuser les fossés et je consignai sur des barils la construction de ses bords. Tout autour je fis couler de l'eau dans cette digue immense de terre. À travers ces grandes eaux comparables aux abîmes de la mer, je fis faire un conduit ; j'ai fait murer ces grands fossés avec des briques, j'ai fait construire ce mur pour garantir les produits de la plaine de Babylone ; j'en ai fait un refuge pour les contrées de Soumir et d'Accad. »

Telles furent, si nous en croyons le constructeur lui-même, ces murailles célèbres qui contenaient une enceinte assez grande pour suffire à la nourriture des populations assiégées. Aristote compare quelque part la grandeur de Babylone à celle du Péloponèse. Ce n'est point là une ville, dit-il, c'est plutôt une province. Quand Cyrus vint mettre le siège devant la capitale de la Chaldée il ne put s'en emparer qu'en dérivant le cours de l'Euphrate. Le mur solidement bâti et la ville bien approvisionnée lui eussent peut-être, sans cette hardie et coûteuse entreprise, résisté indéfiniment.

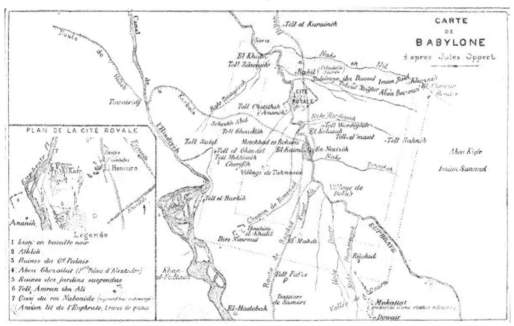

Quand Hérodote visita la contrée, ces murs existaient encore en partie. Il les décrivit à son tour. Le récit du *Père de l'Histoire*, sur lequel se bâtit toute la légende postérieure est bon à rapprocher des renseignements que nous a donnés l'inscription et que les études faites sur le terrain ont permis de vérifier.

« En Assyrie, dit Hérodote (I, ch 178 et suiv.), il y a beaucoup de grandes cités entre lesquelles s'est trouvée Babylone, la plus fameuse et la plus forte de toutes après la destruction de Ninive. Cette ville est assise en une grande plaine, sa forme est carrée et porte à chacun des quatre fronts, cent vingt stades. Voilà quant à son enceinte. Au regard de l'architecture il faut que j'affirme que sur ce point c'est la plus belle ville que j'aie jamais vue, car premièrement elle est ceinte d'un fossé large et profond, et qui est plein d'eau ; la muraille est haute de deux cents coudées royales sur cinquante d'épaisseur : la coudée royale est plus grande que la moyenne de trois doigts.

Mais il convient de dire en quoi a été employée la terre qu'on a tirée du fossé et de quelle matière a été faite la muraille. À mesure qu'ils fouillaient ils convertissaient la terre en briques, lesquelles ils cuisaient après en avoir moulé une grande quantité. Pour mortier, ils usaient de la vase ou limon nommé asphalte, lequel ils faisaient chauffer avant de le mettre en œuvre. Ils maçonnèrent premièrement les bordures de la douve du fossé jusqu'à trente couches de briques entre lesquelles ils mettaient des lits de joncs cousus et entrelacés. Ils bâtirent après la muraille de mêmes matières. Sur le haut de celle-ci, près des entablements, ils firent des petites loges et échauguettes à l'opposite l'une de l'autre, laissant entre deux un espace pour la largeur d'un chariot. Cent portes percent cette muraille, lesquelles sont toutes de métal ainsi que leurs pivots, tourillons et architraves…

Le fleuve Euphrate divise la ville en deux parties, lequel coulant des montagnes d'Arménie se trouve large et profond et coule vers la mer Rouge avec une grande force. De l'un et l'autre bord la muraille jette ses arêtes bien avant dans celui-ci, auxquelles se relient des douves faites de briques, qui règnent le long de chaque bord. La ville est pleine de maisons à trois et quatre étages, elle est divisée par des rues droites et autres de telle sorte que celles qui la traversent aboutissent à la rivière : chaque rue a une poterne d'airain dans la muraille de la douve. Il y a autant de portes que de rues : elles sont toutes également d'airain et ouvrent sur le fleuve.

La seconde muraille, celle qui entoure la ville en dedans, n'est guère moins forte que la première bien qu'elle soit plus étroite. Il y a une clôture au milieu de l'une des parties de la ville où est bâti le palais royal ; celui-ci est entouré d'une grande et forte muraille. Dans l'autre partie est le temple de Jupiter. »

Ces superbes murailles concentriques ne durèrent pas longtemps après la conquête persane. Quoique les rois de la nouvelle dynastie prissent plaisir à habiter la fastueuse ville, ils avaient trop lieu de craindre l'insoumission de ses habitants pour lui laisser toute sa force. Entamé par Cyrus, dépouillé par Darius, à demi renversé par Xerxès, le mur extérieur n'existait plus vers le quatrième siècle avant notre ère. Jérémie dit, et la prédiction devait s'accomplir : « Les murs de la grande Babel seront rasés jusqu'aux fondements et ses hautes portes seront brûlées par le feu. »

Plaine de Babylone

Le mur de l'intérieur dura plus longtemps, peut-être jusqu'à l'époque d'Alexandre ; mais les projets que le conquérant de l'Asie conçut au sujet du rétablissement de la ville dans son ancienne splendeur, ces projets moururent avec lui. Aujourd'hui une masse de briques entassées, des tumulus vagues et que leur direction suffit seule à caractériser en sont les traces uniques ; et c'est au milieu de ruines informes qu'il faut chercher les restes des constructions que les Nabuchodonosor élevaient pour l'éternité. « C'est la vengeance du Seigneur. »

Au milieu même de ces ruines, à une distance assez grande de la ville de Hillah, dans une situation qui correspond à peu près à l'un des angles du grand quadrilatère formé par la muraille, une masse énorme attire l'œil vers le sud, comme une autre masse, Babil, l'attire d'autre part, vers le nord. Là encore le nom moderne éveille la curiosité : c'est le *Birs-Nimroud* (Tombeau de Nemrod). Cette curiosité se change en une attente anxieuse quand on sait que l'on a devant soi ce qui reste de la Tour de Babel.

« Pour aller au Birs-Nimroud, la route, dit M. Oppert, n'inspire pas un grand intérêt ; mais ce qui domine l'esprit du voyageur, c'est l'aspect de l'immense ruine que l'on aperçoit bien loin au-delà de l'Euphrate à partir du Kasr-Ikenderich, à moitié chemin entre Bagdad et Babylone. Le Birs-Nimroud apparaît bientôt après la sortie de Hillah, comme une montagne que l'on croit pouvoir atteindre immédiatement et qui recule toujours. Mais l'effet est bien plus saisissant quand l'atmosphère – et c'est le cas, à la pointe du jour et vers le soir, – est obscurcie par le brouillard. Alors on ne voit rien pendant une heure et demie ; tout à coup, le brouillard semble se déchirer comme un rideau et fait entrevoir la masse colossale du Birs-Nimroud, d'autant plus intéressante que son aspect frappe de plus près et d'une manière complètement inattendue. »

Combien l'intérêt s'accroît si l'on sait que cette ruine imposante n'est rien autre chose que la Tour de Babel elle-même !

Le Birs a encore aujourd'hui 46 mètres de hauteur. Des pans de murs, des débris de briques cuites, des blocs vitrifiés ne cubant pas moins de cent mètres, des éboulements à demi calcinés attestent l'immensité du monument, et la grandeur de la chute dans laquelle il a péri.

Un pan de mur, le plus important de tous, a encore 11 mètres et demi de hauteur sur 8 mètres de largeur. On peut y reconnaître la nature des matériaux et le soin apporté dans la construction. Briques rouges, ciment blanc et roseaux interposés répondent bien aux descriptions laissées par les anciens. Tout autour de la masse générale, des éboulements partiels sèment la plaine et forment une montueuse surface de poussière rouge et de briques en fragments. Le pourtour de la ruine à la base est de 700 mètres.

Les recherches de M. Oppert complétées plus tard par le colonel Rawlinson, amenèrent les découvertes les plus curieuses. Elles établissaient d'une façon inéluctable que le Birs-Nimroud n'était rien autre chose que le temple des sept lumières de la Terre, la Tour que Nabuchodonosor se vante d'avoir restaurée (après une première et ancienne destruction), la maison éternelle de Borsippa, le sanctuaire d'Apollon et d'Artémis, de Strabon et d'Arrien, la tour d'Hérodote qui était, à Borsippa, considérée encore comme faisant partie de Babylone, en un mot le monument élevé sur l'emplacement et peut-être sur les bases de la Babel biblique.

« Mais il n'y avait sur la terre qu'une seule langue que tous les hommes parlaient. Et comme ils étaient partis de l'Orient, ils trouvèrent une plaine dans le pays de Sennaar et ils y habitèrent. Et ils se disaient les uns aux autres : Allons, faisons des briques et cuisons-les dans le feu. » Ils eurent donc des briques au lieu de pierres et se servirent de bitume au lieu de ciment, et ils disaient : « Allons, faisons-nous une ville et une tour dont le sommet touche au ciel et faisons-nous un nom afin que nous ne soyons pas dispersés sur la surface de toute la terre. »

Et Yahveh descendit pour voir la ville et la tour que bâtissaient les fils de l'homme.

Birs-Nimroud (ancienne Babel)

Et Yahveh dit : « Voici, ils sont un seul peuple, et une seule langue est pour tous, et ceci est le commencement de leurs œuvres, et maintenant rien ne les empêcherait plus d'accomplir ce qu'ils auraient projeté.

"Allons ! descendons et confondons leur langage, que l'un n'entende plus le langage de l'autre. "

Et Yahveh les dispersa de là sur la surface de toute la terre et ils cessèrent de bâtir la ville.

C'est pour cela qu'on l'appela du nom de Bâbel, parce que là Yahveh confondit le langage de toute la terre et de là Yahveh les dispersa sur toute la surface de la terre. »

Hérodote à son tour avait donné de curieux détails sur le grand temple de Jupiter (Belus), l'honneur de Babylone. Il l'avait vu lui-même. C'était selon lui une série de tours superposées, en retraite les unes sur les autres. Au haut de l'édifice était construit un temple. Dans ce temple un lit en or et une table en or étaient toujours préparés, attendant la visite du dieu. En bas de l'édifice, il y avait un autre temple, où sur un autel se faisaient les sacrifices. Tout cela était couvert d'ornements et de lames en or que Xerxès enleva et fit fondre lors de la conquête.

Ce sanctuaire subsista longtemps encore. Il était situé dans une sorte de faubourg de Babylone qui s'appelait Borsippa *(Borsif.)* La tradition du Moyen Âge indiquait ce lieu comme celui où les langues s'étaient confondues, et les Talmudistes, qui perpétuèrent à Babylone le seul souvenir de la civilisation ancienne, rattachaient l'étymologie du nom de Borsippa à cette idée de la confusion des langues *(Balai, séfah)*.

Le Borsippa de l'antiquité est certainement le Birs-Nimroud actuel. De plus la forme des ruines et jusqu'à certains détails des briques coloriées, rencontrées aux différents étages du massif répondent bien aux descriptions des anciens auteurs.

Tant de rapprochements curieux poussaient à reconnaître dans les ruines du Birs les restes mêmes du temple de Belus et l'emplacement de la tour de Babel. Les inscriptions trouvées dans les ruines ne firent que confirmer ces hypothèses.

M. Rawlinson trouva et M. Oppert publia le premier cette inscription désormais fameuse où Nabuchodonosor célèbre la fondation de l'édifice. Les passages les plus importants étaient traduits ainsi qu'il suit :

Nabuchodonosor roi de Babylone, pasteur des peuples, etc... Nous disons, Mérodach, le grand seigneur, m'a lui-même engendré, il m'a enjoint de reconstruire ; ses sanctuaires... Le premier édifice qui est le temple des assises de la terre et auquel se rattache le plus ancien souvenir de Babylone, je l'ai refait et terminé en briques et en cuivre, j'en ai relevé le faîte.

Nous disons pour l'autre qui est cet édifice-ci, le temple des sept lumières de la terre (les sept planètes) et auquel remonte le plus ancien souvenir de Borsippa ; un roi antique le bâtit (on compte de là quarante-deux vies humaines. Mais il n'en éleva pas le faîte. *Les hommes l'avaient aban-donné depuis les jours du déluge, en désordre proférant leurs paroles.* Le tremblement de terre et le tonnerre avaient ébranlé la brique crue, avaient fendu la brique cuite des revêtements ; la brique crue des massifs s'était éboulée en formant des collines. Le grand dieu Mérodach a engagé mon cœur à le rebâtir. Je n'en ai pas changé l'emplacement, je n'en ai pas altéré les fondations. Dans le mois du salut, au jour heureux, j'ai percé par des arcades la brique crue des massifs et la brique cuite des revêtements. J'ai ajusté les rampes circulaires ; j'ai inscrit la gloire de mon nom dans les frises des arcades.

« J'ai mis la main à reconstruire la tour, et à en élever le faîte ; comme jadis elle dut être, ainsi je l'ai refondue et rebâtie : comme elle dût être dans les temps éloignés, ainsi j'en ai élevé le sommet. »

On voit assez combien cette inscription, dans les termes de la traduction de M. Oppert, devait éveiller l'attention générale. Ne dût-on y reconnaître que la communauté d'origine des légendes juives et chaldéennes, que le résultat appliqué à un fait si précis et si grave eût été des plus importants. On le remarquera, ce n'était plus seulement la question de l'existence de la Tour de Babel qui était résolue par ce nouveau document ; c'était le fait même de la dispersion des peuples à la suite de la confusion des langues. Certes l'affirmation d'un fait si grave, émanant des deux sources si diverses, si anciennes et si respectables, ne pouvait manquer de tenir une grande place dans l'histoire des civilisations anciennes et dans la théorie des origines du langage.

Malheureusement la traduction proposée par M. Oppert était peut-être un peu prématurée, et le parti qu'on en tira aussitôt dans des livres de polémique l'était plus encore. Une traduction nouvelle fut bientôt proposée, elle rallia tous les suffrages, même celui de M. Oppert. Voici cette nouvelle traduction. Peut-être n'est-elle pas encore exempte de quelques défauts,

121

mais les points principaux ont été livrés à une discussion assez étroite pour qu'on les considère désormais comme acquis à la science :

« Nabuchodonosor, etc. Je dis ceci : Le temple des sept lumières de la Terre, le Zigurrat de Barsippa, fut bâti par un roi ancien. Il couvrait 40 mesures de terre ; mais il n'en éleva pas le faîte. Les hommes l'avaient abandonné depuis le jour de l'inondation, dont ils n'avaient pas dirigé le cours. La pluie et les orages avaient dispersé les ouvrages d'argile, et les revêtements de ses murs. L'argile s'était effondrée avec la terre et formait un monceau de ruines. Le grand dieu Marduk a excité mon cœur à le rebâtir. Je n'ai pas changé l'emplacement. Je n'ai pas touché à son *timin…* J'ai mis la main à cette reconstruction ; j'ai élevé le faîte (de l'édifice) ; je l'ai fondé, je l'ai reconstruit, comme il était jadis, comme il était dans les temps anciens et j'en ai élevé le faîte. »

On le voit, plus de traces, maintenant, de déluge ou de confusion des langues ; l'un est devenu l'inondation habituelle de l'Euphrate ; l'autre la négligence non moins habituelle des hommes. Les quarante-deux vies humaines sont devenues des mesures de longueur. Tout le reste du document, sans être absolument transformé, a pris ainsi, détails par détails, une signification tout autre, et d'ailleurs parfaitement raisonnable.

Peut-être devant cette explication, l'idée de la Tour de Babel rentre dans le domaine de la légende ; mais il reste toujours, et c'est assez pour l'histoire, le souvenir d'un des plus anciens monuments de la Chaldée et de la reconstruction entreprise par Nabuchodonosor.

En rapprochant les renseignements fournis par les inscriptions de l'état actuel de la ruine et des récits des anciens auteurs, M. Rawlinson a pu essayer une restauration du Temple des sept lumières, ou des sept planètes. C'était, comme nous l'apprend Nabuchodonosor lui-même, une *Zigurrat.*

On appelait ainsi un genre de monuments, spécial à la Chaldée, dont l'ensemble formait une pyramide à étages, composée d'une série de terrasses superposées, en retraite l'une sur l'autre, la dernière plate-forme portant le sanctuaire de la divinité. Un de ces édifices, représentés sur les bas-reliefs de Babylone, a permis de se faire une idée très exacte de leur forme habituelle. Chacun des étages – ici au nombre de sept, – était consacré à une divinité spéciale, – ici chacune des planètes. – Des couleurs diverses étaient consacrées à chacune d'entre elles et devaient être ici appliquées à chacun des étages successifs. C'était en partant de la base et en s'élevant progressivement : le noir pour Saturne, le blanc pour Vénus, l'orange pour Jupiter, le bleu pour Mercure, l'écarlate pour Mars, l'argent pour la Lune, et enfin l'or pour le Soleil. C'était à ce dernier dieu, le Bélus, le dieu suprême et comme la clef de voûte de l'Olympe babylonien que le temple, en somme, était dédié. C'était là que ses prêtres rendaient leurs oracles ; c'était là que s'accomplissaient les mystères trop souvent obscènes de la magie chaldéenne.

De tous les monuments babyloniens ce temple devait, si l'on en juge par la masse des ruines et par l'usage, être le plus important. Par suite de la légende qui s'y trouva quelque temps attachée ce fut, de tous, celui vers lequel l'attention de la science se porta principalement. De tous aussi c'était le seul qui pût montrer encore des ruines ayant quelque forme, et dont les descriptions anciennes eussent entre elles quelque concordance.

On le voit, cependant, que d'incertitudes encore sur le caractère et l'aspect général du monument ! combien peu nous suffisent ces seuls restes de tant de splendeur qui sont parvenus jusqu'à nous. Est-ce là ce grand sanctuaire, sont-ce là ces monuments merveilleux, est-ce là cette Babylone, « l'ombilic du monde », celle dont le nom est encore le synonyme du luxe le plus effréné et de la civilisation la plus raffinée ?

Si le poète trouve dans ces débris une si vaine et si rare pâture à sa curiosité, l'archéologue n'y rencontrera-t-il point quelque satisfaction plus complète ? Une colonne, un torse, un bas-relief à demi rongé suffit pour révéler à son œil attentif les principes d'un art ancien, et l'idéal que d'autres hommes ont essayé de réaliser. Mais à Babylone, pas même une colonne, pas un bas-relief, pas un fragment satisfaisant d'une œuvre d'art importante.

C'est à peine, si de tant de recherches on a pu tirer cette unique conclusion certaine qui nous permet de nous représenter l'aspect des édifices de Babylone. Les édifices de cette capitale avaient une grande ressemblance avec ceux de Ninive ; ils ne devaient être que les produits d'une évolution dans un art dont les principes restaient au fond absolument identiques.

C'est donc à Ninive qu'il convient de retourner maintenant, et c'est dans les ruines de cette ville que nous chercherons les véritables modèles des anciennes constructions et la théorie complète de l'idéal rêvé par les artistes d'Assyrie et de Chaldée.

Notre intention n'est nullement, d'ailleurs, de donner ici un tableau exact et complet de l'ancienne ville. Nous ne le pourrions pas. Si heureux qu'aient été sur ce point les résultats des fouilles et des études qui les ont suivies on ne peut dire absolument que Ninive soit sortie de ses cendres, et qu'on puisse se faire une idée exacte de son état ancien. On discute même encore sur la véritable étendue de la ville, qui, semble-t-il, devait contenir plusieurs villes séparées par des champs et par des plantations, mais entourées d'une seule et immense circonvallation.

Ce que nous voulons c'est essayer de présenter une idée des arts et des mœurs du second empire assyrien, dont les rois les plus glorieux vécurent quelque huit siècles avant notre ère, et furent les contemporains des premiers successeurs de Salomon.

Le tableau que nous allons faire, nous l'emprunterons surtout au livre de M. V. Place. M. V. Place, complétant les recherches de M. Botta, put retrouver dans son ensemble et dans ses détails les restes encore majestueux du palais du premier des Sargonides, Saryoukin ou Sargon, le père du Sennachérib de la Bible.

Ce sont les restes de ce palais qui font en ce moment la plus belle partie de la collection des antiquités assyriennes du Louvre ; collection bien incomplète, malheureusement, par suite du déplorable succès des envois de M. Place lui-même, mais suffisante encore pour donner une idée de l'idéal que concevaient les anciens artistes assyriens, et de la perfection relative qu'ils atteignaient dans l'exécution. Les remarques et les résultats de MM. Botta et Place se complètent par les travaux de M. Layard. C'est à ces différents livres que nous renverrons, pour autoriser l'exposé très incomplet que nous allons faire, et pour en combler toutes les lacunes.

Nous avons dit déjà qu'il y avait plusieurs causes à la disparition presque complète des anciens édifices de cette région. Celle de toutes qui leur fut la plus fatale, fut certainement la nature même de leurs constructions. À Babylone, dans un pays de plaines alluviales, l'absence absolue de carrières réduisit les habitants à ne faire usage dans leurs constructions que de la brique cuite au soleil. Cette habitude une fois prise, elle s'étendit à tous les peuples de ces contrées qui prenaient à tâche d'imiter les splendeurs de la grande ville chaldéenne.

À Ninive même, où la pierre se trouvait en assez grande abondance, on s'en servit peu. On la réserva pour les motifs d'ornementation et de sculpture, pour tracer des lignes architecturales, pour former les linteaux des rares fenêtres percées dans la masse.

L'ensemble des constructions, même des plus splendides, fut en briques. La nature particulière de cet élément, sa division, sa légèreté, et par contre son émiettement et sa destruction facile donnèrent à l'architecture assyrienne un caractère tout à fait particulier. L'ensemble est massif. Pas de ces lignes hardies et élancées, pas de ces colonnades à jour, pas de ces architraves à longues portées qui donnent à l'architecture égyptienne et surtout à l'architecture grecque tant de jour et tant de mouvement. Le support isolé n'existe pour ainsi dire pas. Le mur est tout ; et ce sera dans la construction et l'ornementation du mur, partie généralement négligée et dédaignée, que brillera tout le savoir-faire et tout l'art des architectes assyriens.

Cette brique, cause d'infériorités manifestes, devient pour eux un sujet d'efforts nouveaux et le motif d'une ornementation peu durable peut-être, mais extrêmement éclatante. Ils deviennent excellents constructeurs, par la nécessité où ils sont de construire bien pour éviter une ruine rapide. Ils trouvent la voûte, que les Grecs n'ont pas connue, et qui ne reparaîtra que bien tard dans le progrès de l'architecture européenne. Ils trouvent même l'arc brisé ou ogive qui est de toutes les formes d'arcs le plus léger à la fois et le plus résistant.

Ces prodiges de construction sont revêtus de prodiges de décoration empruntés à tout ce que l'ornement polychrome peut fournir de plus éclatant et de plus splendide. On revient beaucoup de nos jours à l'emploi des terres cuites peintes et décorées. Or ce mode de décoration a été employé déjà avec tout l'art, avec tout le raffinement imaginable ; et ç'a été par ces anciens Chaldéens et Assyriens dont les constructions depuis plusieurs milliers d'années dormaient sous la poussière, cachant dans leurs ruines les exemples dont nous nous instruisons aujourd'hui.

Examinons un des monuments les plus importants conçus dans cet esprit. C'est le palais de Khorsabad bâti vers l'an 706 av. J.-C. par les prisonniers de guerre que le roi Sargon avait ramenés de ses conquêtes. M. Botta en a découvert le premier l'emplacement et les ruines en 1845, et l'expédition dirigée par M. V. Place à partir de 1850 a achevé l'œuvre du premier explorateur. Les recherches de M. Place ont été conduites d'une manière si heureuse qu'elles lui ont permis de déterminer jusque dans les moindres détails la physionomie de l'édifice et de ses environs. Il a pu même, à l'aide des bas-reliefs assyriens qui représentent fréquemment des palais et des citadelles, tenter une restauration complète de l'édifice, restauration qui laisse peu de place à l'arbitraire.

Khorsabad était à la fois le château et la forteresse, l'*arx* d'une ville qui semble elle-même avoir été construite d'un seul jet. Nous l'avons déjà dit, et nous le répétons, Khorsabad, par sa construction, sa destination et le faste qui y régnait présente plus d'un trait de ressemblance avec Versailles. Le roi Sargon dans une inscription qui a été retrouvée parmi les ruines et déchiffrée, explique lui-même le but qu'il s'est proposé. « Au pied des monts Mousri, dit-il, pour remplacer Ninive, je fis d'après la volonté divine et le désir de mon cœur une ville que j'appelai Hisir-Sargon. Je l'ai construite pour qu'elle ressemble à Ninive, et les dieux qui règnent dans la Mésopotamie ont béni les murailles superbes et les rues splendides de cette ville. Pour y appeler les habitants pour en inaugurer le temple et le palais où trône sa majesté, j'ai choisi le nom ; j'ai tracé l'enceinte et l'ai tracée d'après mon propre nom. »

Façade du palais Khorsabad. – Restauration

Ainsi, on le voit, cette ville nouvelle était destinée à remplacer Ninive, elle-même déjà en décadence. Sur une énorme motte amassée de main d'homme, on construisit une immense enceinte de forme géométrique flanquée de cent soixante-sept tours qui, si nous en croyons les représentations des bas-reliefs anciens, étaient couronnées de créneaux dentelés, et percées d'archères seulement à leur partie supérieure.

L'importance de ces murailles elles-mêmes n'était en rien inférieure à l'idée que nous avaient donnée des fameuses murailles de Babylone, les récits des anciens que l'on aurait pu croire exagérés. Hautes de 25 mètres, larges de 24, elles formaient comme une immense route hérissée de créneaux tout autour de la place. Une armée entière pouvait s'y ranger en bataille et les chars y défiler par sept ou huit de front.

À une hauteur de plus de 40 mètres encore, s'élevait la citadelle ou le palais qui dominait toute l'enceinte. Avec ses proportions géométriques, il devait faire un effet plus singulier et plus étonnant encore. Il était à cheval sur la muraille d'enceinte et formait un rectangle dont une moitié mordait dans la ville et dont l'autre moitié s'étendait sur la campagne. Des fausses portes communiquaient même avec le dehors. On accédait à l'entrée principale par un chemin en pente douce tout entier bâti de main d'homme, et que l'on pouvait couper. Ainsi dans ce tas énorme de briques prenant peu de jour sur le dehors, monté sur un soubassement à pic, et dont l'épaisseur fatiguait le travail des machines de guerre les plus puissantes, au fond de ce palais inaccessible, résidaient ces monarques assyriens qui étonnaient et terrifiaient l'Asie.

D'ailleurs dans l'enceinte même du palais, rien ne manquait aux besoins du roi, ni à ses plaisirs. Le palais était grand à la fois comme le Louvre et les Tuileries ; à l'intérieur, des cours étaient ménagées pour les exercices des troupes et le déploiement des pompes triomphales. Plus de deux cent salles étaient disposées dans le massif et prenaient jour sur les cours intérieures.

Portes de Ninive

M. Place a cru reconnaître que ce palais était divisé en cinq parties principales : le *Sérail*, où se tenait le roi au milieu de sa cour ; le *Harem*, où les femmes étaient enfermées sous la garde des eunuques, par un usage encore habituel en Orient : l'*Observatoire*, au haut duquel s'élevait le temple du plus grand dieu de l'Assyrie, Bal ou Bel. La description que nous avons donnée de la Tour de Babel peut s'appliquer dans des proportions moindres à cet Observatoire.

L'Observatoire dominait la quatrième partie du palais assyrien, le *Temple*. La cinquième partie, très vaste, très importante formait les dépendances. C'est là que M. Place a pu reconnaître les magasins, les cuisines, les écuries, les salles de manège, les boulangeries, les pressoirs et tout ce qui servait à la vie du roi lui-même et de la nombreuse population de ce palais.

Nous n'avons rien dit jusqu'ici de l'ornementation de cet imposant édifice.

De ce que la brique à peu près seule fut employée dans la construction, il ne faut pas conclure que l'aspect général fût sombre. À l'extérieur comme à l'intérieur, le luxe le plus éclatant présidait à la décoration. Depuis le ras du sol jusqu'à une hauteur de trois mètres environ, régnait tout autour de l'édifice un superbe cordon de bas-reliefs où se déroulait la représentation des exploits du roi et de ses triomphes. Cette magnifique bande de sculptures aboutissait, à chaque entrée, à de colossales statues rangées deux par deux ou quatre par quatre, et qui représentaient ces taureaux à tête d'homme, à ailes d'aigle, dont on peut voir deux magnifiques spécimens dans les galeries du Musée du Louvre.

C'est dans la représentation de ces taureaux divins dont les visages étaient, comme on le sait, les visages des rois, que s'épuisait le dernier effort des sculpteurs assyriens. C'est devant eux que l'on ressent tout entière l'impression de force et de majesté sombre qui se dégage en dernière analyse de l'étude des débris de cette civilisation mystérieuse. Un habile critique d'art, M. Maurice Joly, dit en parlant de ces colosses : C'est dans ces splendides monolithes que l'art assyrien semble avoir atteint ses dernières limites. Ce n'est certes ni la variété inépuisable, ni la forme si vivante et si naturelle de l'art grec. C'est un travail marqué d'un sceau à part et qui en fait le principal charme à nos yeux ; c'est la force et l'effet obtenus par l'économie des moyens. On ne voit pas le moindre tâtonnement de ciseau dans le modelé de ces flancs gigantesques, dans ces vastes poitrails d'animaux humains ; le détail y est rendu par quelques traits d'une concision, d'une sûreté de main incomparables.

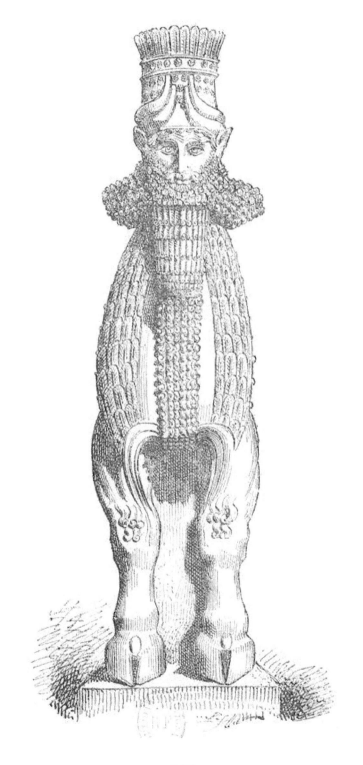

« On ne trouve pas dans l'exécution des taureaux ces lourdeurs de forme, ce manque de mouvement et ce *faire* de convention qui se remarquent dans les bas-reliefs. Là, tout est net, tout est puissant, tout ressort avec la plénitude d'un art qui ne connaît pas d'entrave. »

Les sculpteurs assyriens étaient surtout des *animaliers*. Leurs lions, leurs chevaux, leurs dromadaires, n'ont pas été dépassés. Ils réussissaient généralement moins bien dans les scènes où la représentation de l'homme joue le principal rôle. Dans leurs bas-reliefs l'absence absolue de perspective qui fait que les sujets grimpent pour ainsi dire et s'étagent les uns au-dessus des autres produit au premier abord un effet choquant. Mais il n'est pas moins vrai que quand on les regarde avec attention la réalité et le naturel des images, la finesse et l'élégance réelle de certains détails, et surtout la richesse et la majesté de l'ensemble produisent une grande impression.

Nous emprunterons à M. Place lui-même, la magnifique description qu'il a faite des bas-reliefs de Khorsabad. Personne n'est plus compétent et n'a pu s'exprimer plus heureusement que celui qui a assisté à la résurrection de ces antiques débris et qui les a vus sortir de terre tels qu'ils s'étaient enfouis, il y a plus de deux siècles et demi.

« En considérant l'ensemble des bas-reliefs d'un palais ninivite, on ne peut mieux le comparer qu'à un poème épique célébrant la gloire du fondateur. C'est lui le héros de ces longs récits ; et il est toujours en scène et tout s'y rapporte à sa personne. Comme dans les poèmes écrits, l'épopée débute par une sorte d'invocation aux esprits supérieurs représentés par les figures sacrées qui occupent les seuils. Après cette pensée donnée aux génies protecteurs de l'Assyrie on passerait à la narration elle-même. Pendant de longues heures, l'intérêt se trouvait surexcité par une succession d'épisodes émouvants. Peuples de soldats, les Ninivites se complaisaient dans ces souvenirs qui flattaient l'amour-propre du prince et entretenaient l'esprit belliqueux de la nation.

Les façades les plus longues du palais, celles des cours et des grandes galeries qui s'offraient les premières sur l'itinéraire des visiteurs, sont vouées de préférence aux manifestations de la pompe souveraine. Ces cérémonies exécutées presque toujours dans des proportions colossales, montrent de longues files de prisonniers ou de tributaires se dirigeant vers le monarque. Celui-ci, reconnaissable à la place qu'il occupe, à son entourage, à ses insignes, à son attitude, reçoit ces hommages avec un calme, ou pour mieux dire, avec une placidité presque dédaigneuse. Il est tantôt debout, tantôt assis sur son trône, entouré de ses officiers et de ses serviteurs. Les personnages s'y suivent processionnellement sans confusion, sans précipitation et gardent quelque chose de cette froideur hautaine qui devait signaler les réceptions royales.

C'est plus loin, dans des salles plus petites et sur une plus petite échelle que le drame commence et que l'artiste manifeste plus d'entrain, de verve et d'invention. Marches, batailles, escalades de montagnes, constructions de digues, passages de rivières, se suivent nombreux et pressés, racontés en quelques traits expressifs. Ici, la mêlée est terrible et les guerriers luttent corps à corps ; là, couverts de boucliers, ils combattent à distance avec l'arc et la fronde, l'air est sillonné de flèches et de projectiles ; plus loin les blessés et les morts jonchent le sol ou sont précipités dans les flots, ou écrasés sous les roues des chars ; on voit même des vautours qui déchirent les entrailles des cadavres.

Le roi prend part au combat, quelquefois à pied ou à cheval, le plus souvent sur un char attelé de coursiers magnifiques. Parfois un dieu figuré dans un disque ailé, ou bien un aigle qui plane au-dessus de la tête du monarque, semble prendre parti pour les Assyriens. Ailleurs c'est une ville attaquée. L'assaut se prépare ; les machines de guerre battent la muraille ; les mineurs creusent la maçonnerie ; les assiégés se défendent encore avec des pierres, des liquides brûlants, des torches, des chaînes pour détourner les machines ; ou enfin, réduits à la dernière extrémité, les mains levées au ciel, ils implorent la clémence des vainqueurs ; mais ceux-ci sont impitoyables ; on les voit, chargés de butin, chasser devant eux des hordes de prisonniers, parmi lesquels se pressent, pêle-mêle, des hommes et des femmes, traînant leurs enfants par la main ou les portant sur leurs épaules, suivis de leurs troupeaux et prenant le chemin de l'exil pour aller travailler aux monuments que le vainqueur élèvera bientôt en souvenir de cette nouvelle conquête.

Voici, en effet, le roi lui-même qui préside à la construction du palais. Il commande, et ses soldats, le bâton levé, surveillent sur le chantier une multitude d'esclaves qui pétrissent l'argile, façonnent la brique et la transportent sur leurs épaules. Le monticule artificiel s'élève et déjà les monolithes gigantesques sont traînés péniblement par de longues files de travailleurs attelés ; puis ce sont de nouvelles guerres, de nouveaux triomphes : l'artiste ne se fatigue jamais de ces images et trouve toujours une manière nouvelle de les traiter. Et toujours quelle réalité saisissante !

Après le carnage de l'action, on assiste à des vengeances impitoyables. Ce sont des prisonniers écorchés vifs, sciés en deux, empalés, mis en croix, ou qui ont la tête tranchée en présence du monarque pendant qu'un scribe impassible inscrit froidement sur un papyrus le compte des têtes qui s'amoncèlent. Comme dernier trait, pour peindre ces conquérants barbares, le roi, de sa propre main, crève les yeux d'un captif qu'on lui amène un anneau passé dans les lèvres. Narrateur fidèle, le sculpteur ne cherche jamais à atténuer les horreurs qu'il présente et qui du reste étaient racontées tout au long dans les inscriptions. Il les exprime avec une brutalité naïve bien propre à nous faire comprendre la terreur qu'inspiraient les Assyriens, et dont les livres saints contiennent tant de témoignages.

Supplice des prisonniers

Après les tableaux héroïques les scènes de chasses occupent le premier rang. Les souverains assyriens, dignes enfants de Nemrod, ont manifesté une grande passion pour cet exercice violent, véritable diminutif de la guerre. On voit dans les bas-reliefs de Koyoundjik le roi chassant la gazelle, l'hémione, le cerf, et principalement le lion qui, à en juger par la multiplicité des tableaux, devait être le gibier qu'il préférait. En char, à cheval, à pied, il poursuit lui-même les animaux ; il manie la pique, le javelot, l'arc et la flèche avec assurance et c'est presque en se jouant que parfois, le poignard à la main, il semble vaincre ses redoutables adversaires.

À la fin, fatigué de carnage, il offre aux dieux les prémices de sa chasse, ou bien il se livre au repos. On le voit retiré au fond du harem, à demi couché sur un lit somptueux devant une table chargée de mets. La reine, assise en face de lui, prend part au festin. La fête est égayée par de jeunes esclaves accompagnant leurs voix des accords de la harpe, l'instrument préféré des poètes bibliques. Mais ce tableau, tiré de Koyoundjik n'a pas été vu à Khorsabad où le terrible Sargon n'apparaît jamais que dans l'éclat de sa majesté royale.

La chasse du roi à Koyoundjik

D'autres bas-reliefs nous font assister au détail de la vie privée de ses sujets. Des intérieurs de villes ou de maisons mis à découvert en vertu d'une coupe géométrale très singulière nous montrent les Assyriens occupés des soins les plus vulgaires de leur ménage, dressant les lits, faisant rôtir les viandes, pansant les chevaux et se livrant à divers métiers ; ou bien ce sont encore des gens en marche avec leurs chariots remplis par des familles, chargés de grains, d'objets divers, et traînés par des bœufs où il nous semble reconnaître la race des bœufs à bosse de l'Inde ; ou bien encore, c'est une halte dans laquelle les animaux dételés se reposent et mangent pendant que les hommes portent la main à un plat ou boivent dans des outres. »

Au-dessus de ces bandes de bas-reliefs dont l'effet d'ensemble vient d'être décrit régnait un autre ruban décoratif emprunté à un élément absolument original et spécial à l'art syrien. C'était une double rangée de briques émaillées à fond bleu sur lesquelles ressortaient des sujets représentant des ornements empruntés à la vie végétale ou animale.

On y retrouve en particulier très fréquemment la mystérieuse pomme de pin que l'on voit à la main des colosses royaux ou divins. Cette partie de l'ornementation présente chez les Assyriens le plus grand intérêt et la plus grande originalité. Les animaux affrontés, les fleurs de convention alternés avec la plus remarquable variété d'effet et pureté de dessin méritent d'être signalés.

On a même cru reconnaître dans la disposition de ces ornements l'origine de certains motifs chers à l'art grec et qu'il répéta souvent. M. Ferguson a pu écrire, non sans motif plausible : « Ce dont il est impossible de douter est que ce qu'il y a d'ionique dans les arts de la Grèce a son origine dans les vallées du Tigre et de l'Euphrate. »

Au-dessus de la bande de briques, enfin, le reste de l'édifice était revêtu d'un stucage blanc qui par endroits était couvert des plus riches peintures à fresque.

On comprend maintenant quel effet pouvait produire à l'extérieur la contemplation à la fois écrasante dans la masse, variée et amusante dans les détails, du palais d'un roi assyrien.

Murs émaillés

Ces bas-reliefs et ces peintures représentaient au peuple des faits tirés de sa propre histoire. S'il y voyait le roi toujours au premier rang dans les images, comme il avait été au premier rang dans les batailles, il y retrouvait aussi ses propres exploits glorifiés et le détail de sa vie journalière représentée avec la plus fidèle exactitude.

C'est là que nous avons pu recueillir à notre tour les renseignements les plus précis sur la vie habituelle et sur les mœurs de ces peuples étranges. Nous y avons retrouvé leur mythologie singulière qui tient d'ailleurs dans les décorations une place beaucoup moins grande que dans celle des Égyptiens. On pense cependant que la conception qu'ils ont eue de la divinité et les représentations diverses qu'ils en ont faites n'a pas été sans influence sur la religion et sur l'art des Hellènes. L'adoration des astres jouait un rôle important chez un peuple qui dès la plus haute antiquité avait constitué l'année lunaire et composé le zodiaque. L'idée d'un dieu unique et roi des autres dieux Bel ou Bal, Dieu saint et pur comme le feu, planait sur cette théologie bizarre, fruit des conceptions des prêtres et des mages assyriens et chaldéens.

Nous n'avons pas à revenir ici sur l'habitude de la guerre qui faisait comme le fond de la vie de ces peuples, la description même des bas-reliefs que nous avons empruntée à M. Place donne sur ce point les détails les plus complets et les plus curieux.

L'industrie, le commerce, l'agriculture s'étaient développés d'une façon remarquable sous la protection vigilante des grands conquérants. Le monde asiatique tout entier tournait pour ainsi dire autour de Babylone, c'était là qu'aboutissaient les longues files de caravanes qui apportaient à cette capitale les produits des terres étrangères. Tout le cours du Tigre et de l'Euphrate fut canalisé ; la vallée n'ayant pas d'inondation comme celle du Nil, l'eau fut répandue dans les campagnes à force de bras ou au moyen de machines hydrauliques.

La terre ainsi travaillée ne se montrait point ingrate. Hérodote qui avait visité le pays dit : « Les feuilles du froment et de l'orge ont bien quatre doigts de large. Quoique je n'ignore pas quelle hauteur y atteignent les tiges du millet et du sésame je préfère n'en rien dire ; ceux qui n'ont pas été dans la Babylonie ne me croiraient pas. Par contre le pays n'a ni figuier, ni vigne, ni olivier ; il est couvert de palmiers et la plupart portent des fruits. »

Poteries assyriennes

Une telle abondance de tous les produits de la terre, un commerce si étendu qui amenait dans les capitales des grands Empires les richesses des pays étrangers ; l'activité industrieuse des sujets et des esclaves, une longue tradition d'art et de procédés conservée par les progrès faits dans toutes les sciences et notamment dans l'astronomie, l'agronomie, la médecine, etc. ; l'usage antique de l'écriture, l'habitude de conserver dans les palais et peut-être dans les maisons particulières des bibliothèques faites de briques de terre cuite sur lesquelles étaient gravés des caractères cunéiformes ; tant d'éléments de progrès divers et combinés avaient poussé à un haut degré de splendeur les civilisations ninivite et babylonienne.

Pour Ninive, ses restes mêmes, si abondants en monuments, en sculptures, en peintures, en objets de prix, en objets usuels, convainquent par la vue même des choses. Pour Babylone, la seule réputation qu'elle a laissée, si bien que son nom est encore le symbole d'un luxe effréné, confirme plus encore, s'il est possible, les renseignements un peu plus rares que les fouilles ont produits au grand jour. D'ailleurs les ruines des villes voisines Warka (Orchoé), Kutha, Niffer, abondantes en poteries, bijoux, pierres artistement travaillées, objets en verre et en bronze complètent l'idée que l'on peut se faire de la capitale.

Tandis que les troupeaux de l'Arabie apportaient leur laine et leurs toisons, que l'Arménie envoyait ses bois et ses vins, que les parfums de l'Inde et de l'Arabie venaient entre les mains des habiles ouvriers chaldéens se transformer en un baume dont la renommée s'étendait au loin, Babylone à son tour, exportait les tissus de laine, les manteaux de Babylone, les armes, les pierres taillées. Les Phéniciens étaient le plus souvent les intermédiaires de ce grand mouvement d'échange, et rien ne prouve mieux l'antiquité et l'étendue du commerce des Babyloniens que l'adoption de leurs poids et de leurs mesures par les Assyriens, par les Phéniciens, par les Juifs, par les Syriens, par les Lydiens et plus tard, indirectement, par les Grecs et par les Sabéens de l'Arabie méridionale.

Quelques traits empruntés aux écrivains antiques nous permettront de compléter l'image des mœurs babyloniennes. Tout dans leurs habitudes comme dans leur extérieur révélait un peuple antique riche et puissant. Leur habillement était élégant et commode. « Par-dessus une chemise de lin on mettait une longue robe de laine qui tombait sur la cheville et qu'une ceinture serrait à la taille ; on couvrait le tout d'un petit manteau blanc. Les cheveux étaient longs et retenus par une bandelette pendante. L'usage des baumes de myrrhe et de l'huile de sésame était général. Chacun portait un anneau qui lui servait de cachet et un bâton artistement travaillé, dont le haut était ordonné d'une pomme, d'une rose, d'un lis ou d'un aigle sculpté. »

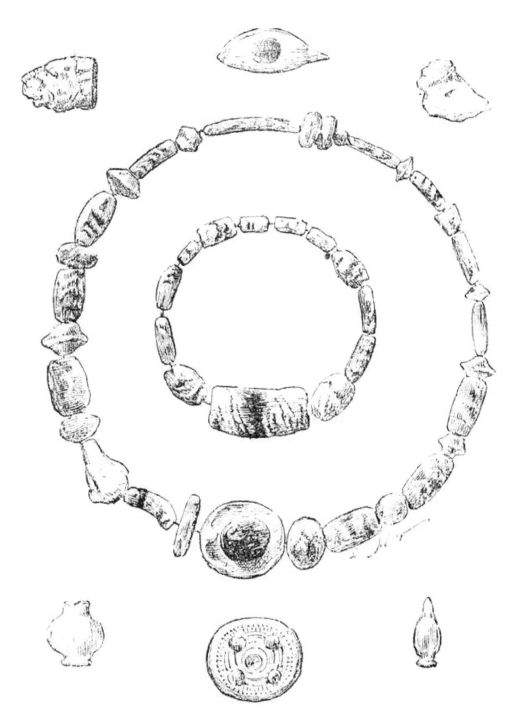

Bijoux et amulettes

III

Troie

À examiner les nombreux travaux qu'ont fait éclore les recherches de M. Schliemann, on se sent pris d'un vif sentiment d'admiration pour les étonnants progrès accomplis dans ces derniers temps par les études d'histoire ancienne.

Il y a cinquante ans à peine, la Bible et les poèmes d'Homère étaient placés à l'extrême fin des souvenirs des anciens âges, et, comme des phares isolés, jetaient à peine une trouble lumière sur la vaste mer des histoires. Autour de ces deux livres, s'étageaient de vagues traditions, des ouï-dire fabuleux ou mythologiques, qui n'en étaient le plus souvent que de pâles images, ou qui ne pouvaient compter que pour des reflets vagues et décolorés des souvenirs d'autrefois.

Depuis la lecture de la pierre de Rosette, par Champollion le jeune, et les premières études de Cuvier sur les âges préhistoriques, le spectacle s'est transformé. L'horizon de l'histoire s'est trouvé reculé d'une distance – on peut dire le mot – épouvantable. Ces deux livres qui semblaient si antiques, si vénérables et si mystérieux, se sont trouvés en quelque sorte rapprochés de nous, en raison même du gouffre effrayant qui s'ouvrait derrière eux.

Leur autorité a paru raffermie, éclairée encore par les découvertes modernes ; mille traits de lumière ont convergé vers ces centres toujours immuables et ont ajouté à leur éclat. La Bible et les Poèmes d'Homère sont restés un des plus dignes sujets d'étude, tandis que les moyens de les étudier se multipliaient pour le travailleur.

En même temps ils ont dépouillé quelque chose du mystère qui les entourait. On les a vus à leur place. Mille faits, qui les expliquent et qu'ils expliquent, se sont élevés autour d'eux et ont diminué leur proportion gigantesque, sans toucher à leur indiscutable solidité. C'est derrière eux que le doute s'est porté ; aujourd'hui ils sont bien en deçà, bien en deçà de la fable ; en pleine histoire ; et leur véracité, si elle soulève encore quelques discussions de détail, doit être, dans son ensemble, acceptée comme un utile auxiliaire par tous les historiens de l'antiquité.

Pour ne parler que des poèmes homériques, – puisque c'est de Troie que nous nous occupons en ce moment, – que de doutes n'a-t-on pas émis, depuis l'antiquité classique jusqu'à nos jours, sur l'autorité qu'il convient de leur accorder ?

L'existence même du poète a été, – personne ne l'ignore, – très souvent niée. Un seul homme, a-t-on dit, n'a pu suffire à une pareille besogne. L'Iliade et l'Odyssée sont l'œuvre de toute une école de poètes, les Rhapsodes. Ils se sont transmis de bouche en bouche ces divins récits, et ont chacun mis du leur dans les divers épisodes.

Pour ou contre cette thèse, bien des arguments ont été entassés l'un sur l'autre. La question même n'est pas encore tranchée, et si dans l'antiquité neuf villes se disputaient l'honneur d'avoir donné le jour à Homère, des villes en nombre au moins égal pourront bientôt réclamer chacune légitimement leur Homère.

Une question plus importante au point de vue historique a été de savoir si les faits racontés par l'*Iliade* étaient réels, s'il n'y avait point là une floraison magnifique sortie du cerveau du poète, comme la Minerve était sortie tout armée de la tête de Jupiter ; si ce n'était point plutôt encore une application à des faits de la vie commune, d'une série d'idées mythologiques empruntées au fonds abondant de la Grèce « amante des fables. »

Ilion a-t-elle réellement existé ? Les Grecs et les Troyens ont-ils réellement combattu pendant dix ans sous ses murailles ? Sont-ce des fables que la colère d'Achille et les pérégrinations d'Ulysse ? – Que d'encre n'a-t-on pas versée pour tirer d'Homère lui-même la réponse à ces diverses questions !

Dernier problème enfin : Si, comme il est raisonnable de le penser, Troie a existé réellement ; si l'on suppose que le poète s'est contenté de charger des plus riches couleurs une trame de faits réels dont la tradition lui avait apporté le souvenir, quelle est la mesure dans laquelle l'histoire doit accepter ces récits ? Le poète a-t-il été, ou peu s'en faut, contemporain des évènements ? L'empire de Troie, et cette guerre fameuse qui l'a renversé, ont-ils eu l'importance que le poète leur accorde ? Comment savoir ce qu'était Ilion ? Ou plutôt en quel lieu précis, sur quelle partie du rivage de l'Asie Mineure existait-elle ? Homère en a-t-il vu les restes ? Est-ce sur ses véritables ruines que Xerxès, et Alexandre, et Caracalla ont offert des sacrifices aux dieux et immolé des hécatombes en l'honneur des anciens héros ? Ne nous reste-t-il aucune trace, aucun vestige de la royale cité de Pergame ? Ne pouvons-nous dire nettement : C'est là que fut Troie ; ou devons-nous accepter enfin dans son sens complet et dans sa mélancolique résignation le mot de Virgile : « *Etiam periere ruinæ.* »

Ce qu'il a été entassé de volumes pour répondre à ces diverses questions formerait une muraille assez puissante pour protéger, une fois encore, les Grecs assiégés dans leur camp par les Troyens victorieux. Depuis la plus haute antiquité, l'emplacement de Troie a été l'objet de nombreuses discussions ; les accidents topographiques qu'indiquent les chants d'Homère ont été examinés un à un par le menu ; des traditions, dans un sens ou dans l'autre, se sont établies ; les érudits ont embrouillé la question à qui mieux mieux, et quand enfin la science allemande s'y fut appliquée, on atteignit le maximum de l'érudition critique ; c'est-à-dire qu'on n'y put définitivement plus rien comprendre.

C'est qu'en réalité deux qualités importantes manquaient à tous ces ingénieux et appliqués commentateurs : le sens réel de l'histoire et la véritable méthode. Le respect du poète les aveuglait jusqu'à cet excès de vouloir faire de lui un analyste exact et un archéologue à leur image. C'est à lui seul qu'ils voulaient demander l'explication des difficultés que présentait son récit ; ils ne songeaient pas assez à s'entourer des renseignements extérieurs qui pouvaient l'éclaircir, et encore moins à pratiquer sur les *choses* qu'il a mentionné des recherches directes qui pouvaient donner la juste mesure de la fidélité de son témoignage.

Aujourd'hui les progrès considérables des études d'histoire ancienne, et l'habitude – devenue presque une mode, – des fouilles et des excavations sur les lieux illustrés par les civilisations anciennes, ont permis d'avancer vite dans l'explication réelle du texte homérique. Il faut ajouter à ces diverses causes, le désintéressement honorable d'un particulier, M. Schliemann qui, à ses propres frais, a poursuivi une série de recherches coûteuses, destinées à renouveler complètement les bases de la question.

Aujourd'hui M. Schliemann a découvert et mis au jour des ruines importantes qui sont probablement celles de Troie, et qui, si elles sont autre chose, jettent à coup sûr un jour tout nouveau sur les mœurs et le degré de civilisation des peuples dont Homère a chanté les hauts faits.

La première conclusion indiscutable qui sort de l'étude des éléments nouveaux apportés à l'histoire, c'est qu'Homère lui-même n'a pas connu le véritable état des peuples Troyens et Grecs au moment du siège d'Ilion.

Il ne les a pas plus connus que les gens du Moyen Âge ne connaissaient les Romains, que Paul Véronèse ne connaissait le véritable costume des Juifs aux *Noces de Cana*, que les poètes du temps de Louis XIV ne se rendaient compte des mœurs turques du temps de Bajazet, que Shakespeare n'avait étudié les habitudes et le langage des contemporains de César, et, pour prendre un exemple dans un même ordre d'idées, que l'auteur de la *Chanson de Roland* n'avait l'idée de la véritable histoire de Charlemagne et de celle de son illustre neveu.

Homère a vécu longtemps après la ruine de Troie. S'il en fallait la preuve nous la trouverions dans divers passages de l'Iliade. De ces passages il en est même qui s'appliquent directement à la topographie de la ville et à son histoire postérieure.

Ainsi quand Hector a chassé les Grecs jusque sur leurs vaisseaux et que ceux-ci, pour se protéger contre une attaque imminente, construisent un mur en avant de leur camp, Homère fait intervenir Neptune auprès de Jupiter. Le dieu de la mer se plaint de cette construction et demande qu'on l'empêche ; car, dit-il, ce mur l'emportera sur ceux que j'ai moi-même construits avec l'aide d'Apollon et notre gloire en sera ternie ! Mais Jupiter lui répond : « Rassure-toi. Qui pourra ternir ta gloire ? Laisse seulement ce mur debout tant que les Achéens combattront devant Troie ; dès qu'ils auront pris la ville et qu'ils auront regagné leur chère patrie, alors détruis-le, ensevelis-le sous la mer, couvre enfin le grand rivage de tes sables afin que disparaisse complètement l'immense mur des Achéens. »

Plus tard, Homère revient encore sur cette idée. Au début du chant XII, il raconte comment, après la prise de Troie, ce mur fut détruit par Neptune et Apollon : « Tous les fleuves, dit-il, que le mont Ida jette dans la mer, le Rhésus, l'Heptatorus, le Cérésus, le Rhodius, le Granicus, l'Œsopus et le divin Scamandre et le Simoïs, ils les rassemblèrent tous ; d'eux tous, Apollon fit une seule embouchure, et, pendant neuf jours, il précipita leur cours sur la muraille. Pendant ce temps Jupiter faisait tomber une pluie continuelle afin que l'engloutissement fût plus rapide encore. Neptune lui-même, le trident à la main, présidait au désastre ; ses eaux arrachèrent jusque dans les fondements les troncs et les pierres qu'avait implantés l'effort des Achéens ; il aplanit les rivages de l'Hellespont ; et, le mur enfin détruit, il recouvrit de nouveau le rivage de sables amoncelés. Quand tout fut fait, il détourna les fleuves, et chacun d'eux roula de nouveau dans son ancien lit ses eaux transparentes. »

Dans une autre circonstance, Neptune parlant à son tour prophétiquement fait allusion à la race des rois qui, après la destruction d'Ilion régneront sur les Troyens.

« Ils seront, dit-il, de la race d'Énée, » et indiquant une longue succession de jours : « Ce seront, » ajoute-t-il, « les fils de ses fils ».

Nous pourrions indiquer d'autres passages analogues. Ceux-ci suffisent. Que nous montrent-ils en effet ? Homère, visitant comme nous le faisons aujourd'hui les rivages de Troie, interrogeant les traditions au sujet de la grande lutte qu'il prétendait raconter, cherchant, comme nous, à reconnaître l'emplacement du camp des Grecs, et ce mur surtout d'où ils avaient repoussé les derniers efforts d'Hector ; mais pour lui comme pour nous, l'aspect du sol déjà s'était transformé. Les inondations, les alluvions des fleuves, la lutte des eaux de la mer contre celles des rivières avaient déjà fait disparaître les traces des anciens hommes. Ce sont des phénomènes qui existent encore aujourd'hui et qui modifient de jour en jour l'aspect de ces mobiles rivages.

Rendons-nous compte cependant du temps qu'il fallut aux sables apportés par les fleuves pour détruire et recouvrir le mur des Grecs, assez fort pour résister aux attaques des Troyens ; apprécions aussi cette série des générations assez longue pour que, sur une nouvelle Troie bâtie à la place de l'ancienne, les *fils des fils d'Énée* pussent régner au temps d'Homère : ce sont là des renseignements sûrs, quoique approximatifs, qui nous permettront de rejeter d'une façon générale la parfaite précision des récits homériques et la possibilité d'identifier les lieux qu'il décrit avec ceux que nous avons aujourd'hui sous les yeux.

Homère – à dire le vrai – recueillit dans les traditions Grecques le souvenir de l'ancienne et mémorable guerre ; peut-être la légende n'avait-elle pas trop altéré encore quelques-uns des faits capitaux. Il put sur les lieux retrouver l'emplacement de l'ancienne ville, celui des Portes Scées, les fleuves, le Simoïs, le Scamandre, torrents impétueux, déjà peut-être sortis de leur ancien lit ; il put revoir les tombeaux d'Achille, de Patrocle et de Priam ; il chercha en vain sur le rivage l'emplacement exact du camp des Grecs, déjà recouvert par les alluvions ; mais par contre il put recueillir de la bouche même des *fils des fils* d'Énée bien des renseignements utiles et précieux.

Somme toute, il vit la contrée et en parla en observateur attentif, non moins qu'en poète. C'est bien là cette plaine « battue des vents » et propre à l'élevage des chevaux ; ce sont bien ces fleuves au cours impétueux et souvent mêlant leurs eaux.

Ce sont ces plantes, c'est ce ciel, ce sont ces montagnes, c'est tout ce qui ne change pas, c'est tout ce que les anciens héros avaient vu, c'est ce qu'Homère a décrit à son tour, et que, son livre à la main, nous retrouvons maintenant encore.

Mais les détails précis, exacts sur une ville détruite depuis longtemps ; la construction des murs, l'emplacement de la citadelle, la direction des rues, la richesse des palais ; et, dans un autre ordre d'idées, les mœurs des combattants, la forme des armes, la stratégie des combats, la durée de la guerre, les épisodes journaliers de la lutte, comment demander de pareils renseignements à un poète, – et à un poète des premiers temps ? Il a appliqué aux héros qu'il chante ce que lui-même avait sous les yeux ; ce sont ses Grecs à lui, les Troyens de son époque, si vous voulez, qu'il nous a dépeints ; ce sont leurs armes, leurs costumes ; ce sont leurs mœurs, et ce sont leurs sentiments.

La véritable guerre de Troie était déjà au temps du poète l'objet d'une tradition trop incertaine pour que rien de précis ait pu être dit par lui. Il l'eût pu qu'il ne l'eût pas voulu. Car comment intéresser les auditeurs naïfs auxquels il s'adressait en leur servant cette poésie d'archéologue ?

Ne demandons donc pas à Homère ce qu'il ne peut nous donner. Après que notre littérature et nos arts ont travesti successivement les Achille et les Hector, en courtisans Louis XIV, en Italiens de la Renaissance, en Romains de l'âge de Jules César, et en Grecs du temps de Périclès, il est inutile de leur faire faire aujourd'hui une dernière station et d'y voir les contemporains du poète.

Transportons-les hardiment dans ces âges antiques où ils ont vécu ; voyons ici maintenant dans leur rude réalité ces guerriers à demi barbares, ces hommes de l'âge de pierre, poussés par l'esprit d'émigrations, de pirateries et de violences armées qui tourmenta nos grands arrière-aïeux, alors que les civilisations encore fluides, en quelque sorte, tournoyaient et s'agitaient avant de se fixer définitivement. Dépouillons-les de cet idéal raffiné, de ces mœurs déjà calmées et adoucies dont leur chantre n'a pas été sans contribuer à les recouvrir. Voyons-les dans toute leur barbare et antique nudité, tels que nous les montrent enfin les monuments les plus sérieux de l'histoire, et, – témoignage plus certain encore, – les restes d'eux-mêmes, qu'eux-mêmes ont laissés, et que vient enfin d'exhumer M. Schliemann.

Pour accepter d'une façon générale les découvertes de M. Schliemann comme capitales et définitives, *même au point de vue de l'histoire de Troie*, nous n'allons pas jusqu'à suivre dans tous ses détails, la thèse qu'a soutenue cet enthousiaste archéologue.

Homère à la main, il est allé dans cette plaine, toute frémissante encore – à ce qu'il lui semblait – des exploits de l'Iliade. Avec une sorte de fièvre dont tout le public érudit doit se féliciter, il a fouillé, il a scruté les moindres détails, relevant ce qui pouvait servir à expliquer et à commenter son poète. Il a cherché et il a trouvé. Il a trouvé même autre chose que ce qu'il cherchait. En effet, au lieu de l'Iliade d'Homère il a rencontré les vrais Troyens bien antérieurs au poète qui les avait chantés.

Qui le croirait ? cette découverte capitale qu'il arrachait à la terre n'a pas suffi pour satisfaire M. Schliemann. Il cherchait Homère et, ne le trouvant pas, il a voulu l'introduire de force dans les découvertes qu'il avait faites. Ainsi il les a gâtées ; et aux yeux de certaines gens, il a complètement discrédité les conclusions, excellentes en somme, qu'il avait obtenues à force de travail et de peines.

Lui qui, en présence de ces décombres importants par leur obscurité même, a écrit ces phrases capitales : « Pendant mes trois ans de fouilles dans les profondeurs de Troie, j'ai eu occasion d'acquérir tous les jours de plus en plus la conviction qu'il nous est impossible de fonder sur notre propre manière de vivre, *ou sur celle des Grecs anciens*, une idée approximative de la manière d'être des quatre peuples qui ont successivement occupé cette hauteur avant qu'elle ait été habitée par les Grecs ; l'état social doit y avoir été épouvantable, car on ne saurait autrement expliquer comment on y trouve, en succession toujours irrégulière, les murs d'une maison construite sur les ruines de l'autre » ; M. Schliemann, dis-je, n'a pas eu la force, même après avoir fait de tels aveux, de rejeter décidément ce poème décevant qui l'avait conduit là ; il a voulu continuer à voir dans ces civilisations extraordinaires la vie des anciens Grecs que nous avait peints Homère, et ainsi il a tout compromis.

S'il trouve quelque grand plateau en cuivre, aussitôt il y voit un bouclier, il l'affuble d'un nom homérique : c'est l'ἀσπὶς ὀμφαλοειδὴς ; il y reconnaît l'ὀμφαλός (le nombril) et la rainure (ἄυλαξ) ; et, en définitive, il se trouve que l'objet en question n'est rien qu'un plat de bronze. Si c'est une coupe, quelle fatigue ne se donne pas M. Schliemann pour y retrouver la δέπας αμφικύπελλον du poète. Il y revient à chaque instant, il la voit dans tel objet, puis, reconnaissant son erreur, va, vient à la recherche de cette δέπας et finit par avouer qu'il n'a pu la voir. Pauvre M. Schliemann !

S'agit-il des instruments en pierre et en silex qu'il trouve par milliers, voilà M. Schliemann tout embarrassé par cette belle trouvaille. En effet Homère ne parle pas une seule fois d'outils ou d'armes en pierre, et les tranchées de M. Schliemann en regorgent. Comment expliquer cela ? L'auteur fait mille efforts de raisonnement et n'aboutit qu'à prêter le flanc à la critique.

Ainsi de suite pour chacun des points importants de ses recherches ; à chaque instant ce sont les récits d'Homère appliqués à des faits, à des usages, à des lieux dont Homère certainement n'avait eu nulle connaissance. Si l'on trouve des portes ce sont les portes Scées ; si l'on rencontre des fondations, ce sont celles du palais des rois ; si l'on trouve un trésor c'est celui de Priam ; si on déterre un autel, c'est le temple de Minerve. Et, à chaque pas, les faits les plus formels viennent contredire ces assertions pleines d'enthousiasme. On est enfin obligé de reconnaître que le temple de Minerve n'existait pas, que le palais pourrait bien n'être qu'une maison particulière ; que cette ville immense dont parle Homère fut un bourg pouvant à peine contenir 5 à 6 000 habitants ; que la Pergame, la forteresse tant vantée par le poète n'a laissé ici que des traces bien rudes et bien grossières, et qu'enfin les fouilles faites en un lieu qu'on a de fortes raisons de prendre pour l'emplacement de Troie, n'ont aucune ressemblance avec la Troie que l'on pouvait s'imaginer d'après l'Iliade.

De ces résultats à la conclusion que nous essayons d'établir, qu'Homère en réalité ne se faisait guère une idée plus juste que nous-mêmes de la situation et de l'histoire du peuple qu'il a chanté, il n'y avait qu'un pas. M. Schliemann n'a pas osé le faire, et son livre va ainsi, de désaveu en désaveu, jusqu'à la fin, tandis qu'il suffisait d'un mot pour tout éclaircir et tout coordonner.

Quant à nous, nous pensons que toute conclusion étroite tirée uniquement des vers d'Homère doit être mise en doute. Que l'on recherche aujourd'hui les sources du Scamandre ou le cours du Simoïs dans un pays remué et bouleversé depuis des siècles par la mobilité du terrain et la fréquence des inondations, cette recherche nous semble presque vaine. Que l'on accepte avec M. Schliemann que le Scamandre a changé de lit plusieurs fois, – ce qui est probable, ou que l'on pense avec M. d'Eichthal que son cours a été dérivé par la main des hommes, – ce qui est possible également, toutes ces hypothèses nous semblent faites pour introduire des éléments de trouble dans le débat, bien plus que pour l'élucider.

Ce n'est point ainsi qu'il convient de procéder. Avouons qu'il ne faut chercher dans l'Iliade que le souvenir vague d'une tradition antique, confirmée en certains points par l'examen qu'Homère put faire des lieux où s'étaient accomplis les exploits, mais altérée en d'autres, par le riche débordement d'une poésie pleine d'hyperboles, et que la connaissance de civilisations plus avancées doit à chaque instant nous rendre suspecte.

En un mot, en tenant compte, dans une juste mesure de la tradition d'Homère, appuyons-nous surtout sur les faits historiques que peuvent nous fournir les documents voisins et les lieux eux-mêmes, étudiés avec une méthode plus sévère.

En procédant ainsi nous trouverons tout d'abord une réponse formelle à la première question que les considérations nous amènent naturellement à poser : Troie a-t-elle existé réellement ?

Oui, Troie a existé, et l'empire des Troyens a été considérable, puissant dès les âges les plus reculés. Ce sont les récits des Égyptiens qui nous le prouvent. En effet, du temps de Ramsès II, le plus illustre parmi les Pharaons, et dont nous avons cité le nom fréquemment, des peuples nombreux venus de l'Asie Mineure se ruèrent sur les frontières de l'empire Égyptien. Le poème du Pentaour en donne la liste, et les égyptologues les plus compétents s'entendent à lire et à traduire certains noms ainsi qu'il suit : Les *Dardani* (Dardaniens), *Ilouna* (Ilion), *Padasa* (Pedasus). Ils sont voisins des *Leka* (Lyciens), des *Masa* (Mysiens), et d'*Akerit* (les Kariens). Or, cette liste n'est rien autre que celle des peuples dont on trouve le dénombrement au chant II de l'Iliade comme prenant part à la défense de Troie.

Ce n'est pas tout : sur les murs de Medinet-Habou, Ramsès III faisant graver ses exploits, représentait encore les *Teucriens* comme un des plus puissants parmi les peuples maritimes qui attaquaient son empire.

Vaisseau des Teucriens à Médinet-Habou

L'existence des Troyens vers le treizième et le quinzième siècle avant Jésus-Christ est donc mise hors de doute. La véracité d'Homère sur ce point est donc confirmée ; mais, par contre, la reproduction, que l'on peut croire exacte, des costumes et des armes figurés dans les gravures de Medinet-Habou, n'ont aucun rapport avec les récits d'Homère.

Voici un premier résultat capital qui confirme parfaitement nos observations.

En nous tenant dans cette donnée stricte, de n'accepter que des faits nets et précis, tâchons d'en trouver un second. À quelle époque Troie a-t-elle existé ? À quelle époque a-t-elle été détruite ? Les documents égyptiens nous fournissent deux dates pour l'existence de l'empire Troyen (de 1 500 à 1 200). Mais, pour l'époque de sa ruine nous ne savons rien de précis que ce fait, qui ressort des passages d'Homère que nous avons cités plus haut : à savoir, que la ruine de Troie eut lieu assez longtemps avant l'existence d'Homère pour que les alluvions des fleuves eussent détruit le mur des Grecs, et pour que les descendants d'Énée, qui régnaient alors à Troie, pussent être alors qualifiés par lui *de fils de ses fils*. Tout cela est bien vague. Car, en somme, que les Troyens existassent encore vers le treizième siècle avant Jésus-Christ (d'après les gravures de Medinet-Habou), cela ne prouve en rien que la guerre de Troie n'ait pas eu lieu auparavant ; Homère en effet atteste que de son temps une nouvelle Troie existait ; et ce sont peut-être ces nouveaux Troyens qui combattirent le Sésostris. La ruine de l'empire d'Ilion n'a peut-être pas été aussi complète que l'ont rapporté les poèmes homériques. La ville seule peut-être a été ruinée de fond en comble et a pu facilement renaître de ses cendres.

Quant à nous servir de l'époque où vivait Homère, comme point de comparaison, cela non plus ne nous avance guère ; car cette époque est en somme aussi inconnue que celle de la prise de Troie.

La chronologie d'Ératosthène avec la correction de Callimaque, place, il est vrai, cet évènement vers le milieu du douzième siècle avant Jésus-Christ. Mais c'est encore là une conclusion prise à la hâte, *a priori*, tirée probablement des récits mêmes des poètes, sans base certaine à nous connue, et il faut douter encore de sa parfaite exactitude.

Que faire donc pour espérer d'arriver enfin à un résultat quelconque, ne fût-il qu'approximatif ? Quelque chose de très simple et à quoi on eut dû songer dès l'abord. Puisque Troie incontestablement a vécu ; puisque l'histoire des Égyptiens et les récits d'Homère se confirment l'un l'autre sur ce point ; puisque, d'après toutes les traditions de l'antiquité, Troie existait en Asie Mineure près du Promontoire Sigée, dans un lieu tel que les Grecs débarqués sur les rives de l'Hellespont pussent facilement, de leur camp même, tenir la ville assiégée et livrer aux Troyens de nombreux et fréquents combats, il faut se transporter dans cette région, examiner le terrain non point seulement dessus, mais surtout dedans ; fouiller, faire des recherches. Un empire aussi considérable n'a pu passer sans laisser aucune trace ; ne serait-ce que ces fragments de tuiles ou de poteries, restes indestructibles et peu précieux, mais qui partout, sur l'ancien comme sur le nouveau continent, révèlent immanquablement la présence de l'homme ; il faut interroger avec soin les débris que l'on ne peut manquer de réunir. De l'état de ruines il faut les faire passer au rang de documents, en faire de nombreuses collections, s'il est possible ; tirer de leur examen et de leur rapprochement des conclusions, – appuyées cette fois sur les faits, – et dire enfin, preuves en main : « Voici ce qui nous reste de l'histoire des anciens Troyens. »

C'est là ce qu'a fait M. Schliemann. Nous allons d'abord raconter ses recherches et nous verrons ensuite si elles ont été couronnées de succès.

De l'aveu commun de tous les savants et de tous les voyageurs qui s'étaient occupés de la question, l'emplacement de Troie ne pouvait donner lieu qu'à deux hypothèses sérieuses :

L'une, mise en avant par Le Chevalier au dix-huitième siècle, plaçait Troie près du village actuel de Bounarbachi ; l'autre, défendue déjà par les anciens, mais attaquée par un géographe de la plus respectable autorité, Strabon, la fixait auprès du village moderne d'Hissarlik, là précisément où l'antiquité postérieure à Homère avait construit la ville d'*Ilium Novum*.

On comprend, en effet, qu'étant données les nécessités de la subsistance et de la défense, étant donné ce fait indéniable, – à moins de révoquer en doute toute la tradition relative à Troie, – qu'Ilion n'était pas située loin de la mer, ni loin de l'Hellespont, et qu'elle était dans la vallée d'un des fleuves descendant du mont Ida, le doute sur l'emplacement devait naturellement se borner à un nombre assez restreint de lieux propres à remplir ces diverses conditions. M. Schliemann, par suite de certains raisonnements qu'il serait trop long d'exposer ici, et qui avaient seulement pour base la comparaison des lieux actuels avec l'Iliade, M. Schliemann en vint à se prononcer pour l'emplacement d'Hissarlik. Cette opinion était contraire à celle qui avait cours généralement.

C'est pour appuyer son hypothèse que M. Schliemann entra résolument dans la voie excellente des fouilles et des recherches souterraines. Pour suivre cette voie il fallait une persévérance à toute épreuve, une foi indestructible et, par-dessus le marché, une fortune personnelle qui permît de supporter les frais qu'allaient occasionner de pareils travaux. Heureusement M. Schliemann satisfaisait absolument à toutes ces conditions.

Dès le début de l'année 1870, M. Schliemann s'appliqua à l'entreprise importante qu'il méditait. Il fit plusieurs voyages préparatoires dans la Troade, se rendit lui-même aux lieux que l'on considérait comme ayant quelque raison de prétendre à être celui « où fut Troie ». Il vit Bounarbaschi et là vérifia les fouilles déjà faites en ce lieu par le consul J.G. Hahn, en 1864.

On y trouvait bien les restes d'une ville et même quelques débris d'une antique enceinte. Mais ces restes semblaient tous helléniques. Les tombeaux des environs, fouillés en 1872 par sir John Lubbock n'ont rien donné non plus que des tessons helléniques peints et remontant au plus au sixième siècle. Sur l'emplacement même de la ville, on trouvait le sol vierge à moins d'un demi-mètre, c'est-à-dire à une proximité peu en accord avec l'idée d'un antique empire. Après cet examen M. Schliemann put à bon droit considérer comme démontrée la première partie de sa théorie, à savoir que Troie n'avait jamais existé au lieu-dit Bounarbaschi.

Pour nous, jusqu'à preuve du contraire, nous acceptons entièrement ces conclusions. Nous ne pensons pas que les raisonnements incertains tirés des récits homériques ou l'examen rapide fait par quelque voyageur plus ou moins attentif, puissent prévaloir contre un fait capital, affirmé par un homme dont tout le monde s'entend à constater la parfaite honorabilité, et qui, somme toute, après avoir passé trois années sur le terrain, a une compétence spéciale, qui lui permet de traiter avec quelque dédain les affirmations, souvent légères, de ses adversaires et de ses critiques.

Quelques coups de bêche donnés sur les sommets de Chiblak et d'Ak-schikoï, – autres lieux indiqués par certains savants, – suffirent pour convaincre M. Schliemann de l'inutilité des recherches en ces divers endroits. Il tourna définitivement toute son attention vers le lieu que lui-même considérait comme « *l'ubi Troja fuit* », c'est-à-dire l'emplacement de l'*Ilium novum* des anciens, près du village moderne d'Hissarlik.

Ce ne fut pas sans peine que M. Schliemann obtint des propriétaires récalcitrants, et du gouvernement turc, plus avide encore, l'autorisation d'entreprendre des fouilles. Si nous en croyons notre auteur, les ministres de la Sublime-Porte lui jouèrent plus d'un vilain tour, et Savfet-Pacha, le futur négociateur du traité de Berlin, montra dès cette époque ce dont il était capable en fait d'habileté diplomatique.

Enfin, après avoir triomphé de tant d'ennuis par une persévérance à toute épreuve, M. Schliemann put, le 10 octobre 1871, donner le premier coup de bêche dans le voisinage d'Hissarlik.

Dès cette époque les travaux d'excavation furent poussés avec une activité que rien ne put arrêter, ni la surveillance permanente d'un inspecteur ottoman, ni le mauvais vouloir des paysans d'alentour, ni la difficulté de se procurer des travailleurs, surtout à l'époque de la moisson, ni enfin le mauvais résultat de certaines recherches et les désillusions qui ne manquèrent pas d'assaillir en foule le chercheur qui, dit-il lui-même, « croyait à Homère comme à un Évangile. »

Heureusement les résultats magnifiques qui furent atteints furent pour M. Schliemann une large compensation de tant de peines et de tant de déboires.

Nous ne pouvons suivre ici le récit que M. Schliemann lui-même a fait au jour le jour de ses travaux et de ses découvertes. Constatons-en seulement les principaux résultats.

Pour se rendre un compte exact du développement en quelque sorte dramatique de ces recherches, il est bon de ne pas oublier que M. Schliemann était porté à les entreprendre par le désir de vérifier une hypothèse conçue à l'avance : c'est là, le plus souvent, un mobile puissant pour les travailleurs, et, sans lui, bien des découvertes importantes n'eussent jamais été faites. Donc M. Schliemann *croyait* à sa thèse, et il *croyait* à Homère.

Tout plein de ses idées, il pensait devoir rencontrer cette ville énorme que l'on peut s'imaginer, d'après les récits du poète, dépassant infiniment l'enceinte de la ville Grecque qui lui avait succédé et capable de contenir au moins 100 000 habitants.

Aussi, persuadé d'ailleurs que la forteresse dont parle Homère, la Pergame antique était située à l'extrémité même de la colline sur laquelle Troie avait été construite, il songea à embrasser immédiatement, dans un cercle de fouilles, l'ensemble des ruines qui devait correspondre à l'ancienne cité. Il résolut de partir des extrémités et de marcher peu à peu vers le centre.

M. Schliemann commença donc par creuser, avec beaucoup de précaution, un certain nombre de puits aux confins mêmes de l'Ilium grec. Mais, à son grand étonnement, il ne trouva rien, ou du moins rien qui ne fût purement grec. Au-dessous de l'*Ilium* de Lysimaque on ne trouvait nulle trace de la Troie antique. M. Schliemann continua ses fouilles en se rapprochant de la prétendue Pergame : rien encore. Il se rapprocha de nouveau : rien encore ; et ainsi de suite. Jusqu'à sept puits furent creusés par lui au pied de la montagne et ne mirent au jour que des murs et des tessons grecs.

En présence de pareils résultats M. Schliemann était bien obligé de s'avouer à lui-même qu'Homère l'avait trompé sur l'importance de la ville ; que s'il y avait une Troie, elle était restreinte à la superficie de la colline ; que c'était là qu'il fallait porter toutes les recherches si l'on voulait arriver à quelque résultat positif.

Ce nouveau plan une fois adopté, les cent cinquante travailleurs de M. Schliemann furent répartis sur la colline. Il convenait tout d'abord de creuser des puits allant jusqu'au sol vierge, afin de se fixer sur la nature des travaux futurs.

Un nouvel étonnement et une nouvelle surprise attendaient M. Schliemann. Les puits, en effet, durent être poussés jusqu'à une profondeur de quatorze mètres avant d'atteindre le gravier vierge de débris humains, et, au lieu d'une ville ou de deux villes dont on espérait rencontrer les débris, ce furent quatre ou cinq villes successives dont on retrouva les restes superposés. Cette surprise était, certes, plus agréable que la première.

Quelle perspective lointaine s'était ouverte tout à coup pour l'histoire de la Troade ! Jusqu'où la chronologie ne devait-elle pas remonter pour trouver l'origine de ces restes prodigieux ? En effet, la ville grecque, moderne relativement, ville active, ville considérable, et qui avait vécu *pendant plus de mille ans* (jusque vers Constance II, 361 après J.-C.), cette ville, dis-je, avait laissé une couche de ruines qui n'avait guère plus de deux mètres de profondeur. C'était entre d'autres peuples antiques qu'il convenait de distribuer les ruines antérieures. On voit jusqu'à quelle haute antiquité la proportion mathématique faisait remonter leur ensevelissement.

Spectacle plus étrange encore ! Ces ruines ne se suivaient pas dans l'ordre lent, régulier et pacifique en quelque sorte, que doit amener la vie habituelle d'un peuple dans un endroit donné. L'aspect seul des premières fouilles donnait l'impression des crises violentes, de révolutions implacables, et de destruction sans merci.

Des lits épais de cendres de bois rouges ou jaunes étaient les traces frappantes d'incendies qui avaient, d'un seul coup, ruiné la ville. Les murs des maisons construits les uns sur les autres sans préoccupation d'utiliser les anciens fondements attestaient des périodes d'abandon complet, comme après une ruine définitive ; enfin, les preuves évidentes de décadence et de perte de connaissances acquises, relevées régulièrement dans les objets d'art appartenant aux différentes couches attestaient la rupture nette, à certaines époques du développement général de la masse de civilisation accumulée déjà par les prédécesseurs.

Donc, dans la première couche de ces débris, M. Schliemann retrouva d'abord des objets d'origine grecque. Cette couche n'avait guère que deux mètres de profondeur, mais les heureuses découvertes qu'y fit la bêche des travailleurs eussent suffi pour satisfaire le plus ambitieux des archéologues.

C'est là, en effet, que M. Schliemann mit au jour un grand nombre de médailles prouvant l'existence de la ville d'*Ilium Novum* jusqu'au règne de Constance II ; des restes immenses de l'enceinte construite par Lysimaque, un des généraux et des successeurs d'Alexandre ; de nombreuses inscriptions grecques pleines de renseignements pour l'histoire générale des mœurs de l'Asie Mineure à l'époque de la conquête romaine ; des ruines de temples, de monuments publics, d'édifices de toutes sortes qui prouvaient la prospérité dont avait joui la moderne Ilion. On put juger, d'après ces ruines nouvelles, que la ville maintenant absolument détruite avait pu avoir près de 100 000 habitants ; qu'elle avait été ornée de tout ce que les arts de la Grèce et de l'Asie pouvaient tout ensemble produire de plus noble et de plus gracieux ; qu'elle avait été digne, en un mot, des grands souvenirs d'Alexandre et des Romains qui y étaient attachés, et surtout de la mystérieuse ancêtre que lui donnaient les récits homériques.

En effet, quelle magnifique situation pour une grande ville, – à l'époque où l'Asie Mineure et l'Archipel étaient en quelque sorte le centre du monde, – et comme l'on comprend que les grands conquérants de cette région n'aient point voulu abandonner un lieu que tant de gloire et tant de merveilles recommandaient à l'attention des hommes !

Laissons parler M. Schliemann lui-même : « La vue, du haut du mont Hissarlik, est de toute beauté. Devant moi s'étend la magnifique plaine de Troie. Depuis les pluies des derniers orages, elle s'est de nouveau couverte de gazon vert et de boutons d'or ; l'Hellespont bleu la borde à une heure de distance vers le nord-ouest. La presqu'île de Gallipoli s'y avance en une pointe qui porte le phare. À gauche s'étend l'île d'Imbros au-dessus de laquelle on aperçoit le mont Ida de Samothrace, maintenant couvert de neiges ; un peu plus à l'ouest on découvre sur la presqu'île macédonienne le fameux mont Athos ou la Montagne sacrée, portant ses nombreux monastères ; et à son extrémité, au nord-ouest, se trouvent encore les traces de ce grand canal, qu'au dire d'Hérodote, Xerxès y fit creuser pour éviter à sa flotte la navigation orageuse du Cap.

En reportant de nouveau ses regards sur la plaine troyenne, on y voit sur un éperon du promontoire de Rhoetie, le tombeau d'Ajax ; au pied du promontoire opposé de Sigée, le tombeau de Patrocle ; sur l'extrémité de ce cap, le monument d'Achille et, à gauche de celui-ci, au haut du cap lui-même, le village de Jenischaïr.

D'ici la plaine s'étend sur deux heures de largeur. Elle est bordée à l'ouest par la côte de la mer Égée, qui a en moyenne une hauteur de 40 mètres. On y découvre d'abord le tombeau de Festus, le confident de Caracalla que celui-ci fit empoisonner, d'après Hérodien, lorsqu'il visita la ville d'Ilium, afin d'imiter les magnifiques funérailles qu'Achille fit célébrer, selon Homère, en l'honneur de son ami Patrocle. On voit ensuite sur la même côte un tumulus nommé Udjek-Tépé, haut de 24 mètres, et que la plupart des antiquaires prennent pour celui du vieux Æsyétès, et du haut duquel Polytès, confiant en la légèreté de ses pieds (*Iliade*, II, 791-794), espionnait la flotte grecque pour voir quand les troupes sortiraient des trirèmes… Entre ces deux tombeaux, on voit sortir de la mer Égée l'île de Ténédos.

Vers le sud, la plaine de Troie s'étend à deux heures au-delà jusqu'aux hauteurs de Bounarbaschi, que domine majestueusement le Gargare, sommet du mont Ida, couvert de neiges éternelles, d'où Jupiter assistait aux combats des Troyens et des Grecs. »

164

Si nous ajoutons enfin que cette plaine est baignée de plusieurs fleuves torrentueux, le Kalifatli-Armak, l'Intépélé-Armak, et, au loin, la rivière du Chalil-Owai que l'on identifie plus ou moins facilement avec le Scamandre et le Simoïs, on pourra se rendre compte à la fin, de l'excellence de l'emplacement de l'Ilium Novum, bâtie probablement sur les ruines de l'antique Troie.

Plaine de Troie

Parmi les plus précieux de tous les débris qui furent retrouvés dans cette couche, en quelque sorte superficielle, il ne faut pas oublier de mentionner le très remarquable triglyphe que l'on a rapproché – non sans quelque raison – des célèbres frises du Parthénon.

Le bas-relief qui est d'une des meilleures époques de l'art grec, représente Phébus-Apollon, le dieu du Soleil, emporté dans l'espace par quatre chevaux fougueux, de la plus superbe allure ; le dieu est vêtu d'une longue robe flottante ; sa tête est couronnée de l'auréole aux mille rayons, sa main, d'un geste magnifique, abandonne toute liberté aux chevaux qui l'emportent et semble leur ouvrir l'espace. Aucune trace de char n'apparaît, comme si l'artiste eût craint d'alourdir par cette image leur course impétueuse, et, par une dernière liberté, la tête d'Apollon, s'élevant au-dessus du plan général du relief, perce en quelque sorte la bande supérieure du triglyphe, et donne ainsi l'idée de la superbe entrée du dieu du jour dans le ciel.

Nous pourrions citer encore bien des trouvailles précieuses, bien des fragments de la plus grande beauté, trouvés par M. Schliemann dans les ruines de l'Ilium grecque ; mais comme lui nous avons hâte d'arriver aux villes plus anciennes et de passer en revue des débris moins précieux pour l'art, mais plus intéressants pour la solution directe du problème qui s'est posé devant nous.

Dès qu'il eut passé la profondeur de 2 mètres, M. Schliemann se trouva dans un monde tout nouveau et absolument inattendu. De 2 mètres à 7 mètres environ régnait une couche de décombres qui semblait appartenir à des peuples de races aryennes ; où les objets d'art et même les ruines de constructions importantes manquaient d'une façon à peu près générale ; mais où l'abondance des poteries de formes étranges, la présence de plus en plus fréquente, à mesure que l'on descendait, d'instruments de pierre (haches, couteaux, lames en diorite et en silex), le manque absolu d'outils de fer, et la rareté de plus en plus grande d'objets en cuivre révélaient l'existence de peuples anciens et absolument inconnus à l'histoire.

Métope

Poteries troyennes

Ce n'était point là, il faut l'avouer ce que cherchait M. Schliemann. Ce n'était point là une découverte qui répondît à l'idée qu'on pouvait se faire de la superbe Troie d'Homère. Rien de ces palais en marbre et en pierre de prix dont la pioche devait retrouver au moins les fondations. Au contraire, les traces considérables de cendres rouges attestaient que les villes occupées jadis par les peuples qui habitaient là, devaient être construites en bois. La poterie, seule trace réellement curieuse et abondante que l'on retrouvât dans ces ruines, indiquait un art grossier et se faisait remarquer par une décadence continue. Enfin si l'on ne devait point s'étonner outre mesure de ne trouver là que des instruments de cuivre, – puisque Homère semble encore ignorer l'emploi du fer, – si l'on devait également accepter assez aisément l'abondance des outils de silex, – puisque, dans les civilisations les plus avancées, l'âge de pierre s'est prolongé incontestablement beaucoup plus tard qu'on ne le pense généralement, – du moins pouvait-on s'étonner de ne relever ici aucun indice d'une puissance, d'une richesse matérielle, d'une splendeur de ruines qui justifiât en quelque sorte la renommée que l'empire de Troie a laissée dans la mémoire des hommes.

À ces difficultés générales, s'ajoutaient des incertitudes particulières, qui n'étaient pas sans embrouiller encore un problème déjà si obscur. Dès les premiers pas, on trouvait, en quantités énormes, certains instruments en terre cuite ayant une forme de toupie, ou plutôt de fusaïole et dont l'usage ancien semblait absolument inexplicable. Ces objets étaient le plus souvent couverts d'inscriptions ou de signes en caractères absolument inconnus. On y voyait fréquemment une sorte de croix, munie de quatre points, qui indiquait une origine aryenne, et que M. E. Burnouf semble avoir assez catégoriquement expliquée par l'emblème du feu sacré, *Agni.* Mais par contre les inscriptions semblaient en caractères absolument indéchiffrables, à moins d'accepter la singulière hypothèse du même E. Burnouf, qui dans l'une d'entre elles voulait absolument reconnaître du chinois !

Autre difficulté : la plupart des vases entiers que l'on retrouvait avaient une forme assez remarquable quoique grossière. On y reconnaissait évidemment des yeux, une sorte de nez, des seins, un nombril, et quelquefois même, sur les côtés, des bras, ou quelque chose d'approchant. Fallait-il voir ici une imitation grossière du corps de la femme, ou bien, comme le prétendait M. Schliemann, une déesse à tête de chouette, la Minerve d'Homère, γλαύκωπις ? Toutes ces questions s'embrouillaient encore dans l'esprit du courageux archéologue par l'embarras où il se mettait lui-même en voulant faire cadrer toutes ces trouvailles avec les récits de l'ancien poète. Il est tel couvert de pot qu'il prenait pour la coupe homérique, tel instrument qu'il appelait la hache ou le bouclier troyen, et où il s'efforçait de voir ce qui n'y était nullement.

Heureusement le fait seul d'être sur les lieux suffisait pour encourager, aider et éclairer ce vaillant chercheur. Sans trop s'arrêter à tant de difficiles problèmes, sans faire autre chose que de se les poser à lui-même, et d'essayer de les résoudre avec la plus entière bonne foi, il poursuivait ses recherches et descendait plus bas, toujours plus bas.

Bien lui en prit, car il put bientôt, dans ses nouvelles fouilles, mettre la main sur des objets de la même nature que les précédents, mais dont l'abondance, la qualité et la bonne exécution pouvaient faire croire que l'on avait affaire à un peuple plus avancé dans la civilisation et plus puissant. Quand, à ces premières trouvailles, vinrent s'adjoindre de nombreux instruments en métal, des objets de cuivre et même d'airain, une véritable collection, un *trésor* de bijoux en matières précieuses et habilement travaillées ; quand surtout on eut rencontré des murs d'enceinte, des constructions solidement fondées, des restes d'autels, de temples et de pavages de rues ; tout cela d'ailleurs portant les marques frappantes d'une destruction violente par un incendie général, cette fois M. Schliemann put crier son *Eurêka* et affirmer au monde savant qu'il avait trouvé les véritables ruines de l'ancienne Troie.

Somme toute, les recherches menées avec la plus grande activité et la plus remarquable intelligence pendant plusieurs mois des années 1871-1872 et 1873, amenèrent sur l'état de l'ancienne ville les découvertes suivantes :

La cité – bien moins importante qu'on eût pu se l'imaginer d'après sa merveilleuse histoire, – était construite sur le plateau couronnant la colline actuelle d'Hissarlik ; son point le plus fort s'avançait à pic sur la plaine qui s'étendait vers le nord jusqu'à la mer. Là était construit le château fort, la Pergame, qui commandait la plaine, et qui, bâtie de moellons et de poutres enchevêtrées, était protégée par un revêtement en bois.

Un mur d'enceinte régnait tout autour de la ville. Il semble qu'en certaines parties ce mur servait également au soutènement des terrains en pente qui portaient les principaux édifices. Il semble avoir en une hauteur de 5 à 6 mètres. Il était d'une architecture grossière, le plus souvent composé de grosses pierres blanches non taillées, posées l'une sur l'autre sans être réunies par le ciment. Le système de fortification était complété par des tours dont M. Schliemann semble avoir découvert la plus importante. Haute de 6 à 8 mètres seulement, elle occupait la partie occidentale extrême de la cité. De là elle dominait la plaine et la mer. Il n'y avait pas sur tout le plateau de point plus élevé, et M. Schliemann dans son désir d'appliquer ses découvertes à l'explication d'Homère, n'a pas manqué d'y voir la grande tour d'ilium, où Andromaque monta « lorsqu'elle eut entendu que les Troyens étaient opprimés et que la force des Achéens l'emportait. » (*Iliade*, VI, 386-387.)

De l'intérieur de la ville un chemin, ou plutôt une rue parfaitement aménagée, conduisait aux portes par lesquelles on descendait dans la plaine. Cette rue, trouvée à une profondeur de 9 mètres, était large de 5 mètres 20 centimètres. Elle était pavée de dalles épaisses de pierre, longues de 1 mètre 18 centimètres à 1 mètre 50 centimètres et larges de 89 à 154 centimètres. La direction exacte de la rue était vers le sud-ouest et elle descendait avec une forte pente vers la plaine. L'état d'émiettement dans lequel se trouva la superficie des dalles dès qu'elles furent exposées à l'air fut pour M. Schliemann une preuve convaincante de la violence de l'incendie dans lequel avait péri la ville.

À l'extrémité de cette belle rue, M. Schliemann, dirigé par un heureux instinct, rencontra bientôt deux portes qui ouvraient sur la campagne, et dont l'emplacement restreignait singulièrement les proportions qu'on eût été tenté de donner à la cité. L'absence totale de débris troyens au-delà de ces portes prouvait d'ailleurs qu'elles avaient bien été construites à l'endroit où s'arrêtaient les constructions. Ces deux portes étaient séparées l'une de l'autre par une distance d'environ 6 mètres. On retrouva jusqu'aux chevilles ou grandes clefs en cuivre qui avaient servi à les fermer ; l'une de ces deux portes avait une largeur de 3 mètres 76 centimètres et était formée par deux saillies du mur. C'est là que s'arrêtait le chemin pavé de dalles. Plus loin il devenait raboteux. La seconde porte était également formée de saillies avançant sur le mur et s'ouvrait sur le dehors.

Ici encore M. Schliemann ne pouvait manquer d'appliquer les renseignements analogues à ces découvertes que lui fournissait l'*Iliade*. Il faut avouer d'ailleurs que l'occasion était belle d'identifier cette double-porte avec les *Portes-Scées*, dont le nom, au pluriel, semblait indiquer une construction analogue à celle dont on retrouvait les débris. Il est vrai, que le texte même du poète donnait un démenti catégorique à cette identification.

En effet, dans le chant VI, Hector quittant la Pergame pour se rendre aux *Portes-Scées*, traverse la ville tout entière d'après Homère. Cette mention ne se rapporte nullement à la position réciproque des ruines. Mais M. Schliemann acceptant ici l'hypothèse très raisonnable que le poète Grec n'avait pas eu une connaissance exacte des lieux, n'en continue pas moins de voir ici ces fameuses Portes-Scées sans s'apercevoir en quelque sorte de la contradiction qu'il élève ici lui-même contre la plus grosse part de ses affirmations.

C'est donc d'ici, selon lui, que les vieillards assemblés promenaient leur regard sur toute la plaine et consultaient anxieusement le sort des combats ; c'est ici que s'est passée cette belle scène où la beauté d'Hélène faillit l'emporter sur leur froide prudence et sur leurs sinistres prévisions : « Et Hélène, s'étant couverte aussitôt de voiles blancs, sortit de la chambre nuptiale en pleurant ; et deux femmes la suivaient, Aithrè fille de Pittheus et Klyménè aux yeux de bœuf. Et voici qu'elles arrivèrent aux portes *Skaies*. Priamos, Panthoos, Thymoitès, Lampos, Klytios, Hykétaôn, nourrisson d'Arès, Oukalégôn et Anténôr, très sages tous deux, siégeaient vénérables vieillards, au-dessus des portes *Skaies*. Et la vieillesse les écartait de la guerre ; mais c'étaient d'excellents Agorètes, et ils étaient pareils à des cigales qui dans les bois assis sur un arbre, élèvent leurs voix mélodieuses. Tels étaient les princes des Troyens assis sur la tour. Et quand ils virent Hélène qui montait vers eux, ils se dirent les uns aux autres et à voix basse ces paroles rapides : Certes il est juste que les Troyens et les Grecs aux belles Knémides subissent tant de maux, et depuis si longtemps pour une telle femme, car elle ressemble aux immortelles par sa beauté. Mais malgré cela, qu'elle s'en retourne sur ses nefs, et qu'elle ne nous laisse point, à nous et à nos enfants, un souvenir misérable. »

C'est ainsi que l'ardente imagination de M. Schliemann retrouve dans ces ruines un souvenir et comme un parfum de la légende antique. Qui eût résisté à la tentation, et qui songera à blâmer le hardi chercheur que sa conviction soutient dans ses recherches, et qui, sans elle, n'eût certes jamais songé à les entreprendre ni à les poursuivre ?

Au point de vue des monuments religieux les fouilles de M. Schliemann furent moins heureuses peut-être qu'on eût pu le penser tout d'abord. Homère, il est vrai, parle peu des sanctuaires d'Ilion. Cependant il cite un temple de Minerve et un petit temple d'Apollon. M. Schliemann crut d'abord avoir découvert le premier – de beaucoup le plus important – dans le voisinage de la Pergame. Mais, tout compte fait, ce temple se trouva réduit à une sorte d'autel en forme de croissant que M. Schliemann veut bien dédier « à la Minerve à tête de chouette. » La seule raison qui puisse motiver cette attribution, c'est la situation de cet autel placé juste au-dessous du temple de la Minerve Grecque d'Ilium Novum. Il y a là un motif assez fort, il faut l'avouer, de reconnaître dans ce précieux monument l'endroit où se faisaient les sacrifices et où l'on entretenait le culte du dieu national et héréditaire des premiers Troyens.

Heureusement pour tout ce qui se rattache à la vie privée de ces anciens peuples, M. Schliemann fut infiniment plus favorisé ; et c'est là, on peut le dire, le fonds même de la découverte.

Dans le voisinage des débris que nous avons signalés déjà, sur les côtés mêmes de la rue dallée, on mit au jour plusieurs restes de maisons anciennes. Loin que ces décombres fussent absolument détruits et en quelque sorte inintelligibles, leur forme au contraire était en grande partie conservée, et M. Schliemann les compare aux maisons Pompéiennes.

Nous donnerons la description d'une de ces maisons, de la plus importante, de celle que M. Schliemann a baptisée du nom de Palais de Priam. Ce bâtiment fut certainement un des plus importants de l'ancienne Troie. La solidité relative de sa construction, la richesse des objets qu'on y a rencontrés, le voisinage où il se trouvait de la Tour, des murs d'enceinte et des portes, enfin le fait que le palais du roi postérieur fut construit sur ce même emplacement sont des raisons probantes pour reconnaître ici un des édifices principaux de la cité.

Les murs, d'inégale épaisseur, étaient construits en pierres reliées avec de la terre. Ils étaient à l'intérieur badigeonnés d'un enduit peint en jaune ou en blanc. Quelques-unes des salles étaient dallées ; quelques autres au contraire semblent avoir été recouvertes d'un plancher qui brûla lors de l'incendie et laissa des cendres épaisses. Dans les chambres assez nombreuses qui partageaient le rez-de-chaussée, on rencontra de la cendre rouge ou jaune en quantité énorme, des débris calcinés, beaucoup de coquillages, des débris d'ustensiles de ménage. Dans d'autres chambres ce furent de superbes cruches hautes de deux mètres ou deux mètres et demi, destinées probablement à contenir les liquides et les boissons. L'autel que nous avons signalé plus haut faisait aussi partie de cet édifice.

Enfin dans les chambres mêmes et tout autour des décombres, dont l'importance semble indiquer que la maison avait plusieurs étages, on rencontra de nombreux ossements humains et en particulier deux squelettes entiers, couchés, le casque en tête, la longue lance auprès d'eux, guerriers morts probablement en défendant leur foyer, et dont la présence attestait que là s'étaient concentrés les derniers efforts de la lutte suprême, et qu'eux, les hommes des temps héroïques, étaient morts dans le désastre qui avait emporté du même coup leur ville et leur patrie.

D'autres maisons moins importantes et bâties pour la plupart en briques cuites au soleil furent relevées dans les environs. L'ensemble de leur construction et les proportions générales de la ville mesurées d'après les ruines du mur d'enceinte, réduisirent singulièrement l'idée qu'on pouvait se faire de la population d'une ville qui, d'après le poète, avait soutenu dix ans l'effort de la Grèce conjurée. M. Schliemann lui-même reconnaît qu'elle n'a pu contenir plus de 5 000 habitants ni fournir plus de 500 hommes en état de porter les armes. Il y a loin de là aux énumérations, homériques.

Cependant les autres découvertes de M. Schliemann doivent éloigner toute idée de doute à l'égard de la richesse du peuple qui occupait cette ville. Les objets en métal et en terre cuite, en particulier le Trésor découvert sur la fin des fouilles suffisent pour prouver qu'il y avait là un centre véritablement important et que la Troie ancienne a été riche. Étant riche elle a été puissante, elle a pu étendre au loin sa domination et attirer autour d'elle, pour sa défense, de nombreux alliés.

Parmi les objets relatifs à la vie privée ceux que M. Schliemann trouva en nombre vraiment prodigieux – de quoi former un véritable musée, – ce furent les vases et instruments en terre cuite.

De facture généralement grossière dans les couches supérieures, ils semblaient se raffiner dès que l'on descendait jusqu'aux âges plus anciens. Jamais d'ailleurs leur nature ni leur décoration n'indiquent un progrès considérable dans l'art du potier. Tous sont faits à la main et non au tour ; ils sont composés d'une argile qui, par la cuisson prend des teintes jaunes, noires ou ocreuses. Quelquefois des dessins d'un caractère absolument rudimentaire sont tracés sur la terre encore fraîche et cuite postérieurement. Il arrive même que la surface du vase ainsi décoré a été frottée avec une terre blanchâtre qui, se fixant dans les rainures, a incrusté les lignes en les faisant ressortir en blanc sur le fond noir du vase.

Quant à la forme il faut distinguer avec soin plusieurs classes parmi les poteries troyennes. Tout d'abord on trouva, en quantité prodigieuse, des vases simples en forme de gourde, quelquefois munis de deux anses, quelquefois encore portés sur trois pieds, tantôt lisses et polis à la main, tantôt ornés dans la manière que nous avons indiquée plus haut. Assez fréquemment le col s'allonge en forme de bec ; une des anses disparaît et le vase devient un pot ou même une œnochoé, quelquefois double et conjuguée.

Vase à deux embouchures

Poteries troyennes

De nombreux vases sont percés de trous comme s'ils eussent servi à confectionner des fromages ; d'autres, sans pied, sont munis d'une double anse ; d'autres enfin, d'un travail plus élégant, affectent la forme d'un animal grossièrement représenté muni de quatre pattes courtes, la tête ronde et à peine détachée du reste du corps. Dans cet animal M. Schliemann a voulu reconnaître un hippopotame, et comme cet animal n'existe pas dans ces régions, il en a conclu à l'existence de rapports médiats ou immédiats avec les Égyptiens.

Sans vouloir nier ces relations, – nous avons vu au contraire qu'elles étaient constatées par les monuments Égyptiens eux-mêmes, et l'actif commerce des Phéniciens, voisins des deux peuples, eût suffi pour les faire naître, – sans donc aller à l'encontre de l'opinion de M. Schliemann, on peut douter que l'animal ainsi représenté soit l'hippopotame. On peut y reconnaître aussi facilement un cochon, ou même tout simplement une forme quelque peu arbitraire, inspirée à l'ouvrier par les exigences de l'art de la poterie et le but pratique qu'il se proposait.

Ces remarques nous amènent tout naturellement à une autre catégorie de vases infiniment plus abondante et surtout plus importante par les discussions auxquelles elle a donné lieu ; à ceux que M. Schliemann désigne sous le nom de vases *à tête de chouette*.

Cette dénomination est justifiée par leur forme générale. Tantôt en effet le vase entier, tantôt sa partie supérieure seulement présente une image où l'on peut reconnaître facilement deux sourcils arqués, deux gros yeux ronds, un nez ou un bec, une paire d'oreilles ou quelque chose d'analogue. Quand le vase est d'assez grande taille ces traits sont appliqués sur le goulot, et le reste de la panse est orné de deux seins, d'un nombril, et souvent les anses en forme de bras s'élèvent vers le ciel. Quelquefois même un collier sur la poitrine, une écharpe autour du corps, rendent plus évidente encore l'intention formelle de l'artiste de représenter un corps de femme dans la partie inférieure du vase.

Mais qu'est la partie supérieure ? M. Schliemann, pour lui, n'hésite pas : c'est une tête de chouette. La chouette, on le sait, est l'animal consacré à

Minerve. Or, Minerve était, d'après Homère, la déesse particulièrement honorée à Ilion. Les Troyens, selon un usage général de l'antiquité, ont mis sur un corps de femme la tête de l'animal qui lui était particulièrement dédié. On sait combien les Égyptiens et les anciens Grecs eux-mêmes étaient coutumiers de ces grossières représentations. Ainsi, M. Schliemann triomphe, voyant ici l'image tant de fois répétée de la Pallas protectrice de Troie.

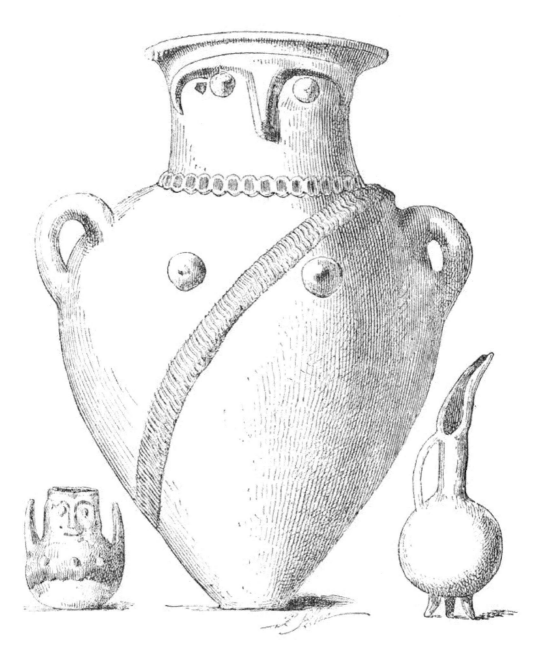

Poteries troyennes

Malheureusement les savants qui se sont, depuis ces découvertes, occupé de la question, contestent ces conclusions. Ils ne voient dans ces représentations rien autre chose qu'une figure humaine. Ce bec est un nez, ces anses sont des bras, ces gros yeux sont une figure grossière des yeux humains, et ils ajoutent : Ce qui le prouve, c'est la présence des seins, du nombril, des colliers ; et, plus encore, c'est la trace de la bouche indéniable en certains cas.

Poteries troyennes

À ces objections, M. Schliemann pourrait répondre que si la bouche apparaît parfois, elle est omise, le plus souvent, et que dans des représentations, somme toute, assez précises, cette omission est bien étrange ; que la forme du corps est expliquée par l'idée d'une Minerve à tête d'animal ; qu'en outre il est bien étonnant, si ces anciens artistes ont voulu modeler là une forme humaine, qu'ils n'aient jamais songé à représenter l'homme, mais toujours la femme ; il faudrait au moins expliquer les raisons de ce choix.

La question, en somme, reste encore douteuse. Femme ou chouette, bec ou nez, de pareilles images ne sont pas moins intéressantes, et combien ne devons-nous pas nous trouver heureux de pouvoir, pièces en main, discuter sur les premiers essais de l'industrie humaine et sur les premiers efforts artistiques de nos aïeux !

Un autre genre d'objets en terre cuite fut trouvé en quantité énorme et on peut dire qu'il donne aux archéologues plus de mal encore. C'est un objet en forme de toupie, le plus souvent couvert d'ornements et quelquefois même de caractères qui semblent n'être autre chose que des lettres d'un alphabet inconnu. On a voulu y voir, tantôt des poids servant aux pêcheurs pour lester leurs filets, tantôt des mollettes de tisserand, tantôt des instruments destinés à allumer le feu ; tantôt des poids destinés à alourdir les nattes tendues devant les portes et les fenêtres des maisons ; tantôt enfin des *ex-voto*, ou des symboles mystérieux.

Toutes ces explications plus ou moins fantaisistes s'accordent plus ou moins mal avec le nombre, la forme et l'ornementation de ces objets. Le mieux ici encore est de se tenir sur la réserve et d'avouer qu'ils servaient à un usage dont nous ne pouvons, d'après nos habitudes actuelles, nous faire la moindre idée.

Tout l'intérêt de ces *fusaïoles* n'était pas seulement dans leur forme particulière ; il se trouvait surtout dans ces caractères mystérieux que l'on pouvait relever sur quelques-uns d'entre eux. Du premier coup on y reconnut une écriture, et du premier coup encore un savant crut y reconnaître du chinois. C'était être trop savant peut-être et, en tous cas, trop prématuré.

Il n'y a pas de chinois sur les objets trouvés à Troie. Mais aujourd'hui il est à peu près admis par la science qu'il y a bien là une écriture ; que cette écriture se rapproche du très ancien alphabet grec ou phénicien ; et que la langue elle-même n'est rien autre chose qu'un grec archaïque qui serait à peu près à celui de Périclès ce que le gothique est à l'allemand.

Quelques-unes des inscriptions ont été déchiffrées d'une façon plus ou moins certaine, et l'on a cru y reconnaître le nom du dieu national du pays, *Sigos*, nom absolument inconnu jusqu'ici ; mais qui ne manque pas de présenter une analogie assez satisfaisante avec le nom du *promontoire Sigée*, et celui même des *Portes-Scées*.

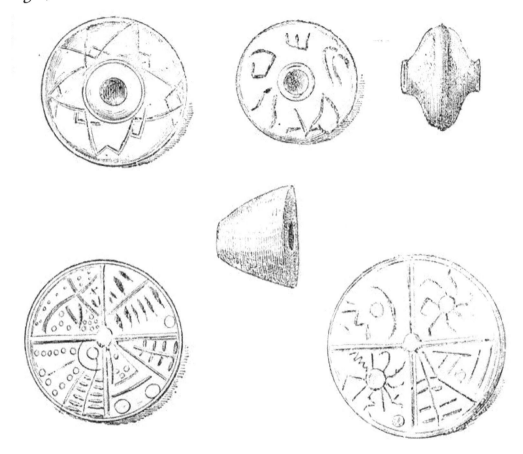

Fusaïoles

Il faut attendre encore pour connaître les découvertes que la science, une fois lancée dans cette voie, qui semble bonne, nous réserve assurément.

Nous terminerons la revue des objets trouvés à Hissarlik, par les matières en métal : cuivre, bronze, or, argent ou électrum.

De ce que l'usage de ces métaux ait été fréquent chez les peuples de la Troade, il ne faut pas conclure qu'ils fussent absolument sortis de l'âge de pierre. Bien des outils en silex ou en diorite ont été rencontrés par M. Schliemann. Homère, il est vrai, ne fait jamais mention d'instruments de cette espèce. Mais ce silence ne peut que prouver en faveur de la thèse que nous soutenions plus haut, à savoir, qu'Homère n'avait que des notions très imparfaites de l'état de la civilisation des Troyens dont il racontait les exploits traditionnels. Achille et Hector ont pu se servir de haches et de lances en silex sans que le poète en ait rien su.

En réalité, au moment où vivaient les Troyens de M. Schliemann, la civilisation en était à la transition entre l'âge de pierre et l'âge de bronze. Déjà on savait fabriquer les métaux ; le nombre considérable de *moules* que l'on a trouvés, prouve la chose d'une façon péremptoire. Si les armes en pierre et en os sont en majorité, c'est, comme l'a fort bien dit M. Lenormant, par des raisons d'économie et peut-être par un reste des anciennes habitudes.

L'art de la métallurgie, importé peut-être des régions phéniciennes, et l'alliage des diverses matières par la fonte fut poussé par ces peuples à un degré assez avancé pour être appliqué avec succès à toute espèce d'objets nécessaires à la défense, à la parure et aux usages de la vie domestique. Ils surent même se procurer, par la voie du commerce, l'étain qui manquait à leurs contrées. L'or, l'argent, le cuivre, le plomb s'y trouvaient, au contraire, en abondance ; ils surent les fabriquer d'abord séparément, ensuite en les combinant dans des proportions plus ou moins avantageuses, mais jamais ils ne connurent l'usage du fer.

Les principales pièces de métal décrites par M. Schliemann font partie du *trésor* dont la découverte a si bien couronné les travaux et les recherches du patient archéologue, et dont la réputation est aujourd'hui si grande dans le monde des savants et des curieux.

Empruntons à M. Schliemann lui-même l'émouvant récit de la façon dont fut faite cette belle trouvaille : « En fouillant sous un mur voisin du palais de Priam, je rencontrai un objet en cuivre d'un fort gros volume et d'une forme remarquable. Il attira d'autant plus mon attention que je crus reconnaître de l'or derrière cet objet. Au-dessus s'élevait une couche d'un mètre et demi, à un mètre trois quarts d'épaisseur, de cendre rouge mêlée à des débris calcinés, et dure comme la pierre, qui supportait à son tour le mur de fortification susmentionné, haut de 6 mètres et épais de 1 mètre 80, qui est bâti de grosses pierres et de terre et qui doit dater des premiers temps qui ont suivi la destruction de Troie.

Afin de soustraire ce trésor à la rapacité de mes ouvriers et de le conserver pour la science, j'ai eu besoin de faire la plus grande hâte, et quoique l'heure du déjeuner ne fût pas encore venue, je fis aussitôt crier *païdos* ; un mot d'origine incertaine qui a passé dans le turc et qu'on emploie ici pour signifier ἀνάπαυσις ou l'heure du repos. Pendant que mes gens mangeaient et se reposaient, je travaillai moi-même avec un grand couteau à déterrer le trésor ; ce ne fut pas sans beaucoup d'efforts que j'y réussis, ni sans le plus grand danger, car je risquais à chaque instant de voir s'écrouler sur moi la grande muraille au-dessous de laquelle je travaillais. Mais j'y songeais à peine, aiguillonné jusqu'à la témérité par la vue d'une foule d'objets dont chacun devait avoir et possède en effet une valeur inappréciable pour la science. Cependant l'enlèvement de ce trésor m'eût été impossible sans la présence de ma chère femme, qui se tenait toujours prête à envelopper dans son grand châle et à emporter les objets au fur et à mesure que mon couteau les dégageait de leur dure prison. »

Après avoir fait la description des principales pièces trouvées en cet endroit et s'être efforcé, suivant le système général du livre de les rapprocher des indications homériques, M. Schliemann ajoute ces détails intéressants : « Comme je trouvai tous les objets ci-dessus désignés, réunis ou placés les uns dans les autres en un tas carré sur le mur d'enceinte, il paraît certain qu'ils étaient entassés dans une caisse de bois *telle que celles men-*

tionnées dans l'Iliade. Cela est même d'autant plus sûr que tout à côté de ces objets j'ai relevé une clef de cuivre dont le panneton offre la plus grande ressemblance avec celui des grosses clefs des coffres-forts dans les banques... Il est présumable que *quelqu'un de la famille de Priam*, après avoir jeté en toute hâte les pièces du trésor dans la caisse, a emporté celle-ci sans prendre le temps de retirer la clef ; mais arrivé sur la muraille, il aura été atteint par les ennemis ou par le feu et aura dû abandonner la caisse, que les cendres rouges et les pierres de la maison royale qui se trouvait à côté auront recouverte aussitôt à une hauteur de 1 mètre 50 environ. Peut-être est-ce au malheureux qui avait fait cette tentative de sauvetage qu'appartenait le casque trouvé il y a quelques jours dans une chambre de la maison royale immédiatement à côté de l'endroit où gisait le trésor, avec un vase épais en argent haut de 18 centimètres large de 14, contenant une élégante coupe d'électron de 11 centimètres de hauteur sur 4 de largeur... La précipitation devant le danger, l'angoisse avec laquelle on avait entassé dans la caisse les objets précieux que je viens d'énumérer est prouvée entre autres choses, par le contenu du plus grand des vases, d'argent, tout au fond duquel j'ai trouvé deux magnifiques diadèmes en or, un bandeau de tête, et quatre superbes pendants d'oreilles d'or, travaillés de la manière la plus artistique. Au-dessus de ces objets se trouvaient 56 boucles d'oreilles en or de formes très remarquables, et 8750 petits cylindres, anneaux, prismes, et cubes perforés, boutons du même métal, etc... appartenant évidemment à d'autres parures. Par-dessus encore étaient six bracelets en or, et tout en haut du grand vase d'argent, les deux petites coupes d'or. »

Cette énumération des pièces qui se trouvaient dans le vase d'argent ne fait que donner une idée de l'importance du Trésor pris dans son ensemble : grands plats de cuivre d'environ 50 centimètres de diamètre, bouteilles en or, coupes de formes diverses, lingots d'or et d'argent non façonnés, vases d'or, d'argent et d'électron de toutes les grandeurs, treize pointes de lances en cuivre destinées à entrer dans les hampes, haches de combat, couteaux ordinaires et couteaux poignards en cuivre, un nombre infini de parures de toute espèce, bandeaux, couronnes, pendants d'oreille, bracelets si mignons qu'à peine on y ferait pénétrer le bras d'une fillette de dix ans ; colliers de perles ou de granules de métal, bagues, épingles à cheveux, tout cela d'un travail fini, précieux, délicat même, n'empruntant rien aux formes phéniciennes, égyptiennes ou assyriennes, véritables produits de l'industrie nationale, et qui donnent une haute idée de la richesse et de l'habileté manuelle du peuple qui a laissé des traces aussi remarquables de sa civilisation.

Pendants d'oreilles. – Trésor de Priam

Voyez plutôt cette belle coupe d'or (p. 198) en forme de nef, pesant 600 grammes et soutenue par deux anses ; de chaque côté elle présente une embouchure pour boire de grandeur inégale. M. Schliemann suppose que l'hôte offrait à son invité le côté le plus large après avoir lui-même trempé les lèvres sur le côté plus étroit.

Voyez ce beau vase d'argent à couvercle mobile et élégamment orné, avec ces deux anses dressées qui en accompagnent si bien la forme.

Voyez encore cette belle timbale en électron à pans régulièrement coupés ; ces boucles d'oreille en colimaçons ; ces bracelets s'enroulant autour du bras, comme les serpents de nos élégantes modernes.

Reconstituez encore avec M. Schliemann les magnifiques bandeaux de tête d'une barbare mais indéniable élégance. Ils se composaient d'une sorte de ruban en or, long d'environ quarante ou cinquante centimètres ; aux deux extrémités de longues franges destinées à retomber sur les tempes pendaient et formaient de gros glands terminés par des ornements assez voisins de la représentation d'une figure humaine ; tout autour, entre chacune de ces franges, règne une série de quarante à cinquante pendeloques plus courtes, toutes en or, et qui couvraient le front d'une sorte de diadème mouvant.

Il y avait certes là une véritable recherche, et en présence d'objets aussi caractéristiques, on comprend le sentiment de Beulé qui, s'efforçant de reconstituer l'image d'une civilisation si développée, en cherche le modèle dans les grands empires du voisinage. « Je suis tenté, dit-il, quand je me rappelle l'*Iliade*, de comparer Priam, avec son harem et ses cinquante fils, au roi Sargon ou au roi Sardanapale III ; de lui ceindre la même tiare, de lui prêter les mêmes draperies brodées, la même barbe teinte et frisée en étages, de le voir sur le même char conduit par le même écuyer. Les murs d'Ilion devaient avoir les murs et les sept portes de Khorsabad ; les vieillards qui admiraient Hélène se tenaient sur des terrasses derrière des créneaux semblables à ceux de Ninive ; les guerriers avaient les mêmes armes, allaient à la bataille dans le même désordre, poussaient des chevaux couverts des mêmes harnais. En un mot, les bas-reliefs de Khorsabad fourniraient une illustration graphique de l'*Iliad* plus juste que les bas-reliefs du Parthénon, car au siècle de Périclès la Grèce avait rompu avec l'Orient aussi soigneusement qu'au siècle de Sargon, l'Assyrie avait rompu avec l'Égypte. »

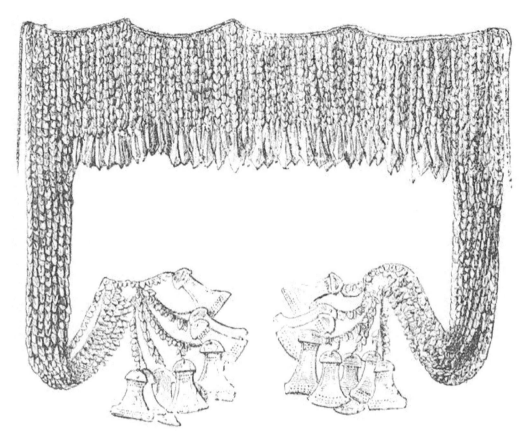

Diadème. – Trésor de Priam

Nous n'acceptons pas pour notre part cette prétention de rallier le développement de l'art troyen à celui de l'Assyrie. Qu'il y ait eu analogie de système, cela n'a rien d'impossible entre peuples ayant, en somme, la même origine. Mais nous consentirions mal volontiers à reconnaître autre chose qu'une vague ressemblance et nous n'admettons guère d'influence directe. Les objets qu'a trouvés M. Schliemann semblent, au contraire, les produits d'un développement absolument national et indigène. Sans nier la possibilité des rapports établis entre les deux peuples par quelque *Agron* fugitif du centre de l'Asie, et subjugueur des peuples de l'Asie Mineure, nous pensons qu'on ne peut trouver aucune trace de pareils liens dans les découvertes d'Hissarlik. Certes, quelque importantes qu'elles puissent être, elles sont loin de présenter le caractère de majesté et de perfection que nous montrent les plus anciens monuments de Ninive ou de Babylone. À se placer au point de vue chaldéen, les hommes qui habitaient l'ilion de M. Schliemann semblent avoir été ou des ancêtres, ou des barbares. Homère, lui-même, eût-il eu, – comme on l'a pensé, – des notions assez précises sur les grands peuples de l'Orient et de l'Égypte, que les passages qu'on pourrait relever en ce sens dans l'*Iliade* ne prouveraient rien pour l'histoire réelle de Troie.

Suivant cette même méthode de rapprochements et d'analogies archéologiques et décoratives, M. Lenormant a voulu s'aider de l'histoire des anciens peuples des îles de l'Archipel et, en particulier, de Santorin, pour éclairer celle de nos Troyens. Ici le terrain semble plus solide et il le deviendrait tout à fait, si l'hypothèse d'un idiome analogue parlé par ces différents peuples sortait absolument de la phase d'incertitude où elle est encore aujourd'hui. Il y a en faveur de cette opinion un autre argument d'une haute valeur historique, c'est que Thébains et Achéens semblent désignés comme des alliés dans les listes égyptiennes qui énumèrent les peuples d'Asie et d'Europe réunis pour piller l'empire des Pharaons.

Il faut cependant marcher ici encore avec la plus grande prudence. Le terrain archéologique sur lequel on se place si volontiers pour poursuivre ces études (car c'est lui qui fournit les documents les plus nombreux et les plus significatifs), ce terrain, dis-je, est bien incertain et il faut craindre de s'y hasarder sans autre guide que l'hypothèse. Reconnaître que tels ou tels vases, telles ou telles armes présentent des analogies de forme, de décoration, de procédé dans la fabrication et la composition, ce n'est pas là raison suffisante pour conclure à identité de civilisation et simultanéité d'existence et de progrès.

Il ne faut pas oublier que, partant du même point d'ignorance et d'inhabileté, l'esprit humain suit dans son développement les mêmes voies d'essai et de tâtonnements, pour arriver bien souvent à des produits analogues et quelquefois presque identiques. C'est là un principe qu'il faut avoir en vue, surtout quand on s'applique à l'étude de ces restes de civilisations jeunes et rudimentaires en quelque sorte.

Il est remarquable, par exemple, que les poteries et les terres cuites provenant de fouilles faites au Pérou ont les plus grands rapports avec celles que nous avons étudiées plus haut. Il y a les mêmes incertitudes dans la main d'œuvre, les mêmes insuffisances dans la représentation des figures humaines ou animales, les mêmes inspirations dans les motifs de décoration. M. Schliemann ne serait peut-être pas trop fâché de rencontrer dans ces poteries américaines plusieurs « Minerves à la tête de chouette ». On ne peut cependant pas conclure de ces rapprochements – parfaitement naturels étant donné l'identité de but et de moyens, – à des rapports de civilisation entre les Péruviens d'autrefois et les Troyens d'avant Homère.

On le voit donc, après avoir passé en revue les découvertes si intéressantes de M. Schliemann, nous n'avons pas encore atteint le but que nous nous proposions, c'est-à-dire la détermination de la date de l'existence de l'empire Troyen. Il faut pour obtenir ce résultat que la science poursuive encore ses études ; mais avec la sûreté de méthode qu'elle emploie maintenant, et en suivant la voie où elle est lancée désormais.

Par contre, que de renseignements précieux n'avons-nous pas recueillis sur ces anciens hommes ! Ne les avons-nous pas vus en quelque sorte se ranimer et revivre sous nos yeux ? Leurs usages intimes, les maisons qu'ils construisaient ; les essais nombreux et enfantins que tentaient leurs mains encore jeunes pour passer de l'usage de la pierre à celui du métal ; l'amour de la parure et du clinquant qui les rapproche de tous les peuples à demi civilisés ; jusqu'à leur manière de vivre qui ressort des ustensiles de cuisine et des coquillages rencontrés en grand nombre ; leur commerce déjà assez étendu ; leurs premières préoccupations artistiques, et par-dessus tout le spectacle de leur vie agitée, inquiète, toujours menacée des plus grands désastres ; la lutte suprême qu'ils durent soutenir contre un ennemi finalement victorieux, la certitude et comme la vision de la catastrophe dans laquelle ils périrent, se défendant pied à pied jusque dans le dernier retranchement, au milieu d'une ville en proie aux flammes, voilà le spectacle qui peu à peu s'est déroulé devant nos yeux. Les cendres qu'à fouillées M. Schliemann ne semblaient-elles pas chaudes encore de ce grand et imposant désastre ? Quel homme peut refuser de s'émouvoir au souvenir de ce qu'ont souffert ces anciens hommes, quand même il ne s'agirait pas de Troie et de la lutte qu'Homère a célébrée ?

Car c'est bien là pour nous, répétons-le en terminant, le lieu où fut Troie, « l'ubi Troja fuit ». Malgré tant d'incertitude dans l'explication de quelques-uns des faits, malgré l'impossibilité d'identifier les découvertes de M. Schliemann avec les récits d'Homère, et nous dirions presque à cause de cela ; malgré la haute antiquité, l'antiquité en quelque sorte préhistorique, vers laquelle nous devons rejeter forcément et définitivement l'époque du siège fameux, nous n'en hésitons pas davantage à croire que c'est bien Troie qu'a découvert le vaillant et tenace archéologue. Nous avons pour cela plusieurs motifs convaincants : d'abord le lieu où ont été faites les fouilles répond bien au lieu traditionnel où Troie a dû exister ; ensuite l'ancienneté des objets trouvés se rapporte bien au long intervalle que les chants d'Homère supposent entre la date du fait et celui où il fut chanté.

En outre, il n'est pas possible qu'un empire assez puissant pour avoir imprimé un souvenir ineffaçable dans la mémoire des hommes n'ait pas aussi laissé quelque trace matérielle sur le sol même où il a vécu ; d'où découle cette dernière raison péremptoire, qu'à notre avis, M. Schliemann peut de fort bonne grâce opposer à ceux qui, à force de minuties, s'efforcent de nier des résultats évidents : « Si ce n'est là la Troie historique, montrez-nous-en une autre ! »

IV

Carthage

Pour se rendre à Tunis, des bords du Nil ou de l'Euphrate, il faut marcher pendant des jours et des jours du côté où se couche le soleil. Nous n'entrons cependant pas dans un monde absolument nouveau lorsque, pour étudier ce qui reste de Carthage, nous quittons Ninive, Babylone ou la ville d'Ammon, Thèbes aux cent portes. En dépit de sa situation, Carthage est une ville tout orientale. C'est que le berceau du peuple Carthaginois n'est pas cette terre d'Afrique qu'illustrèrent ses exploits et ses malheurs. Rameau de la grande famille sémitique, frères des Hébreux, les Phéniciens avaient habité pendant bien des siècles l'antique pays de Canaan, avant de couvrir de leurs colonies les côtes de la Méditerranée : les hommes que les tribus d'Israël durent combattre et vaincre pour prendre possession de la terre promise, c'étaient les ancêtres des Hannon et des Barca.

Les plus anciennes traditions des Sémites nous les montrent venus de l'Orient et déjà établis sur les confins de la Chaldée. C'est dans cet immense territoire compris entre la Méditerranée, la mer Noire, le Caucase, la mer Caspienne, l'Indus et les mers qui baignent les côtes méridionales de l'Asie que se formèrent peu à peu les nations qui devaient fonder plus tard tant et de si fameux empires. De là tous ces peuples emportèrent le fonds commun de religion que chacun, pendant le cours des siècles, modifia à sa guise au point de le rendre méconnaissable aux yeux du vulgaire, mais sans en effacer néanmoins ces analogies frappantes qui devaient plonger dans un si profond étonnement les premiers savants qui étudièrent ces questions. De là vient la croyance à un dieu à la fois un et multiple, que nous retrouvons à Ninive comme à Tyr, à Jérusalem aussi bien qu'à Carthage.

Entre deux civilisations, produit du génie particulier de deux peuples dont l'origine est commune, il existe toujours des ressemblances, ressemblances souvent fort vagues, mais qu'il n'est cependant pas impossible de saisir. À cette première cause de similitude avec plusieurs des civilisations de l'Asie intérieure, les Phéniciens en joignaient une seconde peut-être plus importante encore. Peuple de marchands, ils portaient dans tous les pays les denrées les plus variées. Leurs flottes sillonnaient toutes les mers ; leurs caravanes allaient jusque dans l'extrême Orient, jusqu'au cœur du continent africain chercher l'or, l'ivoire, les parfums et tout ce qui pouvait satisfaire les besoins ou contribuer aux plaisirs. Ils étaient les grands pourvoyeurs du monde ancien.

Tandis que tous les peuples s'enfermaient chez eux n'ayant avec leurs voisins d'autres rapports que ceux du champ de bataille, et ceux qui s'établissaient ensuite entre le vainqueur et les vaincus réduits en esclavage ; tandis que tous vivaient isolés au milieu d'un monde qu'ils connaissaient à peine, les Phéniciens étaient partout. Ils frappaient à toutes les portes et n'étaient nulle part repoussés ; car, inspirés par ce génie du commerce, caractère distinctif de leur race, ils apportaient toujours ce qui cadrait le mieux avec les besoins du moment. La famine, chose fréquente au milieu des guerres continuelles, venait-elle à se faire sentir en quelque endroit ? Semblables à des points perdus sur l'immensité des flots, on voyait apparaître et grandir à l'horizon les vaisseaux de la flotte cananéenne. Bientôt on entendait le bruit cadencé des avirons, et les galères, lourdes de blé, entraient dans le port. La paix avait-elle ramené l'abondance ? On voyait revenir ces mêmes hommes, et c'étaient maintenant des parfums, des poteries, des armes étincelantes d'or et de pierreries, des joyaux aux formes bizarres et ces étoffes de pourpre dont la Phénicie avait le monopole.

Au cours de ces continuels voyages, les Phéniciens s'assimilaient les procédés industriels ou artistiques des nations qu'ils visitaient. Ainsi doit s'expliquer, plus encore que par une communauté lointaine d'origine, le caractère cosmopolite de la civilisation des Phéniciens.

Pénétrons dans une de leurs villes, à Tyr ou à Sidon. Nous pourrons douter par moment si nous sommes en Égypte ou dans une ville d'Assyrie. Ces édifices, dont les murs disparaissent sous des revêtements de bois et de métal, rappellent, par les peintures qui les ornent, les palais de Ninive. Les statues et les bas-reliefs sentent l'inspiration et la manière des artistes égyptiens. Mais ce qui donne à ces villes leur caractère propre, ce sont ces immenses faubourgs où pullule une population active d'ouvriers, de marins et de marchands. Dans nulle autre ville antique nous ne trouverions ces rues immenses bordées d'ateliers d'où s'échappe du matin jusqu'au soir un bruit assourdissant. Les marteaux frappent, les limes grincent, et, dominant ce tumulte, on entend le mugissement des forges et des hauts fourneaux. Plus loin ce sont les tisserands avec leurs métiers au bruit monotone. Plus loin encore ce sont les flaques sanglantes des teintureries où se prépare la pourpre phénicienne.

Ce spectacle animé et vif que devait présenter chacune des villes répandues sur la côte phénicienne, ne peut malheureusement emprunter ses couleurs qu'aux fantaisies de l'imagination. Peu de faits certains nous restent, peu de documents, peu de ruines. Nulle terre n'a été moins féconde en souvenirs de l'antiquité. Si bien conduites qu'aient été les recherches de M. Renan, il n'a rencontré que des débris, des objets minuscules, jamais de grandes ruines. Aussi peut-on dire que de la Phénicie il ne nous reste que le souvenir de la grande influence civilisatrice qu'elle a répandue sur le monde. N'ayant laissé ni une littérature, ni un art, cette côte active n'a d'autre gloire durable que celle d'avoir colonisé les rivages de notre Méditerranée.

De toutes ces colonies la plus puissante et la plus célèbre fut Carthage.

L'origine et la construction de Carthage se perdent dans la légende que Virgile a racontée :

De la vaste cité qui frappe vos regards
Les enfants d'Agénor ont bâti les remparts ;
Ces champs sont la Libye ; une race guerrière
Contre ses ennemis en défend la frontière.
Cet empire obéit à la belle Didon ;
Elle reçut le jour dans la riche Sidon ;
Mais d'un frère cruel fuyant la barbarie,
Son courage en ces lieux s'est fait une patrie.
L'histoire de ses maux voudrait un long discours ;
Je vais en peu de mots vous en tracer le cours.
Par les nœuds de l'hymen à l'opulent Sichée,
Plus encor par l'amour Didon, fut attachée.
L'hymen l'unit à lui dès ses plus jeunes ans ;
Mais son barbare frère, exemple des tyrans,
Dans Tyr avait saisi la grandeur souveraine.
Bientôt s'allume entre eux le flambeau de la haine :
Insatiable d'or, ce monstre furieux,
Sans égard pour sa sœur, sans respect pour les dieux,
Dans le temple en secret immole sa victime ;
Le cruel toutefois cacha longtemps son crime,
Et, d'une sœur crédule amusant la douleur,
Longtemps d'un faux espoir il entretint son cœur.
Mais bientôt d'un époux privé de sépulture
Le spectre, s'élevant du sein de l'ombre obscure,
Triste, pâle et sanglant, apparut à ses yeux,
Dévoila de sa mort le mystère odieux,
Et le piège barbare, et l'autel homicide,
Et, pour l'aider à fuir de ce palais perfide,
De son lâche assassin lui livrant le trésor,

Lui montra sous la terre un immense amas d'or.
Didon, pleine d'effroi, hâte soudain sa fuite :
Ceux qu'une même horreur ou que la crainte excite
Attroupés en secret, veulent suivre son sort.
Des vaisseaux étaient prêts à s'éloigner du bord ;
Leur troupe s'en saisit ; de leur asile avare
On tire les trésors de ce monstre barbare :
Maîtres de sa richesse et bravant son courroux,
Ils voguent. Une femme a conduit ces grands coups.
Sur ces bords à leur ville ils cherchaient une place ;
Et leur ruse innocente achète autant d'espace
Que la peau d'un taureau dépouillé par leur main
Pourrait, en s'étendant, embrasser de terrain :
Leur ville en prit son nom.

Telle est la légende. Voyons l'histoire.

À une époque reculée qu'on ne saurait préciser, des navigateurs sidoniens, venus de Sicile, abordèrent sur la côte septentrionale de l'Afrique et y fondèrent la ville de Kambê.

Combien de siècles s'écoulèrent ?

La splendeur de Kambê s'était éclipsée ; Tyr avait succédé à Sidon dans l'hégémonie des cités phéniciennes du pays de Canaan, lorsqu'une nouvelle colonie, chassée de la métropole par une révolution, vint débarquer dans la Zeugitane sur les ruines mêmes de l'antique cité. Un promontoire de forme rectangulaire couvert de sombres forêts s'élevait à peu de distance de la mer. Il devint le centre de la ville nouvelle. On y bâtit quelques maisons. On y éleva un temple à Esmum, et le tout fut entouré de murailles : Carthage était fondée. Depuis lors la « cité nouvelle » ne cessa de grandir, jusqu'au jour où, devenue la rivale de Rome, elle expia sous la pioche des démolisseurs la gloire d'avoir fait trembler la ville aux sept collines.

On avait eu grand-peur aux bords du Tibre. Aussi quelle joie après la victoire !

Avec quel luxe de détails les historiens romains nous racontent la destruction de la reine de l'Afrique ! Tout ce qui pouvait ajouter à la gloire de la cité victorieuse, à la honte de la cité vaincue, tout cela fut mentionné, exagéré.

Les premiers récits, eux-mêmes, firent boule de neige. Chacun y ajouta du sien et Paul Orose alla jusqu'à prétendre que Scipion avait employé ses soldats à réduire en poudre les pierres des remparts puniques. Après cela, comment espérer qu'il fût possible de retrouver la moindre trace de l'antique Kart-Hadshât ? L'inspection même des lieux n'était pas fait pour changer beaucoup cette opinion. Voici, en effet, dans quels termes M. de Sainte-Marie, un des derniers et des plus habiles archéologues qui aient exploré cette région, décrit l'aspect actuel du lieu où fut Carthage :

« Du haut de la colline de Saint-Louis on aperçoit au sud et au bout de la langue de terre qui sépare la mer du lac une petite ville que le touriste connaît déjà : la Goulette doit son origine à des fortifications élevées, en 1535, par les Espagnols, lors de l'expédition de Charles-Quint contre Barberousse. Les ouvrages avancés sont encore debout et ils servent au gouvernement tunisien qui y a placé plusieurs batteries de canons. Le palais où siègent les ministères en été et qui est situé au-delà du canal est lui-même un fort espagnol de la même époque démantelé et approprié aux besoins du jour. La Goulette n'offre les débris d'aucun vestige punique ou romain : je citerai seulement dans l'arsenal une belle inscription romaine apportée de Khadès, il y a quelques années, ainsi que deux inscriptions néo-romaines scellées dans le mur du vice-consulat de France.

Toujours au sud et presque au pied de la colline on aperçoit Douar-Eschatt, composé de quelques maisons qu'un minaret domine. Entre Douar-Eschatt et la Goulette, je citerai le palais du général Khereddine, le Kram, le palais du bey, et au sud-est, est le palais de Mustapha-Ben-Ismaïl et d'Ahmed-Zarrouck. Au nord-est, sur une colline escarpée, on aperçoit Sidi-Bou-Saïd, dont les maisons blanches groupées l'une contre l'autre forment comme un essaim de colombes au repos. C'est une ville sainte où les musulmans prétendent que saint Louis, converti à l'islam, est enterré. Il y a tout autour de nombreuses ruines cachées sous terre. Après Sidi-Bou-Saïd et plus au nord, s'étendent les maisons de campagne de la Marsa : l'héritier présomptif y demeure et les consuls y viennent passer l'été. La Marsa est bornée au nord par la montagne de Gammart, dans les flancs de laquelle est la nécropole de Carthage. Après Gammart, on voit à l'horizon le lac de Soukra, les collines d'Utique, le village de l'Ariane et Tunis au fond du lac. Entre la Marsa et la colline de Saint-Louis, je citerai le village de la Malka dont j'ai déjà parlé, et celui de Sidi-Daoud, situé plus à l'ouest et que les débris de l'aqueduc côtoient un instant. Enfin, au bord du lac, et sur la route de Tunis on remarque El-Aouïna, naguère station des voitures et jadis témoin de la victoire de Xantippe sur Régulus. »

Pas une ruine antique apparente si on en excepte les débris de l'aqueduc bâti par l'empereur Hadrien ; pas un monument, à moins qu'on ne veuille considérer comme tels la chapelle de Saint-Louis bâtie en 1841, le palais de Mustapha ou celui du général Khereddine.

L'opinion courante, nous croyons avoir eu déjà occasion de le dire, était que de la ville punique il ne restait pas pierre sur pierre. Sans doute on n'ajoutait pas foi aux exagérations de Paul Orose. Dureau de la Malle avait même démontré que Scipion n'avait pas détruit la ville aussi complètement que la lecture des historiens anciens aurait porté à le croire. Mais sur les ruines de la colonie phénicienne s'était élevée une colonie romaine ; à la ville d'Hannibal avait succédé la ville de saint Augustin. Quand cette dernière avait laissé si peu de traces que pouvait-il rester de l'autre ? Pendant de longues années ses ruines avaient servi de carrière aux habitants des colonies voisines. Lorsque les architectes romains creusèrent les fondations de la nouvelle Carthage, ils avaient dû détruire jusqu'aux derniers vestiges des anciens édifices. Il fallait donc se résigner. La vengeance des

Romains était complète. Leur rivale était retombée dans le néant. L'histoire ne connaîtrait d'elle que ce qu'ils avaient bien voulu lui en apprendre.

Cependant on devint peu à peu plus sceptique à l'égard de ces destructions absolues. Notre siècle a assisté à trop de résurrections pour croire beaucoup à ces effacements. Combien n'en avons-nous pas vu, de ces vieilles civilisations mortes, secouer leurs cendres, et, nouveaux Lazares, soulever tout à coup la pierre de leur tombeau ?

Par quelle transition M. Beulé, presque exclusivement occupé jusque-là des études grecques qui avaient illustré son nom, fut-il amené à s'occuper de la Carthage punique ? C'est ce qu'il a négligé de nous dire. Mais une fois décidé à entreprendre ces recherches, le point spécial sur lequel elles porteraient d'abord était fixé à l'avance. Byrsa, l'acropole de Carthage, devait exercer une attraction à peu près irrésistible sur l'homme qui avait retrouvé les portes de l'acropole d'Athènes.

En débarquant sur la terre d'Afrique M. Beulé eut d'abord à établir un premier point : quelle était la situation exacte de Byrsa ? Les auteurs qui, avant lui, s'étaient occupés de Carthage n'avaient guère fait qu'embrouiller la question.

En 1738, l'Anglais Shaw publia à Oxford ses *Voyages ou Observations relatives à plusieurs parties de la Barbarie et du Levant.* C'est le premier auteur qui ait décrit avec quelques détails les antiquités de l'Afrique septentrionale. Mais Shaw n'était pas exclusivement un archéologue. L'organisation intérieure des pays qu'il parcourait, la constitution de leur sol, l'intéressaient autant que les monuments anciens qu'il pouvait rencontrer. En visitant le golfe de Carthage il fut frappé par les déplacements du Bagrada et reconnut avec une grande sagacité que ce fleuve, ensablant la rive carthaginoise, s'était peu à peu rapproché d'Utique. Mais ici le géologue fit tort à l'antiquaire. Tout occupé de ses alluvions, il méconnut l'emplacement de Carthage et tourna vers l'ouest la ville qui, en réalité, regardait le levant.

Aqueduc de Carthage

L'erreur de Shaw fut acceptée par tous ses contemporains, notamment par d'Anville. En vain fut-elle rectifiée par le père Caroni et quelques autres. Chateaubriand seul accepta leurs idées, et presque jusqu'à nos jours l'opinion reproduite à l'envi par tous les savants qui s'occupèrent de Carthage, fut celle du dix-huitième siècle. On ne s'explique pas que l'emplacement exact d'une ville aussi fameuse ait été si longtemps méconnu, ni que tant d'hommes éminents aient pu émettre et répéter des idées que la seule inspection du terrain, aidée de la tradition, devait leur permettre de rectifier, « car, dit M. Beulé, les habitants de Tunis et des environs savent tous montrer du doigt les lieux où fut Carthage. »

Citons encore pour mémoire le comte Camille Borgia dont les travaux n'ont pas été publiés, et le capitaine de vaisseau Falbe, consul général de Danemark, auteur d'un excellent plan de Carthage publié en 1833 et qui servit de base à tous les travaux ultérieurs.

M. Beulé reprit les opinions de ses devanciers et les soumit à une critique rigoureuse. Il compara attentivement les indications que lui fournissait le sol avec les passages des auteurs anciens et reconnut bientôt que la colline où s'élève la chapelle de Saint-Louis n'était autre que Byrsa. C'était l'opinion du père Caroni et de Chateaubriand. Il ne tarda pas à acquérir de plus la conviction que c'était « Byrsa entière ».

Ce dernier point était capital. En effet, la seule manière de résoudre d'une façon définitive, irréfragable, une question si longtemps controversée était de retrouver à sa place quelque débris, ne fût-ce qu'une seule pierre, des célèbres murailles qui flanquaient la citadelle carthaginoise. Il fallait donc préciser, autant que faire se pouvait, le point sur lequel devaient porter les recherches.

L'attention de M. Beulé se tourna tout d'abord vers le côté ouest du plateau. Falbe signalait de ce côté des voûtes et des débris qui l'avaient fait songer à la triple enceinte de Byrsa, et où Dureau de la Malle avait vu tour à tour des prisons, et la caverne où Cesellius Bassus prétendait avoir retrouvé les trésors de Didon. Ce sont tout simplement des citernes d'époque romaine déblayées et appropriées à leurs besoins par quelques familles arabes qui y ont établi leur demeure. Les citernes abondent sur ce versant de la colline et les architectes romains avaient dû détruire en les creusant tout vestige de constructions plus anciennes. Des fouilles entreprises sur ce point offraient donc peu de chances de succès. D'ailleurs M. Beulé apprenait bientôt que les Arabes avaient depuis quelques années bouleversé toute cette pente pour vendre les matériaux qu'ils rencontraient.

Du côté nord les conditions n'étaient guère plus favorables. C'était là que les Vandales s'étaient bâti, à proximité du palais de leur roi Genséric de somptueuses habitations dont les ruines anciennes avaient fait tous les frais. Une tranchée ouverte non loin d'une tour byzantine dont il ne reste plus qu'un pan de mur au-dessus du sol, ne mit au jour que les restes d'un égout et d'une autre tour également d'époque byzantine ; au-dessous le rocher. Un boyau souterrain poussé sur une longueur de 11 mètres et en suivant le rocher ne traversa que des constructions grossières faites à l'aide de fragments d'architecture romaine, et des débris mêlés de fragments de poteries des bas temps, parmi lesquels se trouva une lampe avec le monogramme du Christ. De monuments puniques, pas l'ombre.

Des sondages pratiqués sur le versant occidental ne rencontrèrent que des débris d'époque romaine.

Restait le versant méridional, le plus escarpé de tous. Le sol paraissait intact sauf sur un point d'où les Arabes avaient tiré de la pierre ; d'ailleurs la rapidité de la pente avait dû rebuter les constructeurs romains. Tout indiquait donc ce flanc de la colline comme offrant aux recherches le plus de chances de succès. M. Beulé résolut d'y concentrer ses efforts et d'arriver à tout prix à la couche des constructions puniques, dût-il pour cela pratiquer dans la montagne une ouverture de 30 ou 40 mètres de largeur.

Mais à quel niveau devaient être établis les travaux ? « Si la tranchée était entreprise trop haut, je pouvais passer par-dessus les ruines carthaginoises ; si elle était établie trop bas, je restais au-dessous, et perdais ma peine dans les deux cas. »

Une série de sondages préliminaires prouva, chose d'ailleurs facile à prévoir, que le rocher se rencontrait à une profondeur de plus en plus grande au-dessous de la surface du sol, à mesure qu'on s'éloignait davantage du point culminant de Byrsa. À moins de supposer aux architectes carthaginois des habitudes contraires à celles de tous les constructeurs de l'antiquité, on devait admettre qu'ils avaient fondé les premières assises de leurs murailles sur le roc même. C'est donc au niveau de ce grès argileux, de couleur jaune pâle, dont est formé le noyau de Byrsa, qu'on avait le plus de chance de rencontrer quelque trace des fortifications puniques.

Les premiers sondages rencontrèrent le rocher à une profondeur variant de deux à cinq mètres environ, sans avoir amené d'autre découverte que celles de ruines byzantines et d'un cimetière arabe paraissant remonter au douzième siècle. Un nouveau sondage dut être poussé jusqu'à 19 mètres au-dessous de la superficie du sol. « Dès lors, les fouilles véritables pouvaient commencer et être conduites avec certitude. »

Ce n'avait pas été chose facile de parvenir à une telle profondeur à travers un sol sans consistance, composé de débris de toute nature. Ouvrir une tranchée, c'était exposer les ouvriers à une mort presque certaine, chaque coup de pioche pouvant déterminer un éboulement. Percer des boyaux souterrains était également impraticable faute des charpentes nécessaires pour étayer les galeries. Il fallut se résigner, à mesure qu'on pénétrait plus profondément dans la terre, à élargir l'orifice de la fosse en forme d'entonnoir. Ce procédé était fort long et fort dispendieux puisque, pour découvrir une surface de 1 mètre carré, au niveau du rocher, il fallait enlever 200 ou 300 mètres cubes de terre.

Cette tâche gigantesque semblait devoir offrir plus d'une compensation à l'archéologue qui aurait le courage de l'entreprendre. En admettant même qu'on ne trouvât rien des murailles de Carthage, quelle abondante moisson de vases, de bas-reliefs, d'inscriptions, d'objets de toute nature intéressant l'histoire des mœurs ou des arts ne pouvait-on pas se promettre de recueillir en déplaçant une si énorme quantité de terre ! Cet espoir fut malheureusement déçu. Les couches supérieures n'offrirent naturellement que des débris d'époque byzantine, une lampe funéraire, des poteries brisées, des fragments informes de bas-reliefs et d'inscriptions.

Tout à coup les ouvriers furent arrêtés par d'énormes massifs de maçonnerie. C'étaient les murailles bâties sous Théodose, à l'approche des Vandales, et que les Arabes avaient renversées plus tard en les attaquant par l'intérieur et par le sommet du plateau. « Elles étaient à peu de profondeur, renversées par pans énormes, couchées en terre de toute leur longueur… Telle est l'excellence du mortier romain, que les petites pierres qui composaient ces vastes murailles n'ont été ni séparées ni ébranlées. Il s'est fait çà et là quelques fissures dans toute la hauteur comme si les machines eussent battu un massif homogène ou un rocher ; des blocs immenses ont été précipités sur la pente, s'y sont étendus, et ont été ensevelis sous la poussière et les décombres. »

On dut avoir recours à la mine pour continuer les fouilles. Les ouvriers s'enfoncèrent alors à travers une effroyable masse de pierres renversées, brisées et noyées dans une poussière subtile de tuf broyé par le temps. Enfin ils rencontrèrent d'énormes pans de murs encore debout et formés de gigantesques blocs de pierre amoncelés les uns sur les autres ; c'était la partie inférieure des murailles puniques, tout semblait l'indiquer.

Les historiens anciens nous avaient appris que les murailles de Carthage renfermaient des écuries pour les chevaux et pour les éléphants, des arsenaux et des magasins de toute sorte. M. Beulé déblaya le pied des murailles. Le plan répondait parfaitement aux descriptions anciennes ; il n'y avait donc plus de doute possible, c'étaient bien les murs de Byrsa qu'on venait de retrouver. Protégées par les ruines des étages supérieurs écroulés sur elles, les premières assises avaient échappé à la fureur des Romains et bravé l'action du temps. Mais seules ces masses énormes avaient résisté. L'incendie avait eu raison de tout le reste. Noyés dans des monceaux de cendres, M. Beulé ne retrouva que des fragments informes. Les métaux étaient tordus et comme mâchés par les flammes. Quel avait été autrefois l'usage de ces masses rongées par la rouille ? Il était impossible de le deviner. Le verre se rencontra en grande abondance, mais réduit en miettes. Tout ce qu'on put reconnaître c'est qu'il était de deux sortes, uni ou strié, blanc, et surtout d'une extrême finesse. « Nos fabriques modernes n'obtiennent rien de plus mince ni de plus délicat dans ce genre que nous nous plaisons à comparer à une mousseline légère. »

La terre cuite avait mieux résisté que le verre. Les fragments étaient trop menus pour qu'on pût reconstituer la forme des objets, mais le caractère de la fabrication et la provenance pouvaient encore être reconnus. Les débris de poteries étaient de trois sortes. D'abord des tessons d'une pâte jaunâtre présentant des traces de peinture brune et fort analogues aux vases archaïques que l'on retrouve à Corinthe, à Athènes, dans l'île de Théra, sur plusieurs autres points de la Grèce et en Étrurie.

On a souvent prétendu que la céramique grecque avait, à l'origine, subi l'influence orientale. La découverte que nous venons de rapporter est un argument de plus à l'appui de cette hypothèse.

D'autres tessons avaient appartenu à des vases grecs, sans doute importés de Sicile. Une troisième catégorie de débris n'offrait aucun point de rapprochement avec les poteries grecques ou romaines. C'était une terre d'un grain peu serré, facile à briser et d'une couleur orange tout à fait caractéristique. Fallait-il voir là des produits d'une fabrique indigène ? La preuve ne se fit pas attendre. Lorsque toutes les cendres eurent été enlevées et le sol déblayé, on remarqua que le grès avait une couleur orange exactement semblable à celle des tessons dont nous venons de parler. Entamait-on la surface ? Le grès reprenait la couleur jaune pâle qu'on lui avait reconnue sur tous les autres points. L'incendie en cuisant la terre sur une profondeur d'un centimètre environ, avait changé sa couleur. Les poteries orange étaient donc bien de fabrication carthaginoise. La preuve était faite. Pouvait-on la souhaiter à la fois plus singulière et plus concluante ?

M. Beulé recueillit avec un soin pieux tous ces monuments d'une civilisation disparue. Il y joignit des échantillons des différentes sortes de mortier rencontrées au cours de ses travaux, et une grande quantité de balles de fronde, en terre cuite très dense, et d'une forme ovale légèrement aplatie. C'étaient les seuls objets qu'on eût retrouvés intacts.

Au printemps de l'année 1859, M. Beulé revint en France. Il avait définitivement résolu le problème de l'emplacement de Byrsa, sa tâche était accomplie. Est-ce à dire que la vieille citadelle punique nous ait livré son dernier mot ? Assurément non, et M. Beulé est le premier à appeler de ses vœux de nouvelles recherches sur ce point. Il est probable que les murailles se retrouveraient sur tout le versant méridional de la colline, et qu'en les dégageant sur toute leur longueur, on pourrait compléter sur plus d'un point la connaissance que nous en possédons. De plus, quelques produits de l'industrie ou de l'art puniques, protégés au milieu du désastre général par une circonstance fortuite, viendraient peut-être jeter un peu de lumière sur la question si obscure des mœurs carthaginoises et soulever un coin du voile qui dérobe à nos regards la vie intime plus encore que l'histoire de ce peuple fameux. Mais une semblable entreprise dépassait de beaucoup les ressources d'un simple particulier, et nous ne devons pas oublier que c'est à ses frais que M. Beulé entreprit et mena à bien des recherches dont le résultat, pour modeste qu'il soit, ne lui fait pas moins le plus grand honneur.

Après avoir passé en France le temps des grandes chaleurs, M. Beulé retourna à Carthage, et l'automne le trouva occupé à explorer les ports, élément capital d'une ville maritime. L'emplacement des ports est on ne peut plus facile à reconnaître. Les recherches pouvaient donc être entreprises à coup sûr. En revanche, des difficultés de toute nature semblaient s'opposer à ce qu'elles fussent poussées plus loin qu'une simple inspection du terrain. Depuis longtemps comblés, les ports sont couverts de plantations. Le premier ministre du bey de Tunis, Sidi Mustapha, s'y est fait bâtir une maison de plaisance. Le général Khaïr-ed-din, ministre de la guerre, en possède une autre à quelque deux cents pas de là. Il fallait tout d'abord obtenir de ces deux riches propriétaires l'autorisation de bouleverser leurs jardins. Le consul général et chargé d'affaires de France, M. Léon Roches, s'y employa. La permission fut accordée à la seule condition qu'avant son départ l'explorateur français remettrait toutes choses en l'état où il les aurait trouvées. Serait-on bien sûr de trouver auprès de nos amateurs de villégiature un aussi généreux concours ?

Restaient les difficultés inhérentes à la nature même du sol : les plus sérieuses de toutes. L'endroit où les fouilles devaient être entreprises n'était séparé de la Méditerranée que par une étroite langue de sable. L'eau ne pouvait manquer de venir gêner les ouvriers dès qu'ils auraient dépassé le niveau de la mer.

« … Cependant il fallait descendre plus bas pour trouver les restes des constructions puniques, car il était vraisemblable que les Romains avaient dû tout raser au niveau de l'eau. En effet, à peine mes ouvriers eurent-ils creusé jusqu'à deux ou trois mètres de profondeur que les infiltrations jaillirent de toutes parts. Entreprenaient-ils de les épuiser par de continuels efforts, ils n'en trouvaient pas moins sous leurs pieds une fange noire, fétide, compacte, mêlée de débris méconnaissables car les pierres de tuf étaient elles-mêmes comme pourries ; la pioche et la bêche restaient prises dans cet affreux mélange, les paniers de jonc, bientôt déformés et déchirés ne pouvaient plus servir au transport. À chaque coup l'eau et les taches volaient au visage de mes pauvres Arabes et sur leurs blancs burnous qu'ils n'osaient quitter de peur de la fièvre ; jamais pourtant leur patience et leur douceur ne se démentirent. Après divers essais, voici le système que j'adoptai. Au lieu d'épuiser l'eau qui envahissait les tranchées, on laissait son niveau s'établir ; ce niveau était presque toujours celui des constructions carthaginoises quand elles avaient été seulement rasées et quand les colons romains ne les avaient pas, plus tard, détruites à plaisir. Quelquefois ces constructions étaient à trente ou quarante centimètres au-dessous de l'eau. Mes Arabes suivaient sous l'eau les murs, ils les tâtaient avec leurs pieds nus, s'y tenaient établis et retiraient la fange à droite et à gauche afin de les bien dégager. Quand une longueur suffisante était nettoyée, ils abandonnaient la tranchée et allaient en faire une autre à quelques pas plus loin.

Le lendemain, la vase s'était déposée, l'eau était redevenue limpide, les murs se voyaient clairement avec leur appareil, il était facile de les dessiner et de les mesurer avec précision. Dès que j'avais relevé un ensemble et raccordé mes dessins, on comblait les trous afin de ne point multiplier les foyers d'infection. La mort du comte Camille Borgia, qui avait respiré des miasmes mortels en étudiant les ports de Carthage, me servait d'avertissement. »

C'est en procédant de la sorte que M. Beulé put relever avec exactitude le plan des ports. Arrêtant ses fouilles à une aussi petite profondeur, il est à peine besoin de dire que les ruines qu'il rencontrait étaient d'époque romaine. Les détails relevés appartenaient donc au port romain. Mais ce port romain ainsi restitué répondait si bien aux descriptions du port carthaginois laissées par les auteurs anciens, qu'il est évident que les vainqueurs s'étaient contentés de réparer ou de remplacer les anciens quais, mais sans rien changer à la forme primitive de l'œuvre. Quelques traces de constructions puniques retrouvées çà et là ne firent que confirmer cette hypothèse.

Après avoir recueilli avec soin quelques rares débris de sculptures et de moulures trouvés au cours des fouilles et qu'il avait tout lieu de considérer comme remontant au temps de l'indépendance de Carthage, M. Beulé fit combler sa dernière tranchée. Il éprouvait bien quelque regret de ne pouvoir laisser au jour les ruines découvertes par lui. Mais il s'était engagé à remettre toutes choses en l'état où il les avait trouvées. D'ailleurs, laisser ces ruines apparentes, c'était les vouer à une destruction prompte et certaine. Il n'avait plus rien retrouvé, à son retour de France, des murailles puniques qu'il avait dégagées quelques mois auparavant. Malgré la défense du bey de Tunis, malgré la surveillance du gardien de Saint-Louis, les Arabes et les Maltais étaient venus et, sous forme de moellons ou de pierres de taille, les murailles avaient pris à leur tour le chemin suivi par toutes les ruines que la terre ne défend pas suffisamment contre l'avidité des trafiquants.

Tous ces travaux avaient coûté fort cher. Les résultats étaient remarquables. Cependant M. Beulé ne considéra pas sa tâche comme achevée. Les tombeaux sont d'ordinaire les œuvres les plus durables des civilisations disparues. C'est dans la demeure des morts qu'on trouve souvent les plus vivantes traces des religions et des mœurs oubliées. C'est du fond des tombeaux que sont sortis la plupart des objets qui nous ont fait connaître d'une manière si précise l'Égypte et tant d'autres pays anciens.

M. Beulé ne voulut pas quitter Carthage sans avoir exploré sa nécropole. Elle se trouve près du village actuel de Qamart, sur le versant d'une colline. Les sépultures des anciens étaient bien plus exposées à être violées que ne le sont les nôtres, à cause de l'usage où on était d'ensevelir avec le cadavre divers objets précieux. Une forte muraille, coupant l'isthme qui rattache la presqu'île de Carthage à la terre ferme, mettait la nécropole punique à l'abri des profanations de l'ennemi.

Ports de Carthage

L'attachement aux tombeaux des ancêtres est un trait commun à presque tous les peuples de l'antiquité. La Bible témoigne en maint endroit de la vivacité de ce sentiment chez les Hébreux. Lorsque le consul Censorius ordonne aux Carthaginois vaincus de raser leur ville et de la rebâtir à dix lieues dans l'intérieur des terres, un des députés, Bannon, surnommé Tigillas, lui répond qu'il est moins cruel d'exterminer un peuple que de lui faire abandonner ses temples et ses tombeaux. Cependant nous ne trouvons pas ici entre les morts et les vivants ce commerce quotidien, cette familiarité respectueuse, caractéristique des civilisations égyptienne, grecque et romaine. Chez les Sémites, les tombeaux sont considérés comme quelque chose d'impur. La *Mischna* défend d'ensevelir un mort à moins de cinquante coudées d'une ville quelconque. Cette distance était portée à deux mille coudées pour les villes lévitiques.

Les Carthaginois partageaient-ils les préjugés des Hébreux à l'égard des morts ? Aucun texte ne nous permet de l'affirmer ; il est cependant permis de le croire. La nécropole punique se trouve à la pointe la plus reculée de la presqu'île, sur le versant extérieur du Djebel-Khawi, en sorte que les tombes ne pouvaient être aperçues d'aucun point de la ville. Peut-être trouvera-t-on cet indice bien faible ; mais en le rapprochant de la conformité presque parfaite qui existe entre les caveaux funéraires de Carthage et ceux qu'on a découverts en Judée, on pourra, croyons-nous, admettre au moins comme une hypothèse plausible, que les Phéniciens, sur ce point, pensaient comme les Hébreux. Le Carthaginois désirait ardemment reposer un jour dans le caveau de famille, à côté de ses ancêtres morts ; mais tant qu'il était vivant il ne tenait pas à les coudoyer de trop près.

Lorsqu'on a gravi la pente du Djebel-Khawi, on découvre, sur la gauche, Tunis avec ses maisons blanches et son lac. En face, le lac de Soukra et le golfe d'Utique. À droite la mer. Aux pieds de la montagne et jusqu'au village de Qamart coquettement caché dans un bouquet de palmiers, s'étend la nécropole.

Aucun monument ne marque plus aujourd'hui l'emplacement des tombeaux.

M. Beulé en découvrit et en déblaya plusieurs et put se rendre un compte exact de l'état habituel des tombes carthaginoises. Elles étaient creusées dans un calcaire très vif. De même que le sol de certaines cryptes de Bordeaux ou de Palerme, cette pierre desséchait promptement les corps. Ces tombes étaient de véritables sarcophages, au sens étymologique du mot : *elles dévoraient les cadavres.*

Pour établir leurs sépultures, les Carthaginois aplanissaient d'abord la surface du rocher en ménageant une pente légère pour faciliter l'écoulement des eaux. Souvent ils enduisaient d'une couche de mortier bien battu l'espace ainsi nivelé. On perçait alors dans le roc une ouverture suffisante pour y établir un escalier. À une profondeur convenable, les ouvriers creusaient une salle rectangulaire soutenue, suivant sa grandeur, par une ou plusieurs arcades. Dans les parois de cette salle étaient pratiquées un certain nombre de niches, *de fours à cercueil*, pour employer l'expression pittoresque de M. de Saulcy, assez grandes pour recevoir le corps d'un homme. Une inscription funéraire, probablement en métal était scellée au-dessus de chaque niche. Le nombre de ces niches est variable, mais elles sont toujours disposées de la même manière autour de la salle principale. L'intérieur était revêtu de stuc blanc, sauf les fours à cercueil où le calcaire était laissé à nu. Un enduit eût neutralisé ses propriétés absorbantes. Une dalle énorme fermait la porte du caveau.

Toutes ces tombes ont été violées, probablement par les soldats romains ; et tous les objets qu'elles renfermaient ont disparu. À peine retrouve-t-on çà et là quelques poteries grossières et de rares ossements. Aujourd'hui la plupart des chambres funéraires communiquent entre elles : les dévastateurs ont trouvé plus commode d'enfoncer une mince cloison de pierre que de remonter à la surface pour chercher l'entrée du caveau voisin. Pendant tout le Moyen Âge ces dévastations ont continué et chaque jour voit encore disparaître quelqu'une de ces antiques sépultures. « Quelquefois, dit M. Beulé, je m'arrêtais devant un Arabe qui détruisait un tombeau pour faire de la chaux. Je lui disais que ceux dont il violait le dernier asile étaient de la même race que lui, peut-être ses ancêtres. Il s'arrêtait, me regardait indécis, réfléchissait, puis me demandait si *ces pères de ses pères* connaissaient Mahomet et le vrai Dieu. Quand j'avais reconnu qu'ils ne les connaissaient pas, il faisait entendre une exclamation gutturale, reprenait sa pioche et continuait, d'un cœur tranquille, son œuvre de destruction. »

Lorsque M. Beulé exécuta ses premières fouilles, un autre savant était déjà occupé à explorer pour le compte du gouvernement anglais les ruines de Carthage. Sa mission était terminée lorsque M. Beulé revint pour la seconde fois sur la côte d'Afrique. Malgré cela, c'est seulement en 1861 que le docteur Davis publia le résultat de ses travaux. Il semble qu'un volume de plus de 600 pages doive renfermer à peu près tout ce que l'on sait sur la vieille ville punique. On aurait tort de le croire. Le livre du docteur Davis est l'œuvre d'un touriste autant que d'un archéologue.

Après un long chapitre dont le but est d'identifier Carthage avec la ville de Tarshish dont parlent les Saintes Écritures, vient un long récit de l'histoire et de la chute de Carthage d'après Virgile et les autres auteurs de l'antiquité. Enfin nous arrivons aux fouilles. Mais le but de M. Davis n'est pas tant d'étudier les ruines, que de trouver des objets faciles à emporter et propres à enrichir les collections du British Museum. Aussi ne s'attache-t-il pas à décrire bien minutieusement les monuments qu'il rencontre.

En revanche, il nous raconte avec humour les péripéties de cette chasse aux inscriptions et aux mosaïques à laquelle il s'est livré pendant de longs mois. Ici c'est son entrevue avec le bey ; là le récit comique de ses efforts pour éviter le contact de certain marabout aux vêtements sordides qui s'était pris d'amitié pour l'étranger. Le docteur Davis change de place pour s'éloigner un peu de son hôte. Aussitôt le saint homme se lève et revient imperturbablement s'asseoir à ses côtés, en sorte qu'à chaque visite les deux interlocuteurs, l'un fuyant, l'autre le poursuivant, font de siège en siège deux ou trois fois le tour de la chambre.

Plus loin, le docteur nous fait part de l'accès de gaieté que lui causa un jour l'un de ses ouvriers en venant avec une gravité toute musulmane, lui demander s'il était vrai qu'il eût la faculté d'être en même temps dans plusieurs endroits différents, et de se promener à cheval dans l'atmosphère. Un vaisseau anglais vient-il à faire escale à Tunis pour emporter à Londres les antiquités découvertes ? M. Davis nous raconte la promenade à travers les fouilles faite avec les officiers du bord, sans oublier le succulent dîner qui les attendait au retour et qu'on avait fait dresser dans une salle antique récemment déblayée.

Il ne faudrait pas croire d'après ce qui précède, que le livre du savant anglais ne soit qu'un livre amusant. S'il est d'une lecture agréable, la science y a sa large part. Le docteur Davis n'a peut-être pas toujours apporté aux monuments qu'il découvrait toute l'attention désirable. Il n'en a pas moins consacré aux restes d'architecture antique de longues pages où il critique avec une grande vivacité les travaux et les opinions de ses devanciers. Pour lui les découvertes de M. Beulé ne sont rien moins que les fortifications de Byrsa ; l'aqueduc regardé jusque-là comme une construction romaine est l'œuvre des Phéniciens et ainsi de suite. Il nous est impossible d'entrer ici dans la discussion des arguments sur lesquels se fonde une opinion si nouvelle. Nous ne pouvons que renvoyer au livre de M. Davis ceux de nos lecteurs qui seraient curieux d'approfondir ces questions.

Dans ces dernières années un nouvel explorateur français, M. de Sainte-Marie, a étudié les ruines de Carthage. On peut voir à la Bibliothèque Nationale la belle collection d'inscriptions puniques découvertes par lui et qui, rapportée en France par le *Magenta*, a si heureusement échappé au désastre de ce vaisseau.

Nous en avons fini avec les principaux travaux dont Carthage a été l'objet. Essayons maintenant, d'après les textes anciens et les études modernes, de nous faire une idée de ce qu'était au temps de sa splendeur et de son indépendance la grande cité phénicienne.

Conclure de l'identité du nom à l'identité de la chose signifiée, est une erreur des plus communes et que n'a pas toujours su éviter plus d'un savant de profession.

Si nous nous figurions la capitale des Phéniciens d'Afrique comme quelque chose d'analogue à notre Paris moderne, nous nous tromperions lourdement. Des rues étroites et tortueuses aboutissant aux principaux édifices et aux portes de la ville ; d'innombrables impasses irrégulièrement disposées le long de ces grandes artères ; des maisons bâties un peu au hasard, telles étaient la plupart des villes de l'antiquité, telle était Carthage, telles sont encore aujourd'hui beaucoup de villes de l'Orient.

Les maisons carthaginoises étaient fort élevées, elles avaient jusqu'à six étages. De leur disposition intérieure nous ne savons rien, mais elles étaient terminées par des terrasses et du haut en bas badigeonnées avec du goudron. Que les murs aient été ensuite blanchis à la chaux, c'est ce qu'on peut affirmer sans crainte de se tromper. Le blanc réfracte la chaleur, le noir l'absorbe. Des maisons seulement goudronnées, sous le ciel brûlant de l'Afrique, auraient été parfaitement inhabitables. Nous avons d'ailleurs de l'usage de blanchir les maisons une preuve qui pour être indirecte n'en est pas moins concluante. Diodore de Sicile nous apprend que dans les grandes calamités publiques on tendait de noir non seulement les maisons, mais encore les remparts de la ville. Est-il probable qu'on eut pris cette peine si les murs avaient eu habituellement à peu près la couleur de la suie ?

Les rues étaient dallées et d'une largeur variable. Nul alignement n'étant imposé aux propriétaires, les deux rangs de maisons qui les bordaient s'écartaient et se rapprochaient tour à tour au point parfois de laisser à peine entre elles l'espace nécessaire au passage d'un chariot.

La topographie intérieure de Carthage nous est à peu près complètement inconnue. Des nombreux édifices qui embellissaient la ville, on connaît à peine le nom, les Romains n'ayant pas jugé à propos de laisser une description des monuments qu'ils détruisaient.

Le temple d'Esmum était situé précisément à l'endroit où s'élève aujourd'hui la chapelle de Saint-Louis ; au nord-est de Byrsa se voient encore les fondations supposées du palais de Didon ; entre Byrsa et la mer se trouvait le forum, grande place de forme rectangulaire, au dire de Diodore, et où se tenaient les assemblées. Le temple de Junon Céleste s'élevait sur une colline située en face de la colline de Saint-Louis.

Mais à quoi bon continuer cette énumération d'édifices sur lesquels manque toute donnée précise ? D'une manière générale, les plus anciennes constructions puniques étaient faites en blocage. Ce n'est que plus tard que l'usage de la pierre de taille devint fréquent dans les grands édifices. La prédilection pour les formes arrondies est un des caractères de l'architecture des Phéniciens. Les salles de leurs maisons ou de leurs palais sont généralement rondes ou ovales. Se trouve-t-il dans de très grands édifices une salle oblongue, les deux extrémités en sont arrondies. Les voûtes phéniciennes, bâties en blocage, sans claveaux, à la différence des voûtes romaines, sont ou des coupoles ou des voûtes en berceau ; mais dans ce cas, pour peu qu'elles soient de grande dimension, les angles en sont largement arrondis et le plus souvent elles se terminent en cul-de-four. Bref il semble qu'en toutes choses les architectes phéniciens aient eu horreur des angles et des lignes droites.

« J'ai pu remarquer aussi, dit M. Daux, dans les bâtisses quelconques les plus anciennes, que le nombre trois, prenant sans doute son origine dans une idée mystique, est observé en tout : trois salles, par exemple ; une salle longue divisée en trois demi-circonférences ; dans le décor trois moulures, ou mieux une moulure triple, trois boudins ; sur les stèles votives, trois doigts, trois unités jointes en bas, ou bien trois fois ces trois unités répétées ; les figures symboliques sont toujours disposées de façon à former trois saillies, trois extrémités. »

L'extérieur des monuments est rarement orné de moulures ; dans les très grands édifices seulement, sur le parement en pierre de taille, on trouve parfois un boudin taillé grossièrement et au-dessus duquel le mur forme un retrait de sept à huit centimètres. À l'extérieur les murs étaient revêtus de plaques de marbre de diverses couleurs, sciées au moyen d'un fil métallique amorcé avec un mordant quelconque, puis dressées à la meule et polies. Il est très probable que les métaux étaient également employés à cet usage. Les lambris de bois, les tentures d'étoffes étaient encore plus communs. Le sol était couvert de mosaïques souvent d'une extrême finesse et d'une exquise beauté. L'intérieur des édifices religieux était enduit d'un stuc peint en ocre jaune, sur lequel se profilaient parfois des moulures d'un profil mou et indécis.

Ceci n'est vrai que des édifices les plus anciens et de ceux qui furent bâtis plus tard conformément aux usages phéniciens. Un grand nombre d'autres, bâtis par des architectes étrangers, surtout par des esclaves grecs de Sicile, présentent la plus grande analogie avec les monuments de l'art gréco-romain. On peut citer comme exemple la décoration ionique de l'un des ports de Carthage que nous allons étudier maintenant.

« Les ports de Carthage, dit Appien, étaient disposés de telle sorte, que les navires passaient de l'un dans l'autre ; du côté de la mer ils n'avaient qu'une seule entrée, large de soixante et dix pieds, qui se fermait avec des chaînes de fer.

Le premier port, destiné aux bâtiments marchands, était garni d'amarres nombreuses et variées. Au milieu du second était une île entourée de grands quais, de même que les bords opposés du bassin. Les quais présentaient une série de cales qui pouvaient contenir deux cent vingt vaisseaux. Au-dessus des cales, on avait construit des magasins pour les agrès. En avant de chaque cale s'élevaient deux colonnes d'ordre ionique qui donnaient à la circonférence du port et de l'île l'aspect d'un portique.

Dans l'île on a construit pour l'amiral un pavillon d'où partaient les signaux de la trompette, les ordres transmis par le héraut et d'où l'amiral exerçait sa surveillance. L'île était située vers le goulet et s'élevait sensiblement, afin que l'amiral vît tout ce qui se passait au large, sans que les navigateurs pussent distinguer ce qui se faisait dans l'intérieur du port. Les marchands mêmes qui trouvaient un abri dans le premier bassin, ne voyaient point les arsenaux du second ; une double muraille les en séparait et une entrée particulière leur donnait accès dans la ville sans passer par le port militaire. »

À ce passage d'Appien, se réduit à peu près tout ce que nous savons de certain sur les ports de Carthage, MM. Jal et Daux ayant démontré que la restauration proposée par M. Beulé à la suite de ses fouilles est inacceptable.

Mais toutes les villes phéniciennes du nord de l'Afrique avaient un port. Plusieurs de ces villes ont été étudiées, l'une surtout, toute voisine de Carthage et dont les monuments sont dans un état relativement bon de conservation, a été il y a quelques années de la part d'un savant français, l'objet de recherches approfondies. M. Daux a pu entre autres choses nous donner une restauration complète et certaine du port d'Utique. Or, comme le remarque fort bien cet auteur, les mêmes mœurs et les mêmes habitudes, sous un même climat, produisent, chez tous les peuples et dans tous les temps, une grande similitude dans la disposition des édifices. D'ailleurs, pour tous les ports puniques que M. Daux a pu étudier, il a constamment retrouvé, sauf des différences de détail, la même disposition. Est-il probable que seul le port de Carthage se soit écarté de cette forme traditionnelle ?

À défaut de renseignements directs, nous croyons donc qu'une description du port d'Utique, pourra aider le lecteur à se faire une idée, au moins approximative, de ce qu'était le port de Carthage. Sans doute il n'y avait pas entre les deux identités parfaites, mais nous ne croyons pas que dans leurs lignes générales ils aient beaucoup différé l'un de l'autre, de même que tous les ports phéniciens étudiés jusqu'à ce jour.

Le port d'Utique avait la forme d'un rectangle à angles largement arrondis. Au milieu, s'élevait le palais de l'amiral, relié à la terre ferme par une étroite langue de terre. « Des trois côtés de ce bassin, à gauche, à droite et au fond, s'élevaient, sur des quais à fleur d'eau, deux rangées ou, pour mieux dire, une double rangée de cales, ou magasins, superposées en retraite l'une sur l'autre ; le dessus des rangées inférieures, disposé en terrasses plates et dallées, formait également un quai à peu près au niveau des bas quartiers de la ville. La hauteur était de 7^m,20 pour la rangée ou étage inférieur ; l'étage supérieur pouvait avoir de 5^m,50 à 6 mètres. » Tout cela était bâti en blocage ; mais les murs de refend, c'est-à-dire les murs qui séparaient chaque cale de la cale voisine, étaient pourvus à leur partie antérieure d'un parement en pierre de taille, « formant une sorte de pilastre uni, sans saillie ni moulure. De sorte que, vu d'ensemble, l'aspect, dans le développement de la longueur en façade, devait présenter comme un seul mur en pierre de taille, uni et plat, évidé régulièrement par les ouvertures des voûtes et les baies des portes des cales. »

En face de la langue de terre ou tænia conduisant au palais amiral et sur une largeur de 41 mètres, il n'y avait ni cales ni magasins, mais seulement un massif de maçonnerie, s'élevant jusqu'à la hauteur du quai supérieur et dans l'épaisseur duquel était pratiqué un large escalier donnant accès à la tænia.

Entre le quai supérieur et la grande muraille qui défendait le port se trouvaient, entre les doubles rangées de cales et derrière elles d'autres grandes salles et des logements. Aux angles est et sud-ouest se trouvaient deux édifices paraissant avoir été des temples, et dont l'un était orné de colonnes dont les débris gisent encore sur le sol. Au sud-ouest, derrière les magasins, étaient des chantiers et des ateliers bâtis sur des citernes. Des bassins, servant sans doute au radoub, se trouvaient aussi de ce côté.

Une belle porte monumentale, décorée de colonnes, donnait issue de l'arsenal sur la campagne.

Les files de magasins qui s'étendaient à droite et à gauche du port s'appuyaient, du côté de la mer, sur un fort. L'un de ces forts richement orné de sculptures à l'intérieur, était en même temps un temple. Entre ce temple et deux autres forts reliés par une courtine qui s'élevaient sur un îlot à 25 mètres de là, se trouvait l'entrée du port. Un môle puissant, à angles courbes, achevait d'enclore le port du côté du nord-ouest.

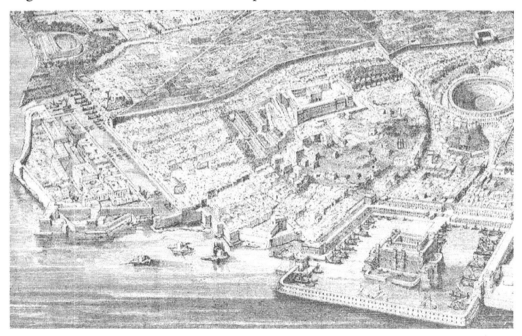

Utique

Il nous reste à parler du palais de l'amiral. « Il se composait d'un corps de logis principal flanqué de six tours rondes et de quatre bastions ou forts latéraux.

Le corps principal, vaste parallélogramme irrégulier, portait une tour ronde à chaque angle extérieur. Le centre était une tour rectangulaire sur laquelle donnaient toutes les baies de portes et de fenêtres des différentes salles de l'édifice. Tout autour de l'intérieur de cette cour régnait une galerie à piliers supportant deux étages de voûtes.

Au nord du palais, une grande porte surmontée d'un large balcon, et protégée par deux tours engagées, pareilles à celles des angles extérieurs, s'ouvrait sur un bassin réservé à l'amiral ou au service maritime, enclavé dans le port, avec lequel il communiquait.

À l'opposé, au sud, une avant-cour précédée d'une haute porte fortifiée et appuyée sur deux tours rondes semblables aux autres, était protégée par des murs crénelés et engagés dans la façade du palais. De cette porte on débouchait sur un embarcadère large et aboutissant à un terre-plein, langue de terre, ou tænia, qui établissait une communication entre le palais, le fond du port et la ville.

À l'est et à l'ouest du palais, deux forts bastions aux angles arrondis extérieurement comme ceux du port l'étaient intérieurement, faisaient annexe à l'édifice. Ces deux bastions se composaient d'une large courtine à trois faces, portée en dedans sur voûte et piliers. Une cour faisait le centre. Sur la courtine ou plate-forme crénelée autour, étaient sans doute les machines de guerre.

Deux fortins carrés, têtes de môles, un peu moins élevés, précédaient les bastions du côté de la haute mer, et de leur face antérieure partait le petit môle qui isolait le bassin réservé de l'amiral.

Le pied des gros murs, tant de l'édifice principal que des dépendances, était séparé de l'Euripe par un quai continu, au sud-est et à l'ouest, recouvrant des séries de citernes parallèles. »

Les salles qui se trouvaient dans les angles du palais étaient rondes et voûtées en coupole. Les autres salles étaient rectangulaires, arrondies aux angles et voûtées en berceau terminé par deux culs-de-four. Les salles étaient dallées. Des escaliers en spirale, pratiqués dans les tours ou dans l'épaisseur des murs donnaient accès aux étages supérieurs.

« L'aspect d'ensemble de ce monument, dit M. Daux, devait être très sévère. C'était en réalité une forteresse plutôt qu'un palais. On voit que la préoccupation dominante de ceux qui l'avaient édifié avait eu pour objet une solidité à toute épreuve alliée à tous les moyens de défense que le génie des fortifications des temps antiques avait pu suggérer. Les murs extérieurs, en effet, étaient d'une grande force de résistance, surtout dans le bas au-dessus des eaux, là où un bélier d'attaque, installé sur des navires ou radeaux ennemis joints ensemble, aurait pu les battre en brèche. Le vide des cages d'escaliers, si exigu déjà, est en vertu de ce principe et par surcroît de précaution, tout à fait nul en bas, car là ils prennent issue par la cour intérieure, traversant les massifs qui séparent les salles, et ne se rapprochant des murs extérieurs que vers le haut, hors de toute atteinte des béliers. La grande élévation des murailles en rendait l'escalade dangereuse et difficile : dangereuse parce que les assaillants se trouvaient de tous côtés exposés au tir des créneaux, qui les prenait dessus, devant et en face, et du saillant des tours, qui les découvrait de flanc ; difficile, par la raison que le pied des échelles ne pouvait être que sur des navires que la mobilité de l'eau rendait instables. De plus, ces murs extérieurs n'offraient pas de prise par les baies de fenêtres, les salles prenant leur jour par la cour intérieure.

Cette vaste construction, massive et sévère ; ce rare et presque sauvage décor architectural ; ces grandes salles nues, à peine éclairées par un jour parcimonieux, à l'aspect sombre et imposant, sous les voûtes desquelles la voix devait être retentissante ; ce manque complet de tout marbre, de tout stucage, de toute répartition dont les détails facilitent la vie et adoucissent le travail quotidien ; tout cet ensemble fait évidemment remonter la fondation de ce monument à une haute antiquité, quelques siècles sans doute avant celui de Carthage, qui, lui-même, existait déjà, d'après des documents certains, il y a vingt-trois siècles.

Telles, ou à peu près, devaient être ces places fortes, ces châteaux, dont il est parlé dans la Bible, au temps où le peuple élu pénétrait en masse et le glaive en main sur la terre promise par le Seigneur, sous la conduite de son audacieux chef, Jésu ou Josué, quatorze siècles avant notre ère. »

Nous ne quitterons pas Utique sans mentionner un petit édifice que M. Baux a retrouvé et qu'il suppose avoir peut-être servi autrefois aux « transmissions télégraphiques. » Cette hypothèse n'est pas aussi extraordinaire qu'elle pourrait le paraître à quelques lecteurs. Si ces appareils qui, à l'aide de l'électricité, transmettent instantanément à d'énormes distances, non seulement de courtes indications, mais jusqu'aux discours politiques qui occupent plusieurs colonnes de nos journaux, sont d'invention toute récente ; en revanche, l'art de transmettre la pensée à distance au moyen de divers signaux remonte à une haute antiquité.

Polybe décrit avec détail, le système de transmission télégraphique le plus parfait à ses yeux, système inventé par Cléoxène et Démoclite, puis perfectionné par les Romains.

Les lettres de l'alphabet étaient réparties en cinq classes et inscrites sur autant de tablettes dont les quatre premières recevaient chacune cinq lettres, et la cinquième quatre seulement. Voulait-on correspondre ? au-dessus d'une palissade à hauteur d'homme, et jouant le rôle d'écran, on élevait deux fanaux. Le préposé à la station suivante en élevait deux de son côté, pour montrer qu'il était prêt à correspondre. On élevait alors au-dessus de la palissade de la station de départ et du côté gauche, un, deux ou cinq fanaux, suivant que la première lettre du premier mot qu'on voulait transmettre se trouvait sur la première, sur la seconde ou sur la cinquième tablette. Simultanément, on élevait du côté droit un nombre de fanaux indiquant le rang que cette lettre occupait sur la tablette. Chaque lettre ainsi transmise était au fur et à mesure inscrite sur une tablette, et pour peu que les hommes préposés à ce service fussent attentifs et exercés, on pouvait ainsi correspondre avec exactitude, et avec une rapidité relative. Les postes étaient naturellement placés sur des points élevés, et deux lunettes jumelles, au moyen desquelles on visait d'une station les fanaux de l'autre, permettaient de les placer à de grandes distances l'un de l'autre.

En ce qui regarde spécialement Carthage, nous avons un texte précis prouvant que ces signaux télégraphiques étaient connus et employés au quatrième siècle de notre ère.

« Pendant qu'ils faisaient la guerre en Sicile, dit Polybe (VI, 16), les Carthaginois s'avisèrent, pour avoir promptement toutes sortes de secours de la Libye, de fabriquer deux horloges d'eau de pareille structure. La hauteur de chacune était divisée en plusieurs cercles. Sur l'un ils avaient écrit : Il faut de l'or, des machines, des vivres, des bêtes de somme, de l'infanterie, de la cavalerie, etc.

De ces deux horloges d'eau ainsi marquées, ils en gardèrent une en Sicile et envoyèrent l'autre à Carthage, avec ordre, quand on verrait un feu allumé, de prendre bien garde au cercle où s'arrêterait l'eau quand on allumerait le second feu. Par ce moyen, on savait à Carthage, en un instant, ce qu'on demandait en Sicile, et on l'envoyait sur-le-champ.

C'est ainsi que les Phéniciens vinrent à bout d'avoir très promptement tous les secours dont ils avaient besoin pour soutenir la guerre. »

Mais revenons à la description de Carthage et occupons-nous de ses fortifications, qu'il nous reste maintenant à étudier.

Selon Appien, Carthage était défendue par trois murs identiques, placés à une certaine distance l'un de l'autre et mesurant 9 mètres d'épaisseur, sur près de 14 mètres de haut sous les créneaux : À l'intérieur de chacun des trois murs, qui étaient creux et à deux étages, on trouvait, selon notre auteur, le logement : 1° de 300 éléphants et, au-dessus d'eux, 2° de 4 000 chevaux, 3° de 24 000 hommes ; ce qui faisait en tout, à notre compte, pour les trois murs, 900 éléphants, 12 000 chevaux et 72 000 hommes.

En outre, on y avait ménagé de vastes magasins contenant une grande quantité de vivres pour ces nombreux éléphants, des fourrages et de l'orge pour toute cette cavalerie. Ces renseignements assez fantastiques ont été de nos jours révoqués en doute par des arguments qui semblent sans réplique :

« Je suppose, dit M. Graux, qu'Appien loge les éléphants au rez-de-chaussée. Quant aux chevaux, il n'y a pas à dire, et le texte est formel, il les fait monter, ainsi que les hommes, au premier étage. À raison de deux étages dans une hauteur de 14 mètres, le niveau du premier serait à 7 mètres d'élévation au-dessus du sol. Voilà des chevaux bien haut perchés ! Et comment expliquera-t-on – si la triple muraille règne sur plusieurs côtés de la ville, – que trois enceintes concentriques successives fussent égales entre elles en longueur et, à épaisseur constante, égales en superficie ? Il faut être logique : si la plus intérieure est capable de contenir un nombre donné d'éléphants, de chevaux et d'hommes, la seconde et surtout la plus extérieure des enceintes, à épaisseur et à hauteur égales, en contiendront davantage. Mais Appien n'a pas songé à tout cela. »

Le système des trois murs identiques est inacceptable. Mais l'épithète de « triple » donnée par les auteurs aux fortifications de Carthage devait répondre à quelque chose. Cherchons à nous en rendre compte. Et tout d'abord, quel était ce système adopté par les anciens pour la fortification de leur ville ? Un ingénieur grec, le seul dont les œuvres soient venues jusqu'à nous, Philon de Byzance, va nous permettre de répondre à cette question.

À une assez grande distance du rempart principal, dans une zone large de plus de 160 mètres, on enfouissait des poteries vides, posées debout, et bouchées seulement avec des algues. Le terrain ainsi miné supportait aisément le poids des hommes, mais il s'effondrait sous celui des machines de guerre. L'ennemi se trouvait ainsi retenu à une grande distance, pendant un temps plus ou moins long.

Cette difficulté surmontée, il arrivait à un premier fossé derrière lequel s'élevait une levée de terre et une palissade. Cette première ligne prise d'assaut, le fossé comblé et le terrain nivelé pour que les machines de guerre pussent approcher, les assaillants se trouvaient en face d'une seconde ligne de fortifications exactement semblable ; et tout était à recommencer.

Ce n'était pas tout encore. Un nouveau fossé s'ouvrait à 40 coudées en arrière ; derrière ce fossé, une nouvelle levée de terre, mais revêtue cette fois de parements en maçonnerie, et constituant ce qu'en termes de fortification on nomme un avant-mur ; à un plèthre (30 mètres environ) en arrière et dominant le tout, s'élevait le rempart proprement dit.

Telles étaient dans leurs lignes générales les fortifications de Carthage ; la comparaison avec d'autres colonies phéniciennes où ces divers ouvrages sont encore visibles, et plusieurs autres arguments le prouvent assez. Nous ne pouvons les exposer ici. On les trouvera tout au long dans le savant et intéressant mémoire de M. Graux, auquel sont empruntés tous les détails qui précèdent et ceux qui vont suivre. Remarquons seulement que le rempart, l'avant-mur et les défenses extérieures constituent bien un triple rempart.

Arrivons au mur proprement dit. Nous n'avons que peu de choses à en dire. Ce mur, nous le savons déjà, était creux. Au rez-de-chaussée se trouvaient les écuries des éléphants et très probablement aussi, en dépit d'Appien, celles des chevaux. Les logements de la garnison et les magasins occupaient les deux étages supérieurs. Un parapet crénelé et un toit couronnaient l'édifice. Au-dessous on avait creusé des citernes. Ce sont ces citernes que M. Beulé déblaya et qu'il prit pour les chambres de la garnison.

L'existence de ces citernes sous les fortifications de Carthage n'a rien qui doive surprendre ; on en a retrouvé de semblables sous les murs des autres villes phéniciennes de l'Afrique septentrionale. Tous les édifices puniques, monuments publics ou maisons particulières, étaient de même bâtis sur des citernes. Les rues de Carthage, nous l'avons déjà dit, étaient dallées. Ce n'était pas dans un but de propreté ou de luxe que les Phéniciens, si négligents en matière de voirie, avaient adopté pour leurs chaussées un revêtement aussi coûteux. Ces dalles empêchaient l'eau des pluies de se perdre dans le sol et la conduisaient par divers canaux dans d'immenses réservoirs publics creusés sur plusieurs points de la ville. Recueillir et conserver l'eau des pluies, était en effet pour les Carthaginois une question de vie ou de mort.

Jusqu'au jour où un aqueduc fut construit, l'eau des pluies, conservée dans des citernes dut suffire à leurs besoins, et ce n'est pas un de nos moindres étonnements de voir qu'une ville de cette importance se soit développée loin de tout cours d'eau.

Ce qui nous semblerait aujourd'hui un obstacle à peu près insurmontable ne paraît pas avoir jamais arrêté les Phéniciens lorsqu'ils choisissaient l'emplacement d'une de leurs colonies ; beaucoup de leurs villes se trouvaient dans la même situation que Carthage. « Les habitants, dit Strabon, en parlant de la ville d'Arad, boivent de l'eau de pluie conservée dans des citernes ou de l'eau qu'on fait venir de la côte opposée. » Une source jaillissait à peu de distance au fond de la mer. En cas de besoin des plongeurs descendaient une cloche de plomb qu'ils appliquaient sur l'orifice de la source, et un tuyau de cuir amenait l'eau douce à la surface. Tyr n'avait même pas cette ressource. Que l'eau des citernes vînt à s'épuiser, la partie insulaire de la ville n'avait qu'un moyen de se procurer l'eau : c'était de la faire apporter dans des barques qui l'allaient chercher au continent.

Toutes les citernes, puniques ou romaines, sont bâties d'après un même principe. Diviser la masse de l'eau de manière à pouvoir nettoyer les réservoirs sans interrompre le service, tel est le but que se proposaient les architectes qui les construisaient.

Les citernes puniques se composent invariablement d'une et souvent de deux rangées de longs bassins parallèles, à parois très épaisses et voûtes en berceau plein cintre, le tout en blocage. Celles de Carthage, d'Utique, d'Hadrumète et de bien d'autres villes, forment un vaste parallélogramme. Des galeries couvertes, qui s'élevaient jadis au-dessus du sol, abritaient contre les ardeurs du soleil les habitants qui venaient journellement en ce lieu puiser l'eau nécessaire à leur consommation. Elles augmentaient aussi la fraîcheur des eaux sous les voûtes inférieures.

CITERNES DE CARTHAGE

Les citernes de Carthage offraient ceci de particulier qu'aux quatre angles du parallélogramme, ainsi qu'au milieu, se trouvaient six filtres circulaires recouverts par autant de coupoles « dont l'effet gracieux rompait à l'œil la monotone uniformité des extrados de voûtes en berceau. » Du fond de ces filtres partaient des conduits en maçonnerie qui distribuaient l'eau sur des différents points de la ville. Des robinets en métal, ou, à une époque plus ancienne, en pierre de taille, permettaient d'interrompre et de rétablir à volonté le cours de l'eau.

Toutes les citernes n'étaient pas aussi vastes ni conçues sur un plan aussi compliqué. Celles notamment que les Carthaginois établissaient dans leurs propriétés rurales, avaient une forme beaucoup plus simple bien que tout aussi caractéristique. M. Daux a eu le bonheur de retrouver une de celles-ci à peu près intacte. Elle se composait de deux bassins ronds, creusés l'un à côté de l'autre au milieu d'une plaine. Nulle voûte ne les couvrait. Le plus grand de ces deux bassins avait une profondeur de 7 à 9 mètres ; le second était plus profond mais aussi plus étroit. Une fente verticale de 40 centimètres de largeur, et que l'on bouchait avec des planches ou autrement, mettait les deux bassins en communication l'un avec l'autre ; une margelle assez élevée entourait l'orifice de l'un et l'autre bassin. L'eau qui alimentait ce réservoir était celle que les orages versaient à torrent sur la plaine voisine ; elle pénétrait dans ce réservoir par des trous percés au niveau du sol, à travers la margelle. L'eau qui se précipitait ainsi dans le grand réservoir entraînait avec elle une grande quantité de sable, de feuilles et de détritus de toute nature. Toutes ces impuretés se déposaient peu à peu, et au bout de quelques jours l'eau était redevenue pure et limpide. On ouvrait alors avec précaution la communication entre les deux bassins et l'eau s'écoulait du grand bassin dans le petit, qui jouait ainsi le rôle de filtre. C'est dans ce petit bassin, qu'à l'aide de seaux en cuir, on puisait pour abreuver le bétail.

Du côté opposé au filtre se trouvait un grand bassin carré couvert d'une voûte formant plate-forme ; c'est un second filtre ajouté à l'époque romaine à la construction primitive ; la voûte gardait l'eau plus fraîche. La communication avec le réservoir était établie, non plus par une fente verticale, mais par une série de tuyaux en terre cuite traversant la paroi et disposés les uns au-dessus des autres de demi-mètre en demi-mètre. On les bouchait au moyen de tampons. On pouvait ainsi décanter l'eau d'un bassin dans l'autre sans agiter la masse entière. Une cuvette à vase ménagée au fond de la construction romaine achevait d'établir la supériorité de ce filtre nouveau sur l'ancien bassin servant au même usage.

Les citernes de Byrsa jouissaient d'une réputation méritée. L'eau s'y conservait fraîche et pure mieux que partout ailleurs. Quelques-unes de celles que les Phéniciens y ont creusées servent encore, et, pendant les chaleurs de l'été, le bey de Tunis et les consuls étrangers y envoient puiser tous les jours.

Occupons-nous maintenant des produits des arts autres que l'architecture, trouvés à Carthage. Cette classe de monuments se réduit à bien peu de chose. Des monnaies et des stèles servant d'ex-voto, c'est à peu près tout.

Les monnaies ne nous apprennent pas grand-chose sur l'art punique, car l'exécution en était confiée à des esclaves grecs de Sicile. L'une de ces monnaies représente la tête de la nymphe Aréthuse. Au revers, Pégase. La légende BARAT signifie les puits. Peut-être lirait-on plus exactement Bi ARAT « à Arat », nom punique de Syracuse qui possédait la fontaine fameuse d'Aréthuse. C'est une grande pièce d'argent certainement frappée en Sicile, et probablement à Syracuse, dit M. de Saulcy, à qui nous empruntons ces détails de numismatique. Une seconde pièce, division de la précédente, porte également la tête d'Aréthuse. Au revers, un cheval libre adossé à un palmier, type essentiellement carthaginois. La légende a la même signification, ce qui assigne à cette pièce la même origine sicilienne.

Monnaies carthaginoises

Sur une monnaie de Lybie, on voit la tête d'Hercule-Melkart coiffé d'une peau de lion ; au revers, un lion marchant ; au-dessous, le nom des Lybiens en caractères grecs ; en haut, la lettre punique correspondant à M, abréviation du mot MAKNAT, qui signifie *camp*. La pièce serait donc une *moneta castrensis* spéciale aux Lybiens. Outre les monnaies métalliques, les Carthaginois employaient encore dans leurs échanges des rondelles de cuir portant l'estampille de l'État, et qui jouaient à peu près le rôle de notre papier-monnaie. Inutile de dire qu'aucun spécimen de ces antiques billets de banque ne s'est conservé jusqu'à nous.

Si les monnaies puniques trouvées jusqu'à ce jour sont de style grec, en revanche les ex-voto sont des monuments purement carthaginois, partant plus intéressants pour le sujet qui nous occupe. « Les stèles votives cartha-ginoises, dit M. Berger, se ressemblent toutes. » Ce sont des pierres de trente à cinquante centimètres, terminées en pointe. Souvent deux acro-tères leur donnent à peu près la forme qu'affectent un grand nombre de nos tombeaux modernes. L'inscription votive occupe la partie inférieure de la stèle. Le haut est réservé à diverses représentations figurées qui consti-tuent peut-être le principal intérêt de ces monuments.

Le symbole le plus fréquent est la main ouverte et levée vers le ciel. C'est la main du dieu qui bénit. Parfois cette main est accostée de deux oreilles. D'autres fois, le pouce de cette main offre un développement dé-mesuré, pour signifier la puissance du dieu. Sur une des stèles rapportées par M. de Sainte-Marie, et qu'on peut voir à la Bibliothèque nationale, est représentée une bouche. Ces emblèmes rappellent tout naturellement la formule qui se lit sur un grand nombre d'ex-voto, et qui est toujours sous-entendue dans les inscriptions où elle ne se trouve pas : « Parce qu'il a en-tendu sa voix, qu'il le bénisse. »

Quel dieu représente ces symboles ? Est-ce Tanit ? Est-ce Baal-Ham-mon ? On ne pourrait répondre avec certitude à cette question. D'autres symboles également fréquents sur les monuments puniques peuvent heureusement être expliqués à coup sûr. C'est ainsi que le bélier représente Baal ; le disque de Vénus surmonté d'un croissant, Tanit.

Monogramme de Tanit

232

Main de Dieu

Une autre stèle publiée en 1872 par M. Euting dans les Mémoires de l'Académie de Saint-Pétersbourg, représente la déesse debout, vêtue d'une robe qui laisse voir les pieds, la main droite levée, la main gauche portant un enfant dans ses langes. À droite et à gauche, sur les acrotères, on voit le croissant surmontant le disque de Vénus. Cette composition présente cela de particulier qu'elle est en relief, au lieu d'être simplement gravée au trait, comme le sont généralement les monuments du même genre.

De tous les emblèmes de Tanit, le plus fréquent sans contredit est une sorte d'hiéroglyphe représentant la divinité, mais d'une façon si rudimentaire en général, qu'on a de la peine, dit M. Berger, même en le sachant, à y voir une forme humaine. On dirait une figure géométrique. Il n'en est rien pourtant ; c'est un personnage vêtu d'une robe et qui lève les mains vers le ciel.

Il y a dans la charpente de ce mannequin une préoccupation symbolique évidente. Les bras et les jambes ne sont que des appendices insignifiants. La tête même n'est le plus souvent qu'un simple disque. Toute l'importance de ce personnage réside dans la forme triangulaire de son corps ou de sa robe. L'explication nous en est donnée par Tacite, qui dit, en parlant de la Vénus de Paphos : « La déesse n'est point représentée sous la figure humaine ; c'est un bloc circulaire qui, s'élevant en cône, diminue graduellement de la base au sommet. La raison de cette forme est ignorée. »

L'emblème punique ne jette-t-il pas à son tour quelque lumière sur cette question que Tacite ne pouvait résoudre ? N'est-ce pas dans quelque antique légende déjà oubliée au temps du grand historien romain, légende que nous ne connaissons pas, mais que nous connaîtrons peut-être un jour, qu'il faut chercher l'origine du cône de Paphos et du monogramme, qu'on nous passe l'expression, par lequel les Carthaginois représentaient Tanit ?

Dans les divers ex-voto que nous venons de passer en revue, nous n'avons observé que des représentations plus ou moins symboliques de la divinité. D'autres stèles se rapportent au culte rendu à ces divinités. On y voit des animaux et des plantes : l'éléphant, la colombe, le cygne, oiseau consacré à Vénus et le grenadier du culte d'Adonis. Malheureusement, ces monuments sont en trop petit nombre et n'ont pas été jusqu'ici, faute d'éléments de critique, suffisamment étudiés pour qu'il soit possible de les expliquer avec quelque certitude.

Ruines du temple de Baal-Hammon

Stèle de M. Euting

Une dernière catégorie de stèles votives, celle qui offre le plus grand intérêt pour l'archéologie, nous fait pénétrer dans l'intimité de ces anciennes générations. On y voit un reflet du commerce et de l'industrie phéniciens. Ces stèles représentent soit l'offrande elle-même, soit un objet caractérisant la profession de celui qui faisait cette offrande. Les Carthaginois étaient un peuple de marins. Aussi trouvons-nous d'abord toute une série d'emblèmes maritimes qui font penser aux petits navires que nos marins suspendent dans les chapelles de la côte pour accomplir un vœu fait en un jour d'angoisse.

Le Bélier (Baal)

L'une de ces stèles, malheureusement en fort mauvais état, représente un navire entier. La poupe est arrondie et assez élevée, le mât ne porte pas de voiles ; sur le côté se voit un objet assez difficile à préciser et que M. Berger suppose être un gouvernail. L'avant est cassé. Un autre monument nous montre seulement la proue d'un vaisseau. D'autres, en très grand nombre, portent des ancres, des gouvernails, etc. Les armes sont plus rares ; citons cependant un palmier entre deux piques que l'on peut voir sur une des pierres échappées au désastre du *Magenta*. Encore ces piques ne sont-elles pas des armes mais des enseignes analogues à celles des armées romaines, comme le montre le double renflement qui se voit au-dessous du fer. Mentionnons encore une panoplie remarquable surtout en ceci : que la forme conique du casque qui la surmonte prouve que le casque célèbre trouvé sur le champ de bataille de Cannes et qui a cette forme appartenait bien à un des soldats d'Hannibal.

Des instruments de toute nature, marteaux, haches, burins, herminettes, etc., des vases sacrés, des candélabres, des charrues, un chariot à échelles, aux roues pleines et basses et à un seul timon, sont les objets qu'on remarque sur les autres stèles votives rapportées d'Afrique par M. de Sainte-Marie. « Que l'on compare, dit M. Duruy, ce qu'il est sorti de monuments précieux de la petite ville de Pompei avec ce que nous livre le temple de Tanit, et, quelque grande que l'on fasse la part des profanations et du pillage, on n'échappera pas à la pensée que les Carthaginois, malgré le voisinage de la Sicile, n'ont eu qu'un art grossier. »

Palmier entre deux piques

Nous nous permettrons de n'être pas ici de l'avis de l'éminent historien. Ne se peut-il pas que ces images, qu'il ne nous viendra certes pas à l'esprit de comparer aux bas-reliefs de Pompéi et dont la naïveté, nous le reconnaissons volontiers touche parfois au grotesque, soient des images traditionnelles et en quelque sorte hiératiques ? C'est un des caractères propres à toutes les religions, tant anciennes que modernes, de s'attacher invariablement aux formes qui étaient ou que l'on croit avoir été en usage à l'origine.

Ne voyons-nous pas le costume ecclésiastique demeurer à peu près invariable au milieu des transformations continuelles de la mode ?

Charrue

La vieille écriture de la Daterie romaine n'est-elle pas restée la même pendant des siècles, bien qu'elle soit d'une lecture si difficile pour qui n'a pas fait de la paléographie une étude spéciale, que les pontifes ont été maintes fois obligés de joindre une copie en écriture ordinaire à l'original qu'ils envoyaient afin que le destinataire pût en prendre connaissance ?

Chariot

Les bulles de plomb même aux époques de raffinement artistique, n'ont-elles pas reproduit presque constamment le type barbare de celles dont les papes du Moyen Âge scellaient leurs actes ?

Que conclure de tout cela ? Qu'il ne faut pas trop se hâter de porter un jugement sur l'état des arts dans les différentes colonies phéniciennes. Les rares monuments carthaginois retrouvés jusqu'à ce jour sont d'une grossièreté incontestable. Mais la prudence nous engage à ne pas affirmer que ce peuple n'en ait jamais produit que de semblables. Qui sait si demain une découverte nouvelle ne viendrait pas donner à notre assertion trop absolue un formel démenti ?

V

Pompei et Herculanum

Quittons maintenant l'Orient, où nous sommes restés jusqu'alors, et que notre Odyssée, comme celle d'Ulysse se poursuive jusqu'en Occident et aux rives fortunées de l'Italie. Ici ce ne sont plus des civilisations antiques, douteuses en quelque sorte, et plus imposantes par leur masse qu'intéressantes par leurs détails, que nous allons rencontrer. Ce sont nos sœurs aînées, la Grèce et Rome, qui, dans les champs où nous abordons, ont vécu ensemble et se sont données la main.

Cette heureuse terre, *Campania felix*, eut cette destinée de servir de trait d'union aux peuples de l'Orient et de l'Occident. Grecs, Africains et Italiens unirent là et confondirent leurs aspirations et leurs goûts. Le pays de Naples, « ce doux coin du ciel tombé sur la terre », fut toujours adoré par ses habitants, envié ou regretté de ceux qui l'avaient vu une fois seulement. Encore aujourd'hui, c'est un proverbe italien : « Voir Naples et mourir. »

Tout y était fait pour la vie molle, insoucieuse, épicurienne. Là une civilisation à son enfance devait mettre son Éden : c'était là, d'après Homère, que les fleuves de lait coulaient dans les prairies. Là surtout une civilisation à son déclin devait porter tout l'effort de son luxe, se bercer mollement au doux balancement des vagues du beau golfe et s'endormir dans une longue et charmeuse rêverie, loin de la préoccupation des misères humaines et de la crainte des dieux.

C'est l'impression mystérieusement douce qui se dégage de cette côte et qu'exprime l'harmonieux vers du poète :

| Sorrente m'a rendu mon doux rêve infini.

244

Cependant, la félicité de cette terre où les villages, les bourgs et les villes se pressaient l'un contre l'autre, où les amateurs et les lettrés de la capitale venaient se reposer de leurs fatigues, et quelquefois attendre la mort dans le calme et le repos de la nature, cette félicité, dis-je, n'était peut-être qu'apparente. Il y avait deux ennemis cachés qui guettaient cette riche proie, et ce coin de paradis n'était pas loin d'une des bouches de l'enfer.

Il y avait là, disons-nous, deux périls graves : on pouvait craindre l'eau et on pouvait craindre le feu. Ce sont là les deux ennemis que l'Italie redoute ; l'eau qui envahit et transforme en marais puants les riches plaines couvertes de moissons ; le feu qui mine, éclate, brûle, étouffe.

L'envahissement de l'eau était peu à craindre au moment où Romains et Grecs mêlés habitaient cette côte. Nous savons qu'elle avait été colonisée par les Étrusques ; habiles à dessécher et à cultiver, ils avaient par des travaux séculaires établi la sécurité de la plaine. Il n'a pas fallu moins que des milliers de siècles d'abandon pour que le travail ancien fût perdu, et pour que nos yeux aient le triste spectacle qui frappe maintenant dans ces plaines :

« Aujourd'hui, Baia, le délicieux séjour des nobles romains ; Pœstum, avec ses champs de roses, tant aimés d'Ovide, *tepidi rosaria Pœsti* ; la riche Capoue, et Cumes, qui fut un temps la plus puissante cité de l'Italie, et Sybaris, qui en était la plus voluptueuse, sont au milieu d'eaux stagnantes et fétides, dans la plaine fiévreuse, *febbrosa* "où la terre pourrie mange plus d'hommes qu'elle ne peut en nourrir". Les miasmes pestilentiels, la solitude et le silence ont aussi reconquis les bords du golfe de Tarente, 190 kilomètres de côtes ; dans le Latium, 130 kilomètres carrés de pays furent abandonnés aux influences délétères. »

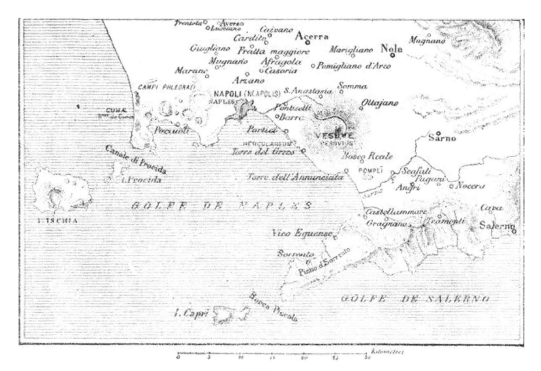

Carte de la Companie

Mais, nous l'avons dit, ce danger qui nous apparaît maintenant dans une si triste réalité était conjuré, aux temps anciens, rien que par le soin avec lequel étaient entretenus les premiers travaux d'assèchement.

L'autre péril que nous avons signalé, le feu, était totalement oublié. À cet égard, on vivait dans une sécurité parfaite ; les villes, les villages, les riches maisons de campagne s'entassaient, se pressaient sur les bords de la mer, au pied de la montagne. Des populations actives, industrieuses s'agitaient comme les abeilles auprès des ruches et tiraient parti de la situation exceptionnelle de la contrée ; plus de 40 000 âmes à Pompei ; partout, à Herculanum, à Stabies, à Stola, à Veseris, à Sorrente, sans parler de Naples, une population dense, de commerçants, de marins, et de *villégiateurs* qui vivaient sans autre souci que ceux de la vie présente et sans songer au terrible réveil qui les menaçait.

Strabon, géographe observateur, qui visita cette région quelque temps avant la catastrophe, s'écrie : « C'est le plus heureux pays que l'on connaisse ! » et il ajoute avec insouciance en parlant du volcan éteint : « Au-dessus de ces lieux est situé le mont Vésuve, entouré de toutes parts de campagnes fertiles, mais dont le sommet presque plat est entièrement stérile. Son sol, à la surface, a l'apparence de la cendre, et on y retrouve l'entrée de cavernes profondes qui s'ouvrent dans tous les sens ; les pierres paraissent, à leur couleur noire, avoir été brûlées par le feu, tellement qu'il y a lieu de conjecturer que, dans l'antiquité, cette montagne fut un volcan *qui s'est éteint faute d'aliments.* »

Strabon ne se doutait guère, et les habitants du pays pensaient moins encore que ce volcan se rallumerait un jour et que ces laves refroidies auxquelles ils attribuaient la fertilité de leurs champs, n'étaient que les précurseurs de celles qui devaient les ensevelir bientôt sous leur épouvantable déluge.

Bien des symptômes menaçants eussent dû cependant tenir leurs esprits dans une anxieuse et perpétuelle attente. À lui seul, l'ancien nom du pays eût suffi. En effet, si la province entière s'appelait l'heureuse Campanie, la partie qui avoisinait les bords de la mer avait été autrefois désignée sous le nom de *champs de flamme : campi phlœgrœi*, et Diodore de Sicile nous apprend que ce nom avait été donné en souvenir des feux que le Vésuve lançait autrefois comme l'Etna et dont les traces subsistaient dans tout le voisinage.

C'était là encore que la légende plaçait le lieu de la lutte des Titans contre les dieux ; ils avaient voulu, disait-on, escalader l'Olympe, et l'Etna lui-même n'était rien autre que le tombeau sous lequel l'un d'entre eux vomissait sa rage et son haleine enflammée contre le ciel ; quelle autre allégorie que celle des volcans en éruption se cachait sous cette ancienne légende ?

C'était là encore que vivait autrefois ce monstrueux Cacus dont la massue d'Hercule avait pu seule débarrasser la contrée. La longue troupe de bœufs emmenée par le héros hors de la caverne du monstre, qu'était-ce autre chose que la fertilité et les gras pâturages rendus à la région, après le dessèchement de quelque horrible maremme ?

Non loin de là on rencontrait le cap Misène, que la mort de Palinure avait rendu célèbre ; et en face Caprée, où le sombre tyran Tibère avait cherché la solitude ; Puteoli, au nom sinistre ; Baia, réputée par ses eaux thermales « également propres, dit Strabon, au pur délassement de ceux qui s'y baignent et à la guérison des malades », mais, à coup sûr, indices significatifs de la nature volcanique du terrain ; plus haut enfin, nous l'avons dit déjà, s'ouvrait horriblement une des bouches de l'enfer : c'était le lac Averne, au-dessus duquel les oiseaux ne volaient pas impunément « *quem non impune volantes* »... Sur ses bords, d'après la tradition, avait eu lieu l'évocation des mânes par Ulysse, et là avait parlé l'oracle des morts : « Aujourd'hui, ajoute encore Strabon, que la forêt qui obombrait les contours du lac Aornus a été abattue par les ordres de Marcus Agrippa, que les arbres ont été remplacés par un grand nombre d'édifices et que l'on a vu percer la route souterraine qui conduit de l'Aornus à Cyme, le mythe est dévoilé. »

Certes, le scepticisme de siècles plus avancés pouvait se railler élégamment des anciennes légendes ; mais l'attention des hommes ne devait pas se détourner de l'observation des phénomènes dangereux que le mythe – dévoilé maintenant – avait signalés autrefois.

Ce n'était pas assez des anciens récits et des vieux noms, traces confuses de souvenirs à peu près effacés ; la terre elle-même, dans les derniers temps, plusieurs fois avait parlé. Des secousses plus ou moins violentes avaient remué le sol de la Campanie. On commençait même à s'y habituer, et Pline le Jeune l'observe.

Le 5 février de l'an 63, un avertissement plus terrible encore avait été donné. Sénèque dit : « Pompei, ville considérable de la Campanie, qu'avoisinent d'un côté le cap de Sorrente et Stabies et, de l'autre, le rivage d'Herculanum, entre lesquels la mer s'est creusé un rivage riant, fut abîmée par un tremblement de terre dont souffrirent tous les alentours, et cela en hiver, saison privilégiée contre ces sortes de périls, au dire habituel de nos pères. Cette catastrophe eut lieu le jour des nones de février, sous le consulat de Régulus et de Virginius. La Campanie qui n'avait jamais été sans alarme, bien qu'elle fût restée sans atteinte et n'eût payé au fléau d'autre tribut que la peur, se vit cette fois cruellement dévastée. Outre Pompei, Herculanum fut en partie détruite, et ce qui en reste n'est pas bien assuré. La colonie de Nuceria, plus respectée, n'est pas sans avoir à se plaindre. À Naples, beaucoup de maisons particulières ont péri ; mais les édifices publics ont résisté : l'épouvantable désastre n'a fait que l'effleurer. Des villas furent ébranlées sans éprouver d'autres dommages. On ajoute qu'un troupeau de six cents moutons perdit la vie, que des statues se fendirent et qu'on vit errer dans la campagne des malheureux auxquels la frayeur avait fait perdre la raison. »

Cette fois, le drame était bien réellement ouvert. Sans que le volcan eût encore rendu béante aucune de ses bouches redoutables, du moins on devait sentir que quelque chose de sombre et de terrible se préparait dans ses flancs. Une fausse sécurité n'en régna pas moins bientôt dans tout le voisinage. Les maisons ruinées se relevèrent rapidement ; les statues des dieux abattues reprirent leur place et rendirent, s'il en fut besoin, de nouveaux oracles ; les temples avaient été démolis ; on se mit à les relever sur de nouveaux plans et avec un luxe plus grand encore ; le forum de Pompei, qui avait si gravement souffert, fut repris et reconstruit sur de nouvelles bases. Les édiles soigneux profitèrent du désastre pour inaugurer un alignement plus régulier ; on se mit à l'ouvrage avec ardeur, et bientôt presque il n'y parut plus.

Dix-sept ans n'étaient pas écoulés, et le souvenir de ce grand malheur n'existait plus guère que dans la mémoire de quelques vieillards, porteurs de mauvais présages, quand tout à coup, sur la fin du mois d'août alors qu'une chaleur torride accablait hommes et animaux ; au milieu d'une de ces journées brûlantes, africaines, qui à cette époque de l'année ne sont pas rares dans le sud de l'Italie, tout à coup un hideux nuage rougeâtre s'éleva sur l'horizon, et comme un immense pin, arbre de mort, couvrit les campagnes et les villes de son ombre. Les feux souterrains avaient enfin fait voler en éclat le couvercle qui les cachait depuis tant de siècles. Le volcan était rallumé pour ne plus s'éteindre.

Laissons maintenant parler un témoin oculaire de la catastrophe ; c'est Pline le Jeune : Vous me priez, écrit-il à Tacite, de vous apprendre au vrai comment mon oncle est mort, afin que vous puissiez en instruire la postérité. Je vous en remercie, car je conçois que sa mort sera suivie d'une gloire immortelle si vous lui donnez place dans vos écrits. Quoiqu'il ait péri par une fatalité qui a désolé de très beaux pays, et que sa perte, causée par un accident mémorable et qui lui a été commun avec des villes et des peuples entiers, doive éterniser sa mémoire ; quoiqu'il ait fait bien des ouvrages qui dureront toujours, je compte pourtant que l'immortalité des vôtres contribuera beaucoup à celle qu'il doit attendre. Pour moi, j'estime heureux ceux à qui les dieux ont accordé le don ou de faire des choses dignes d'être écrites, ou d'en écrire de dignes d'être lues, et plus heureux encore, ceux qu'ils ont favorisés de ce double avantage. Mon oncle tiendra son rang entre ces derniers et par vos écrits et par les siens, et c'est ce qui m'engage à exécuter plus volontiers des ordres que je vous aurais demandés.

« Il était à Misène, où il commandait la flotte. Le 23ᵉ d'août, environ une heure après midi, ma mère l'avertit qu'il paraissait un nuage d'une grandeur et d'une figure extraordinaires. Après avoir été quelque temps couché au soleil, selon sa coutume, et avoir pris un bain d'eau froide, il s'était jeté sur un lit où il étudiait. Il se lève et monte en un lieu d'où il pouvait aisément observer ce prodige. Il était difficile d'observer de loin de quelle montagne sortait ce nuage ; l'évènement a découvert, depuis, que c'était du mont Vésuve ; sa forme approchait d'un arbre et de celle d'un pin plus que de tout autre ; car, après s'être élevé fort haut en forme de tronc, il étendait une espèce de feuillage. Je m'imagine qu'un vent souterrain violent le poussait d'abord avec impétuosité et le soutenait ; mais, soit que l'impulsion diminuât peu à peu, soit que ce nuage fût affaissé par son propre poids, on le voyait s'élargir et se répandre ; il paraissait tantôt blanc, tantôt noirâtre et tantôt de diverses couleurs, selon qu'il était plus chargé ou de cendre ou de terre. Ce prodige surprit mon oncle, qui était très savant, et il le crut digne d'être examiné de plus près. Il commande que l'on apprête sa frégate légère et me laisse la liberté de le suivre. Je lui répondis que j'aimais mieux étudier, et, par hasard, il m'avait donné lui-même quelque chose à écrire.

Il sortait de chez lui, ses tablettes à la main, lorsque les troupes de la flotte qui étaient à Rétina, effrayées par la grandeur du danger (car, ce bourg est précisément en face de Misène et on ne s'en pouvait sauver que par la mer), vinrent le conjurer de vouloir bien les garantir d'un si affreux péril. Il ne changea pas de dessein et poursuivit avec un courage héroïque ce qu'il n'avait entrepris d'abord que par simple curiosité. Il fait venir des galères, monte lui-même dessus, et part dans le dessein de voir quels secours on pouvait donner non seulement à Rétina, mais à tous les autres bourgs de cette côte, qui sont en grand nombre à cause de sa beauté. Il se presse d'arriver au lieu d'où tout le monde fuit et où le péril paraissait plus grand, mais avec une telle liberté d'esprit qu'à mesure qu'il apercevait quelque mouvement ou quelque figure extraordinaire dans ce prodige, il faisait ses observations et les dictait.

Déjà sur ses vaisseaux volait la cendre, plus épaisse et plus chaude à mesure qu'ils approchaient ; déjà tombaient autour d'eux des pierres calcinées et des cailloux tout noirs, tout brûlés, tout pulvérisés par la violence du feu ; déjà la mer semblait refluer et le village devenir inaccessible par des morceaux entiers de montagne dont il était couvert, lorsque, après s'être arrêté quelques moments, incertain s'il retournerait, il dit à son pilote, qui lui conseillait de gagner la pleine mer : *La fortune favorise le courage. Tournez du côté de Pomponianus.* Pomponianus était à Stabie, en un endroit séparé par un petit golfe que forme insensiblement la mer sur ces rivages qui se courbent. Là, à la vue du péril, qui était encore éloigné, mais qui semblait s'approcher toujours, il avait retiré tous ses meubles dans ses vaisseaux, et n'attendait pour s'éloigner qu'un vent moins contraire.

Mon oncle, à qui ce vent avait été très favorable, l'aborde, le trouve tout tremblant, l'embrasse, le rassure, l'encourage, et, pour dissiper par sa sécurité la crainte de son ami, se fait porter au bain. Après s'être baigné, il se met à table et soupe avec toute sa gaieté ou (ce qui n'est pas moins grand) avec toutes les apparences de sa gaieté ordinaire.

Cependant on voyait luire, de plusieurs endroits du mont Vésuve, de grandes flammes et des embrasements dont les ténèbres augmentaient l'éclat. Mon oncle, pour rassurer ceux qui l'accompagnaient, leur dit que ce qu'ils voyaient brûler c'étaient des villages que les paysans alarmés avaient abandonnés et qui étaient restés sans secours. Ensuite, il se coucha et dormit d'un profond sommeil ; car, comme il était puissant, on l'entendait ronfler de l'antichambre. Mais enfin la cour par où on entrait dans son appartement commençait à se remplir si fort de cendres que, pour peu qu'il fût resté plus longtemps, il ne lui aurait plus été libre de sortir. On l'éveille ; il sort et va rejoindre Pomponianus et les autres, qui avaient veillé.

Ils tiennent conseil et délibèrent s'ils se renfermeront dans la maison ou tiendront la campagne ; car les maisons étaient tellement ébranlées par les fréquents tremblements de terre, que l'on aurait dit qu'elles étaient successivement arrachées de leurs fondements et remises à leur place. Hors de la ville, la chute des pierres, quoique légères et desséchées par le feu, était à craindre. Entre ces périls, on choisit la rase campagne. Chez ceux de sa suite, une crainte surmonta l'autre ; chez lui la raison la plus forte l'em-porta sur la plus faible. Ils sortent donc et se couvrent la tête d'oreillers attachés avec des mouchoirs, ce fut toute la précaution qu'ils prirent contre ce qui tombait d'en haut. Le jour recommençait ailleurs ; mais dans le lieu où ils étaient, continuait la nuit, la plus sombre et la plus affreuse de toutes les nuits, et qui n'était un peu dissipée que par la lueur d'un grand nombre de flambeaux et d'autres lumières.

On trouva bon de s'approcher du rivage et d'examiner de près ce que la mer permettait de tenter ; mais on la trouva encore fort grosse et fort agitée d'un vent contraire. Là, mon oncle, ayant demandé de l'eau et bu deux fois, se coucha sur un drap qu'il fit étendre. Ensuite des flammes qui parurent plus grandes et une odeur de soufre qui annonçait leur approche mit tout le monde en fuite. Il se lève, appuyé sur deux valets, et dans le moment tombe mort. Je m'imagine qu'une fumée trop épaisse le suffoqua, d'autant plus aisément qu'il avait la poitrine faible et souvent la respiration embarrassée.

Lorsque l'on commença à revoir la lumière (ce qui n'arriva que trois jours après), on retrouva au même endroit son corps entier couvert de la même robe qu'il avait quand il mourut, et dans la posture plutôt d'un homme qui repose que d'un homme qui est mort. Pendant ce temps, ma mère et moi nous étions à Misène. Mais cela ne regarde plus votre histoire ; vous ne voulez être informé que de la mort de mon oncle. Je finis donc, et je n'ajoute qu'un mot : c'est que je ne vous ai rien dit que je n'aie ou vu ou appris dans ces moments où la vérité de l'action qui vient de se passer n'a pu être altérée. C'est à vous de choisir ce qui vous paraîtra plus important. Il y a bien de la différence entre écrire une lettre ou une histoire, écrire pour un ami ou pour la postérité. Adieu.

Pour compléter ces détails sur l'étendue et la nature du désastre, il nous suffira d'ajouter ici quelques-unes des observations que la science moderne a faites sur les plus modernes éruptions du Vésuve. Michelet les a résumées dans les premières pages de son *Histoire romaine* : Herculanum, dit-il, est ensevelie sous une masse épaisse de quatre-vingt-douze pieds. Il fallut presque, pour produire un pareil entassement, que le Vésuve se lançât lui-même dans les airs.

Nous avons des détails précis sur plusieurs éruptions, entre autres sur celle de 1794. Le 12 juin, de dix heures du soir à quatre heures du matin, la lave descendit à la mer sur une longueur de 12 000 pieds et une largeur de 1 500 ; elle y poussa jusqu'à la distance de 60 toises.

Le volcan vomit des matières équivalant à un cube de 2 804 400 toises. La ville de Torre del Greco, habitée de 15 000 personnes, fut renversée. À dix ou douze milles du Vésuve, on ne marchait, à midi, qu'à la lueur des flambeaux. La cendre tomba à la hauteur de quatorze pouces et demi, à trois milles autour de la montagne. La flamme et la fumée montaient trois fois plus haut que le volcan. Puis vinrent quinze jours de pluies impétueuses, qui emportaient tout, maisons, arbres, ponts, chemins. Des moffettes tuaient les hommes, les animaux, les plantes jusqu'à leurs racines, excepté les poiriers et oliviers, qui restèrent verts et vigoureux.

Ces désastres ne sont rien encore en comparaison de l'épouvantable tremblement de terre de 1783, dans lequel la Calabre crut être abîmée. Les villes et les villages s'écroulaient ; des montagnes se renversaient sur les plaines. Des populations, fuyant les hauteurs, s'étaient réfugiées sur le rivage : la mer sortit de son lit et les engloutit. On évalue à 40 000 le nombre des morts. »

On peut, à ces traits à la fois historiques et scientifiques, se faire une idée de l'étendue du premier désastre et de la terreur qui dut frapper soudainement les habitants de ces fertiles rivages. L'Italie entière ressentit la terrible secousse ; à Rome, le soleil se cacha, comme au jour de la mort de César.

Cum caput obscura nitidum ferrugine texit
Impiaque æternam timuerunt sæcula noctem.

Des tourbillons de cendre furent emportés, dit-on, jusqu'en Égypte, jusqu'en Asie.

Le monde entier prit sa part du deuil immense qui frappait la Campanie.

Ici, cinq villes, sans compter les bourgs, les villages et les maisons de plaisance, cinq villes disparurent complètement ; Herculanum, Retina et Oplonte, enfouies sous une couche durcie de laves ; Pompei et Stabie, recouvertes seulement d'un linceul de cendres légères et de ces petites pierres nommées en Italie *lapilli*.

On a beaucoup répété, – et un roman célèbre a rendu populaire cette affirmation, – que le désastre avait été tellement subit que les habitants des villes voisines n'avaient pu échapper ; on ajoutait que la catastrophe avait surpris les Pompéiens dans un jour de fête, la foule étant assemblée au théâtre, et que la plus grande partie des spectateurs avait été ensevelie. Le récit de Dion, sur lequel est appuyée cette tradition, est absolument erroné. L'on ne peut croire, d'après ce que dit Pline et d'après les études faites sur les éruptions postérieures du Vésuve, que celle dans laquelle périt Pompei ait pu avoir un caractère aussi brusque ; d'ailleurs, le petit nombre de morts trouvés dans les fouilles, et surtout l'absence complète de cadavres dans l'amphithéâtre, mis absolument à jour, suffit pour infirmer le récit de l'historien grec.

Il n'en est pas moins vrai que tous les habitants de la contrée furent saisis au milieu de leurs occupations habituelles et journalières ; que, s'ils eurent le temps de se sauver, – au moins en partie, – ils durent laisser dans leurs demeures ce qu'ils avaient de plus précieux : argent, bijoux, statues des dieux, meubles de luxe, tout ce qu'on emporte dans les catastrophes de ce genre. On a remarqué seulement que, plus tard, des fouilles furent pratiquées pour rechercher quelques-uns des objets les plus précieux. Probablement, plusieurs des malheureux fugitifs revinrent là creuser quelque trou et percer quelques murailles, espérant rencontrer des débris de leur ancienne fortune ; mais ces recherches n'eurent rien de général. Le gouvernement de l'empire, – Titus régnait en ce temps-là, – sembla d'abord s'intéresser au sort de ces malheureuses populations ; on parla même de rebâtir les villes détruites. Mais la mort de Titus et peut-être la crainte de nouveaux désastres empêchèrent que ces projets fussent jamais mis à exécution.

Peu à peu l'oubli s'étendit sur la mémoire de ces villes que la cendre ensevelissait si profondément ; c'est à peine si quelques curieux, dans l'antiquité, y firent faire des fouilles. À la longue, d'autres malheurs plus actuels et plus sensibles, l'appauvrissement de l'Italie, la ruine de l'empire lui-même, enfin l'invasion des barbares, achevèrent ce que le temps seul eût suffi à accomplir : on n'y pensa plus.

À peine si le nom transmis traditionnellement dans la bouche des hommes du pays, quelque mention succincte gisant au fond des bibliothèques monacales, ou la rencontre hasardeuse d'un marbre, d'un bronze, d'une pierre antique faite par un paysan remuant la terre, pouvaient encore apprendre au monde que là, à quelques pieds sous le sol, gisaient tout entières des villes qui avaient été grandes et florissantes, et que quelques coups de bêche suffiraient à tirer de leur long sommeil.

Des siècles s'écoulèrent.

En 1592, le gouvernement napolitain fit creuser un canal pour dériver le Sarno ; il se trouva qu'il traversait de part en part les ruines de Pompei. Pour l'exécuter, il fallait à chaque instant percer des pans de murailles, écarter les pierres de l'ancienne ville. Qui croirait que de pareilles rencontres passèrent en quelque sorte inaperçues, et qu'à une époque où l'on s'occupait si activement d'exhumer les restes de la civilisation et des arts antiques, on ne songea pas à reconnaître les ruines que l'on venait de heurter par hasard ?

Un siècle plus tard, ou peu s'en faut, un boulanger de Portici creusait un puits. Il tomba juste au milieu du théâtre d'Herculanum : l'envie de se procurer des objets d'art anciens éveilla l'attention du prince d'Elbeuf, qui se trouvait alors dans le pays à la tête d'une armée impériale. Il acheta le terrain, fit continuer les fouilles et trouva plus qu'il ne pensait. Il cherchait quelques marbres et rencontra une ville.

Cette fois, Herculanum était découverte.

La chose fit du bruit dans le monde. On entrait alors dans le dix-huitième siècle, siècle de fécondes recherches et d'inquiète curiosité. Quoique le gouvernement de Naples eût fait d'abord suspendre les fouilles ; sous la pression de l'opinion publique on dut bientôt les reprendre. Avec un esprit d'avidité plutôt que de science, on déblaya une partie de la ville, recueillant les œuvres d'art et les objets précieux, fouillant à la hâte les maisons, les temples, les théâtres qui apparaissaient successivement. Le butin ramassé, on se hâtait de recouvrir de nouveau les précieux restes qui un instant avaient revu le jour. Les objets d'art que l'on avait trouvés étaient eux-mêmes traités avec une négligence impardonnable ; on ne les sauvait de l'oubli que pour les livrer, en partie, à une définitive destruction.

Cependant, ces résultats, si imparfaits qu'ils fussent, avaient déjà levé une rumeur considérable dans le monde des savants. Des travaux nombreux paraissaient de jour en jour, des opinions diverses étaient soutenues à l'occasion de ces précieux restes de l'antiquité. Une découverte nouvelle vint donner aux recherches et aux études une décisive impulsion.

Un cultivateur, labourant au lieu-dit la *Cività*, heurta un bronze ancien. On chercha tout autour. C'était plus facile qu'à Herculanum ; là-bas, il fallait à coup de pioche briser la lave durcie par le feu ; ici, la pelle suffisait pour écarter les cendres et les petites pierres. Les travaux allèrent vite ; ce qu'on trouvait d'ailleurs était fait pour les activer. On avait découvert Pompei.

Dès lors les travaux d'Herculanum furent presque totalement abandonnés ; tous les efforts furent dirigés vers la ville nouvellement apparue. Les gouvernements successifs s'appliquèrent avec plus ou moins de zèle à fournir les fonds nécessaires pour que le travail ne fût jamais totalement inter-rompu. Il faut mentionner en particulier la direction donnée par le général Championnet en 1799, lors de l'occupation française ; le soin que mit J. Murat à suivre cette impulsion, et enfin l'attention qui porte le gouvernement actuel à ne pas l'interrompre.

Dès 1824, la belle publication du *Museo Borbonico* pouvait donner une connaissance générale de l'ensemble des recherches et faire pénétrer intimement dans de nombreux détails ; depuis lors, le courant de publications importantes n'a pas tari. Italiens, Français, Anglais, Allemands ont rivalisé de zèle ; et de nos jours, M. Fiorelli, mis par le gouvernement italien à la tête des fouilles, ne manque pas de tenir fréquemment le monde des curieux au courant des nouvelles découvertes.

Il faut avouer pourtant que, eu égard à la facilité du travail, l'impatience publique pourrait demander plus d'activité encore. Un siècle entier n'a pas suffi pour arracher de ses cendres Pompei tout entière. Un auteur qui a écrit sur la matière se console de cette lenteur par une observation qui ne manque pas de justesse. Les restes de ces anciennes villes maintenant remises au grand jour se trouvent par là même de nouveau sous l'influence de toutes les causes ordinaires de disparition qui peuvent frapper les œuvres des hommes. Elles sont donc maintenant condamnées inévitablement à une destruction à laquelle elles échappaient sous leurs cendres. Nous ne pouvons déjà apprécier que trop l'étendue de la rapidité du mal nouveau qui les frappe. Intempéries ou folles curiosités, incendies ou rapacités humaines ont suffi pour en détruire une bonne part. N'y aurait-il pas une sorte d'égoïsme à vouloir ravir trop vite à nos descendants le plaisir que nous avons nous-mêmes et que nos pères ont éprouvé à voir revivre, au moins pour un instant, dans toute leur fraîcheur et avec leur parfum d'actualité en quelque sorte, ces témoins de la civilisation romaine ? Ménageons-leur une pareille jouissance. Elle ne dure qu'un instant et s'échappe pour ne plus revenir.

Quelle que soit la valeur de cette piquante observation, il est heureux pour nous que l'état actuel soit assez avancé et que les fouilles aient portés sur des points assez importants pour que nous puissions nous faire une idée absolument complète de l'apparence de la ville ancienne, des mœurs et des usages de ses habitants.

Une idée capitale et qu'il ne faut point perdre de vue dans l'étude des ruines de Pompei, c'est que nous n'avons affaire ici qu'à une ville de troisième ordre. Auprès des colossales cités que nous avons étudiées jusqu'ici, auprès des pylônes de Thèbes, des murailles de Ninive, de la légendaire antiquité de Troie, de l'histoire dramatique de Carthage, certes, ces nouvelles cités paraîtront bien modestes. Leur désastre seul les a rendues célèbres. Sans l'éruption de l'an 79 qui parlerait de Pompei et d'Herculanum ?

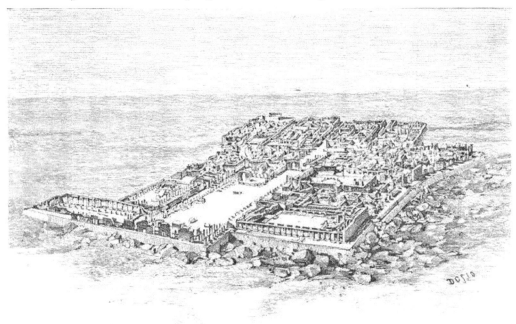

Pompei (état actuel)

Peut-être cependant, à le bien prendre, que leur importance, plus minime, n'est pas sans contribuer au charme qui nous attire vers elles. Il faut remarquer en effet que la soudaineté même de la catastrophe qui les a fait

259

disparaître, a produit ce résultat heureux que la nature des restes est en quelque sorte proportionnée au peu de renom de ces cités italiennes.

C'est justement la vie intime, journalière, les petits faits de la civilisation, tout ce qui échappe au souvenir et ce qui se perd absolument, parce que l'histoire trouve indigne d'elle de s'en occuper, c'est là surtout ce qui a survécu au naufrage général des générations anciennes par le subit ensevelissement de ces foyers peu importants et par leur récente découverte. S'il se fût agi de quelque Rome, ou le désastre eût été réparé, — une grande ville ne meurt pas facilement ; ou, au milieu de l'énorme entassement de faits qu'une découverte moderne eût présenté à l'étude, on se fût attaché de préférence aux traits dominants, aux monuments importants, aux grandes traces historiques que les recherches faites là n'eussent pas manqué de rencontrer à chaque pas.

Ici rien de tout cela. Chaque fait si minime qu'il soit attiré l'étude, et la mérite. Il est relativement heureux qu'à côté des grandes ruines et des grands souvenirs qu'ont laissés d'autres lieux plus importants, ceux-ci nous aient fourni une somme de renseignements plus intimes et parfois plus directement émouvants.

C'est aussi une sorte de bonheur que, dans cette contrée heureuse et fertile, sous ce beau ciel de Naples, au milieu même de la Grande Grèce, la richesse des habitants, l'élégance de la nature, l'état avancé de la civilisation aient toujours entretenu le goût des arts, l'amour du beau, de sorte que, comme a pu le dire Bulwer, « Pompei ait offert le tableau en miniature de la civilisation du siècle. Elle renfermait dans l'étroite enceinte de ses murs un échantillon de chaque objet de luxe que la richesse et la puissance pouvaient se procurer. Dans ses boutiques petites, mais brillantes, ses palais resserrés, ses bains, son forum, son cirque, dans l'énergie au sein de la corruption, et la civilisation au sein du vice qui distinguaient ses habitants, on voyait un modèle de tout l'empire. »

C'est donc le tableau d'une ville de province que nous allons donner ici ; mais d'une ville pleine de luxe, de confortable et d'élégance. N'oublions pas que c'est le lieu que Cicéron avait choisi pour sa retraite, et dont Sénèque parlait avec attendrissement au souvenir des belles années de sa jeunesse qui s'y étaient écoulées.

Pompei était une ville fortifiée d'une assez médiocre étendue. Le mur qui l'entourait lui donnait une forme assez sensiblement ovale, le plus grand axe se dirigeant de l'Ouest à l'Est, et le plus petit du Sud au Nord.

Au-dehors de l'enceinte fortifiée, dans la direction d'Herculanum s'étendait un faubourg de création relativement moderne, qui portait le nom de *Pagus Augusto-felix*. Ce fut là que Sylla d'abord, Auguste plus tard cantonnèrent des colonies de vétérans chargés de surveiller la ville qui, comme le reste de la Campanie, avait pris part à la guerre sociale.

Ce faubourg est lui-même prolongé par la célèbre voie dite des *Tombeaux*. C'était là, comme sur les côtés de la voie Appia à Rome, que les riches Pompéiens élevaient à leurs morts de somptueux monuments funéraires : c'est par là que les touristes pénètrent habituellement dans la ville. Nous ne pouvons malheureusement dans ce trop court examen suivre l'itinéraire du voyageur plus intéressant peut-être et plus varié, mais à coup sûr moins clair et moins fait pour donner au lecteur une idée nette de la nature des découvertes et de l'ensemble des résultats auxquels on est parvenu jusqu'ici.

Plan des fouilles de Pompei

Nous allons tout simplement énumérer les monuments principaux sur lesquels s'est portée jusqu'ici l'attention des archéologues.

Plaçons-nous d'abord au point central de la cité : au forum. C'est là que se passaient les actes les plus importants de la vie publique qui, chez les anciens, tenait bien plus de place que chez nous. Là se discutaient les intérêts de la république ou du municipe, là se traitaient les affaires entre particuliers. Sous ses bruyants portiques se réunissaient les gens à nouvelles, tant ceux qui les cherchaient que ceux qui faisaient profession de les conter aux survenants ; là se rencontraient les plaideurs : le tribunal était à deux pas. Sans qu'il y eût besoin d'huissier, les parties en faisaient elles-mêmes l'office, et traînaient s'il le fallait devant le juge leur adversaire récalcitrant.

Temples, bourses, maisons d'école, *cercles* de fabricants et de marchands étaient établis dans le voisinage. Tous les intérêts publics se coudoyaient.

Les statues des dieux, des ancêtres, des magistrats et des bienfaiteurs de la cité s'élevaient silencieuses au milieu de cette agitation perpétuelle, inspiraient par leur présence les bons conseils, et rappelaient de nobles exemples.

Le forum à Pompei n'était pas situé au milieu de la ville. On l'avait mis comme il était d'usage dans toute ville maritime, du côté le plus voisin de la mer.

C'était une grande place de forme rectangulaire, mesurant 157 mètres de longueur sur 33 mètres de large. Elle était dallée en travertin, pierre dure et grisâtre très en usage en Italie. Tout autour elle était entourée d'une colonnade formant portique, sauf sur le côté septentrional où s'élevait la façade du temple de Jupiter.

On pénétrait dans le forum par plusieurs entrées débouchant de préférence aux angles de la place. La plus importante de toutes, la seule par laquelle les voitures pussent pénétrer se trouvait à l'extrémité septentrionale et aboutissait près du temple de Jupiter. Elle terminait la rue du Forum, et était fermée par un arc de triomphe ornée de colonnes et de statues.

Du milieu du forum ayant devant nous le temple de Jupiter nous tournons le dos à la campagne, nous regardons la ville. De tous côtés près de nous, nous voyons les ruines des monuments publics les plus importants, à droite :

1° La *maison d'école* avec le renfoncement où se tenait le professeur, et les niches pratiquées dans la muraille, où les élèves mettaient livres et provisions.

2° Un édifice de forme singulière, de destination problématique auquel on a donné, du nom de la femme qui l'a élevé, l'appellation *d'édifice d'Eumachia.*

Des inscriptions que l'on a trouvées sur les murs de ce bâtiment nous apprennent qu'il a été construit aux frais de cette dame, elle-même prêtresse publique. On a découvert à l'intérieur de l'édifice une statue de femme en marbre, qui est précisément le portrait d'Eumachia et dont le piédestal porte l'inscription suivante : « À Eumachia fille de Lucius, prêtresse publique, les foulons. » Cette inscription et les dispositions générales de la construction ont fait penser que l'on avait affaire ici à une sorte de bourse, où les foulons, nombreux à Pompei, se réunissaient pour traiter de leurs affaires ; à un édifice où s'assemblait selon un usage très répandu dans l'antiquité la corporation, qui, dans sa reconnaissance, éleva à sa bienfaitrice la statue dont nous venons de parler. Lorsqu'on découvrit ce monument vers 1820, on trouva dans ses ruines deux squelettes, l'un coiffé d'un casque, l'autre écrasé sous la chute d'une colonne. Peut-être est-ce le premier de ces squelettes, – sûrement celui d'un militaire, – qui a fourni à Bulwer l'épisode intéressant de ce soldat mourant à son poste sans bouger, pour ne pas enfreindre la consigne qui lui a été donnée, tandis que tout le monde fuit autour de lui.

3° Après l'édifice d'Eumachia vient le *temple de Quirinus*, ou de *Mercure* (car on ne sait au juste à quel dieu il était dédié). On y a trouvé un très curieux autel en marbre blanc sur lequel se trouvent sculptées les principales scènes d'un sacrifice.

4° Puis vient un autre édifice qu'on suppose être l'endroit où les magistrats de la ville se réunissaient, la *Curie* ; mais il est dans un état de ruine presque absolue.

5° Nous nous trouvons maintenant dans la région des grands temples : le *Panthéon*, le *temple de Jupiter*, et le *temple de Vénus* qui par leur importance et leurs formes variées nous arrêteront plus longtemps.

Avant d'entrer dans le détail, il convient de dire en deux mots ce qu'était un temple antique et ce que se proposait de faire un architecte à qui on commandait un de ces édifices.

La religion des anciens était surtout une religion domestique et particu-lière. Les cérémonies communes et publiques étaient rares. Elles se ratta-chaient à quelque idée spéciale, à l'existence de corporations ayant un but particulier, plutôt qu'elles n'étaient l'occasion d'une réunion de fidèles ren-dant un même culte à une même divinité. Il suit de là que la construction des monuments religieux ne devait avoir en rien le caractère qu'affectent généralement les édifices du même genre qu'a motivés l'introduction de la religion chrétienne.

Ici en effet la base de tout le culte est l'alliance, la *communion* des fi-dèles dans une même Église qui embrasse dans son orbe le ciel et la terre. Il fallut donc chercher, dès que cette nouvelle conception religieuse l'em-porta, des types appropriés aux nouveaux dogmes et aux nouveaux be-soins. Nous verrons tout à l'heure quels furent ceux des édifices construits antérieurement qui s'adaptèrent le plus facilement au nouveau culte. Il suffit d'observer ici que ce ne furent point les temples des anciens qui purent devenir le lieu de réunion des chrétiens. Sauf des cas exceptionnels leurs dimensions relativement restreintes ne le permettaient pas.

Le caractère originaire du temple dans l'antiquité était de représenter un endroit où un simulacre de la divinité fût à l'abri et protégé d'une manière sûre. Tout d'abord on se contenta d'une simple clôture *(septum)*. Bientôt on couvrit cette clôture d'un toit et on eut un temple (νϰὸς, œdis). L'idée dominante qui préside à la construction d'un temple est celle du secret, du mystère et de l'inaccessibilité. C'est ce qui fait que le temple n'a pas de fe-nêtres. Il est probable que des idées du même genre contribuèrent à ré-pandre l'emploi des vitraux dans les cathédrales du Moyen Âge. C'était mettre aussi l'obscurité et le mystère dans ces asiles de la foi, que la grande quantité des fidèles rendait si vastes et que les nécessités de la construction faisaient percer de si nombreuses et si larges ouvertures.

Dans les temples antiques, la porte seule, qui était très grande, permettait à la lumière du jour de pénétrer à l'intérieur. Au-devant de cette porte on s'habitua de bonne heure à construire une partie extérieure ouverte et libre. Là on trouvait un abri et de l'ombre, choses si précieuses dans cette vie extérieure habituelle aux populations de l'Europe méridionale. On en vint ainsi à diviser les temples selon la forme de ces portiques et de ces colonnades, selon leurs dispositions autour de la nef : on eut des *temples* à *antes* ou à pilastres dont le *pronaos*, c'est-à-dire la partie élevée en avant de la nef, repose sur deux pilastres dans le prolongement des murs latéraux, et sur deux colonnes élevées au milieu de la façade antérieure ; on eut le temple *prostyle*, dont le portique antérieur ne repose que sur des colonnes ; le temple *périptère* avec des colonnades régnant tout autour ; le *pseudopériptère* avec des demi-colonnes, dans lequel la colonnade qui règne autour de l'édifice est remplacée sur trois côtés par une demi-colonnade appliquée aux murs latéraux. Le temple *diptère* avec une double colonnade, et *pseudodiptère* avec une simple colonnade de largeur double sur les côtés, tandis que la façade conserve la double rangée de colonnes. Ainsi, avec d'autres combinaisons qui se rattachent au nombre de colonnes et à l'*ordre* architectural employé dans les proportions et dans l'ornementation de la colonne, les architectes anciens obtinrent les effets les plus variés dans la disposition d'édifices dont la forme partait du principe le plus simple et semblait peu susceptible de modifications.

Le Forum

Revenons maintenant à Pompei et aux temples dont la façade donnait sur le forum.

« Ab Jove principium. » Le plus important de ces temples, tant par son élégance que par sa situation, était le temple de Jupiter. Il occupait toute la face septentrionale du forum. Sur un degré élevé de treize marches était une plate-forme qui servait de soubassement au *pronaos* ou vestibule. Cette plate-forme était décorée à chacune de ses extrémités de deux statues, dont on a retrouvé les pieds chaussés de cothurnes. Elle formait elle-même un enfoncement de 12 mètres de large sur près de 15 mètres de long. Cet enfoncement était surmonté d'un toit en prolongement du toit de la *cella*.

Ainsi la façade présentait au visiteur un *pronaos* soutenu par six colonnes corinthiennes en avant et trois autres colonnes en retour de chaque côté. Des *antes* ou *pilastres* amorçaient le mur de la *cella* ou du sanctuaire. Le sanctuaire se trouvait donc réduit à une longueur de 18 ^{m},50 hors œuvre. Pénétrons dans l'intérieur par la grande porte, qui tournait sur des gonds de fer encore scellés dans la muraille. L'aspect devait être vraiment imposant. Au fond se dressait une statue colossale de Jupiter, avec les cheveux et la barbe peints en rouge. Des statues, des groupes en bronze décoraient les parois, et les entrecolonnements du rez-de-chaussée. Ce rez-de-chaussée était divisé en trois nefs, dont une seule, celle du milieu, était large et haute ; les bas-côtés étaient surmontés d'un étage accessoire formant tribune. Les murs étaient couverts de peintures d'ornement, du plus éclatant effet ; les cannelures des colonnes, les sculptures des chapiteaux et des frises ajoutaient à cette décoration si riche des jeux d'ombre et de lumière que l'éclat des couleurs, le vert, le rouge, le bleu, l'amarante, que le marbre et la mosaïque étendus sur le sol ne faisaient qu'accroître et affirmer encore. Derrière le sanctuaire se cachaient d'étroites chambres voûtées dans lesquelles reposaient probablement le trésor et les archives du temple. Un escalier dont la cage se trouvait près de ces chambres conduisait aux tribunes de l'étage supérieur.

Pour compléter l'idée d'un temple antique telle que Pompei nous permet de la concevoir si clairement, sortons du temple de Jupiter et pénétrons dans les deux édifices qui forment les angles du forum, l'un à droite, l'autre à gauche de celui que nous venons de visiter.

À gauche, c'est le *Panthéon*, ou le *temple d'Auguste*, que nous n'avons fait qu'indiquer tout à l'heure.

La façade de cet édifice, dont la destination n'est pas encore parfaitement connue, s'ouvrait sur le portique du forum. Aussi, comme l'emplacement était précieux pour le commerce, on avait fait pour cet édifice ce que nous voyons faire pour quelques-uns de nos monuments publics : on avait établi des boutiques prenant jour sous la colonnade. Ces boutiques, placées de chaque côté de la porte d'entrée, semblaient servir de préférence aux changeurs ou banquiers qui aimaient à se trouver à proximité du forum, centre des affaires. Dans l'une d'elles on a trouvé un grand nombre de pièces de monnaies de diverses espèces. La porte à double vanteau conduisait dans une cour rectangulaire assez vaste, ornée tout autour d'un portique, qu'on était en train de réparer lors du désastre. Les parois de ces portiques étaient décorées de riches peintures, représentant des *chasses*, des *courses*, des *fabriques* et quelques sujets tirés de la mythologie, *Ulysse et Pénélope, Psyché*, les *combats de Thésée*.

De chaque côté de cette cour, étaient construites des chambres de dimensions à peu près analogues entre elles. Mais les unes s'ouvraient à l'intérieur et étaient à ce qu'il semble, les pièces réservées au *collège* de prêtres qui desservaient le temple ; les autres, au contraire, donnaient sur une petite rue avoisinante et formaient encore des boutiques. Là étaient installés des marchands de fruits, de fleurs, un boulanger, un pharmacien, des orfèvres. C'était évidemment le quartier important, comme le *Palais-Royal* de Pompei.

Au centre de la grande cour rectangulaire ainsi entourée de toutes parts, on a retrouvé douze piédestaux dont la forme et la disposition en cercle ont vivement excité la curiosité des antiquaires, et ont été l'origine de toutes les controverses sur la destination de l'édifice. Les uns y ont reconnu des bases de colonnes sur lesquelles s'élevait un édicule circulaire abritant la statue du dieu unique adoré dans le temple ; ce dieu, dans ce cas, serait Auguste divinisé. On sait, en effet, par les inscriptions, qu'il existait un temple d'Auguste à Pompei. Les chambres que nous avons indiquées plus haut seraient, dans ce cas, le logement du collège des *augustals*.

Pour d'autres, au contraire, ce sont là des piédestaux sur lesquels se dressaient les douze statues des grands dieux rangées en cercle. L'édifice serait un *Panthéon*.

Les sacrifices se faisaient dans une sorte de chapelle placée au fond de la cour. Une statue en occupait le fond ; quatre autres statues étaient disposées dans des niches ; on a retrouvé deux d'entre elles, mais on peut à volonté y reconnaître des dieux ou des membres de la famille impériale. Des chambres vastes s'ouvraient à droite et à gauche de la chapelle ; dans l'une on a cru reconnaître un orchestre, dans l'autre on a trouvé un trésor enfermé dans une caisse garnie de serrures. Plus de onze cents pièces de monnaie, tant en bronze qu'en argent, le composaient. On a aussi, paraît-il, retrouvé en cet endroit des morceaux de verre à vitres ; cette découverte semble moins intéressante. Elle l'est davantage peut-être, si l'on considère que la question a été longtemps débattue, de savoir si les anciens si habiles dans le maniement du verre, s'en servaient pour fermer les édifices publics ou privés. Cette découverte et quelques autres faites à Pompei, ont décidément tranché la question en faveur de l'affirmative. Toutes les parois de ces salles étaient, comme celles de la cour, ornées de peintures.

On voit que cet édifice, quelque nom qu'on veuille lui donner, était, par ses dispositions générales, très éloigné de la figure ordinaire d'un temple antique. Aussi d'autres auteurs n'ont voulu y reconnaître qu'un lieu public où se réunissaient les magistrats de la cité. Mais cette hypothèse semble répondre encore moins à la nature de l'édifice. Il est donc mieux, jusqu'à plus ample informé, de s'en tenir à l'une ou l'autre des deux premières, en faisant d'ailleurs cette remarque qu'on trouve ici les éléments premiers et originaires d'un temple, c'est-à-dire un enclos abritant un ou plusieurs simulacres des divinités, avec un lieu spécial où pouvaient se faire les sacrifices.

En sortant du temple d'Auguste ou *Panthéon* par la porte qui donnait sur le Forum, on voyait se dérouler en face de soi la colonnade latérale du plus grand temple de Pompei, le temple de Vénus. C'est à cette déesse que la ville entière était consacrée. Rien que de naturel à ce que ce bel édifice lui fût dédié par ses habitants.

Temple de Vénus

Il n'avait pas sa porte d'entrée sur le *Forum*, mais sur une petite rue adjacente qui le séparait de l'édifice voisin, la basilique. Quoique les proportions de l'enceinte sacrée fussent considérables, la part réservée au tabernacle était relativement restreinte. La *cella* n'avait que 20 mètres de long sur 11 mètres de large, tandis que le mur qui l'entourait et le partageait (disposition assez fréquente et que nous trouverons une fois encore à Pompei), mur dit du *péribole*, enfermait un espace de 64 mètres sur 32 mètres à l'intérieur. La cour ou *area* comprise entre le mur du péribole et le sanctuaire était occupée par un splendide portique élevé sur quarante-huit colonnes d'ordre dorique et surmonté d'un élégant chéneau où les têtes de lions alternaient avec les palmettes. Des peintures donnaient encore à cette architecture polychrome une gaieté et un charme duquel la vue de nos monuments noirâtres nous a tout à fait désaccoutumés. Des statues en forme de Termes s'appuyaient à quelques-unes de ces colonnes. Au pied du perron par lequel on montait au temple, se trouvait un vaste autel où se déposaient les offrandes.

On montait les treize marches du perron ; on se trouvait alors dans le pronaos d'un temple périptère ; le sol était décoré d'une mosaïque de marbre bordée d'un méandre. Une porte s'ouvrait sur la *cella* ; au fond, se dressait la statue de la déesse, dont les débris informes gisent encore sur le sol. L'intérieur était aussi couvert de peintures ; mais là, point d'étages, point de triple nef ; du moins l'état des ruines ne permet point de croire que ces divisions aient jamais existé. Enfin, derrière la *cella*, quelques chambres, dans l'une desquelles a été trouvée l'une des plus belles peintures de Pompei (*Bacchus et Silène*), communiquaient avec le Forum et avec une ruelle adjacente.

Ici se célébrait le culte de la grande déesse que la voluptueuse Pompei avait prise pour protectrice. Il ne faut pas croire d'ailleurs que les souvenirs brutaux de l'amour physique se rattachassent seuls aux cérémonies et aux sacrifices qui avaient lieu en l'honneur de cette déesse. Des conceptions mythologiques, anciennes, compliquées et respectables s'appliquaient aux mythes qui prenaient pour objet la déesse mère de l'Italie. N'était-ce pas elle qui avait conduit ici la civilisation de l'Orient en protégeant les pérégrinations de son fils Énée ? N'était-elle pas la mère des Jules, d'où était descendu le plus illustre des Romains, César ? N'était-ce pas elle que les plus sages des poètes italiens avaient chantée ?

> Quæ quoniam rerum naturam sola gubernas,
> Nec sine te quicquam dias in luminis oras
> Exoritur, neque lit lœtum, neque amabile quicquam.

« Car c'est toi, ô déesse, c'est toi seule qui gouvernes la nature, et sans toi, rien, rien ne naît sous la divine lumière, rien de ce qui fait la joie, rien de ce qu'on aime. »

Pour les Italiens du temps de la catastrophe c'étaient là les vieux cultes, les cultes respectables. Tant de nouveautés qui venaient de l'Orient pénétraient la religion d'un esprit exagéré, ridicule ou terrible, que les sages craignaient, comme l'annonce d'un crépuscule ! C'était peut-être l'aurore d'une grande révolution.

Auprès du temple de Vénus, en traversant une rue étroite (la rue de la Marine), on pénétrait dans un édifice important à cette époque, important surtout à nos yeux par les destinées que l'avenir réservait au type sur lequel on l'avait bâti, c'était la *Basilique*. Qu'était-ce que la Basilique ? Le nom, d'origine grecque, ne nous apprend pas grand-chose : *Maison du roi*, qu'est-ce qu'un tel nom dans un pays où depuis des siècles on n'avait pas connu de souverains ?

Qui était le roi en Italie ? – C'était le peuple. Il se trouva donc que cet édifice d'origine royale devint la maison du peuple, en changeant de quelques degrés en latitude. Mais le nom était resté. Il n'y avait rien de trop beau pour lui d'ailleurs. Vitruve dit en propres termes : « Les basiliques peuvent réunir tout ce qu'il y a de magnifique et de majestueux dans l'architecture. »

Entrons dans quelques détails. Les peuples anciens, nous l'avons dit, vivaient beaucoup hors de chez eux. Le ciel, la tournure des esprits, la chaleur d'un sang méridional emplissaient continuellement les rues et les places publiques. Le *forum* était le lieu de réunion habituel tant pour les affaires politiques que pour le commerce et le loisir. Mais, malgré la douceur du climat, il y avait des jours, où la réunion au dehors, même sous les portiques du forum, était impossible. La pluie, le froid, le vent chassaient parfois badauds et gens d'affaires. C'est en prévision de ces cas que l'on construisait les basiliques.

La basilique était donc par excellence un vaste édifice où la réunion des groupes et la circulation des individus devaient être facile, et où l'on trouvait un abri contre les intempéries des saisons, pour traiter à l'aise les affaires qui se faisaient ordinairement sur le forum.

Vitruve nous a laissé de curieux détails sur les basiliques, en particulier sur celle de Fano, qu'il a construite lui-même. Celle de Pompei semble s'éloigner quelque peu du plan généralement adopté. Cependant son étude donnera des notions assez suffisantes sur un genre d'édifices destiné à un avenir si considérable.

Selon les règles elle donnait sur le forum. Cinq entrées permettaient aux allants et venants de circuler aisément entre les colonnes de la façade. Deux autres entrées donnaient sur des rues latérales. Du côté du forum, la basilique était précédée d'une chalcidique, sorte de prolongement et d'abri recommandé par Vitruve. À l'intérieur, la basilique, entourée de murs, présentait la forme d'une longue salle à peu près rectangulaire mesurant 67 mètres de long sur 27 de large. Cette salle qui devait être couverte (quoi-qu'on ait soutenu que la partie centrale était à jour), cette salle était divisée en trois nefs par des colonnes d'une grande hauteur qui formaient par leur alignement la nef intérieure. Des colonnes engagées, plus basses, s'appuyaient aux parois de la salle. La nef du milieu devait donc avoir toute la hauteur de l'édifice, laissant voir probablement l'enchevêtrement de la charpente du toit. Les nefs latérales, au contraire, plus étroites, étaient aussi moins hautes, en ce sens qu'un étage de tribune était disposé au-dessus d'elles et régnait tout autour de la salle. Ces galeries étaient garnies d'une balustrade « assez élevée, dit Vitruve, pour que les personnes qui s'y trouvent ne puissent être vues par ceux qui sont en bas. »

Des fenêtres étaient probablement percées dans les parois des tribunes. Un toit unique couvrait le tout et reposait sur les murs latéraux et sur les deux rangées de colonnes déterminant la nef centrale. Au fond de la basilique se trouvait un endroit spécialement réservé et distingué de la salle commune par une enceinte de colonnes et formant comme une petite salle ouverte. Là on a retrouvé les restes d'un stylobate élevé de deux mètres au-dessus du niveau de la salle et sur lequel s'appuyaient six petites colonnes qui probablement étaient autrefois surmontées d'un étage comme les nefs latérales de la basilique. À cet endroit s'asseyait le magistrat qui rendait la justice. La hauteur du stylobate le protégeait, comme la disposition de la salle l'écartait un peu du tumulte ordinaire. Quant aux accusés, il n'était pas nécessaire d'aller les chercher très loin. Sous la tribune même, on a retrouvé un véritable cachot voûté. On y pénétrait par une porte pratiquée dans l'épaisseur de la muraille. L'air et la lumière n'y parvenaient que par d'étroits soupiraux qui s'ouvraient au dehors, mais qui, comme on le voit encore aujourd'hui, étaient scellés de gros barreaux de fer.

Tel était l'aspect général de la basilique. Les peintures qui décoraient les murailles étaient simples. Elles étaient toutes barbouillées par les plaisanteries et les caricatures qu'y inscrivaient les plaisants de Pompei. On a pu déchiffrer quelques-unes de ces inscriptions, qui, par leur parfum d'actualité locale, transportent si vivement l'esprit du visiteur moderne à l'époque même du désastre et de la vie interrompue.

Pour terminer ce qui nous reste à dire de la basilique, il suffit d'indiquer l'importance que ce genre d'édifices prit dans les siècles postérieurs. Dans ces grands et commodes monuments, les chrétiens trouvaient une place naturellement indiquée et des constructions toutes faites pour leurs nombreuses réunions. On pouvait facilement circuler entre ces colonnes. Hommes et femmes s'y séparaient naturellement en deux troupes. Sous le portique ou les chalcidiques, les néophytes et ceux qui n'étaient pas de l'église pouvaient attendre et prendre leur part aux cérémonies du culte. La tribune du magistrat était un endroit tout indiqué pour être le siège de l'évêque. Les fidèles qui l'assistaient dans les offices, le chœur, pouvaient s'asseoir près de lui aux places jadis destinées aux assesseurs. Tout s'adaptait pour le mieux aux besoins encore modestes d'un culte naissant. Aussi, dès que le christianisme, après avoir traversé victorieusement l'ère des persécutions, fut monté sur le trône avec Constantin, il s'empara rapidement des basiliques déjà construites. Les nouveaux édifices que l'on fit bâtir se modelèrent tout naturellement sur un plan si simple et si commode. Telle fut l'origine des cathédrales chrétiennes. On peut, depuis la plus haute antiquité chrétienne, suivre la lente transformation de ce type, qui, plus tard, en se perfectionnant, couvrit l'Europe de tant de merveilleux monuments.

Le quatrième côté du forum de Pompei était occupé par trois salles de dimensions moyennes et de grandeur inégale. Une sorte d'abside en demi-cercle terminait le rectangle qui formait la salle principale. On a cru reconnaître des *Tribunaux* dans ces ruines, d'ailleurs peu importantes.

Après avoir étudié dans le forum et dans les monuments qui l'entouraient, le centre de la ville, gagnons un autre point non moins curieux et où les Pompéiens devaient se rendre avec non moins d'empressement, c'est la région des théâtres. Elle se trouvait à l'extrémité sud-est de la ville, à droite du forum et un peu en arrière. Pour nous y rendre, nous suivrons la rue de l'École, en jetant un coup d'œil sur les ruines des maisons qui prennent jour sur elle. C'était un des quartiers les plus agréables de la ville, non loin du forum, aux pieds des collines, avec de grands jardins, où les Pompéiens venaient se reposer de leurs travaux. C'est un des endroits où l'on a rencontré le plus de squelettes. Dans un souterrain qui se trouve aux environs, on a trouvé, en 1826, sept corps de Pompéiens qui étaient morts là étouffés. On a relevé auprès d'eux l'argent et les objets précieux qu'ils emportaient dans leur fuite. C'est à ce fait que Bulwer a emprunté le dénouement de son récit.

Nous tournons à gauche, nous suivons la rue de la Reine, la ruelle du Théâtre et, faisant un petit coude à gauche, nous débouchons sur la seconde place de Pompei : le forum triangulaire. On a cru, probablement avec raison, que c'était là le premier noyau de Pompei, l'ancienne Acropole qui avait d'abord concentré et protégé les origines de la ville naissante. La hauteur du lieu, la proximité de la mer, avec laquelle on communiquait en descendant un escalier, la présence du temple le plus ancien qu'on ait retrouvé dans les ruines, tout confirme cette hypothèse.

On entrait dans ce forum par un élégant propylée de huit colonnes. Il était lui-même presque entouré d'un portique, sur lequel les citoyens de Pompei prétendaient avoir seuls la *deambulatio*, ou droit de promenade. Le plus grand côté du triangle qui formait la place s'appuyait à l'amphithéâtre ; aussi une magnifique colonnade nommée les *cent colonnes* (hecatonstylon) se déroulait de ce côté et offrait un refuge aux spectateurs dans les mauvais temps.

À l'un des angles du forum triangulaire on a trouvé une sorte de petite enceinte sacrée nommée *bidental* et qui était protégée par un édicule circulaire.

Enfin le milieu même de la place est occupé, nous l'avons dit, par le temple grec, que l'on considère comme le plus ancien monument de la ville et qui probablement était déjà en ruines lors de l'ensevelissement. Les restes que l'on a retrouvés sont tout à fait insuffisants pour qu'on puisse supposer qu'il était encore complet, et pour que l'on puisse reconstituer facilement son ancienne physionomie.

Près de ce forum, derrière le grand théâtre, et voisin de l'enceinte, se trouvait un grand édifice de forme régulière où l'on a reconnu après quelques hésitations la *caserne des militaires*. Cette caserne se composait d'une grande cour faisant portique, autour de laquelle étaient disposés en rectangle les bâtiments où logeaient soldats et officiers. Dans l'une des chambres on a trouvé de nombreuses et très riches armes de gladiateurs, qui font penser qu'une troupe de ces gens habitait la caserne. La proximité des théâtres suffit d'ailleurs pour assurer cette conjecture.

Les *théâtres* : Les représentations scéniques jouaient un rôle très important dans la vie des anciens. Grecs et Romains mettaient ces plaisirs au plus haut rang. C'était le premier devoir des magistrats en entrant en charge de disposer d'immenses réjouissances publiques dans lesquelles ils faisaient assaut de luxe et de prodigalité. À ce point de vue, les villes de province suivaient l'exemple donné par Rome et nous voyons à Pompei, par un grand nombre d'inscriptions, que les magistrats ne pouvaient se dispenser de cet onéreux devoir qu'en prenant en échange la charge plus onéreuse encore de construire tout ou partie d'un théâtre ou d'un hippodrome.

Dès le temps de la république, on avait fait de tels efforts pour satisfaire en ce point le goût du public, que le tribun Curio, désespérant de dépasser le luxe asiatique du théâtre construit par Æmilius Scaurus (on comptait sur sa scène plus de 3 000 statues en bronze), en était réduit, pour faire du nouveau, à construire deux théâtres en bois placés dos à dos, mais disposés de telle sorte qu'en les faisant tourner l'un et l'autre sur des pivots ils se réunissaient de manière à former un amphithéâtre. Pompée construisit un théâtre en pierre qui pouvait contenir 40 000 spectateurs. Le chef-d'œuvre du genre fut le *Colisée*, bâti par les Flaviens et dont les ruines gigantesques sont encore un des plus nobles spectacles qu'il soit donné à l'homme de contempler. Le grand cirque de Rome avait 682 mètres de long et 130 mètres de large ; des galeries formant trois étages l'entouraient. Ces galeries avaient des gradins en pierre dans les étages inférieurs et en bois dans les étages supérieurs. Il contenait, à l'époque de Trajan, environ 300 000 spectateurs.

Ce n'était pas dans de pareilles proportions certainement qu'étaient construits les théâtres et l'amphithéâtre de Pompei ; mais, dans des proportions moins grandes, ils nous présentent une image très complète et très remarquable de ce qu'étaient ces édifices dans l'antiquité romaine.

Il faut tout d'abord prendre garde de ne pas confondre le *théâtre* et l'*amphithéâtre*. Le théâtre servait exclusivement aux représentations scéniques. Il se partageait essentiellement en deux parties : la *scène*, et l'endroit où s'asseyaient les spectateurs, la *cavea*, ou hémicycle. En principe, le théâtre antique n'avait pas de toit. Cependant il y avait une forme de théâtre, généralement plus petite, qui était couverte. C'était ce qu'on appelait un *odéon*. L'amphithéâtre était réservé aux courses, aux jeux violents, aux combats de gladiateurs. Quelquefois on fermait hermétiquement toutes les issues, on emplissait d'eau la partie inférieure, jusqu'à une certaine hauteur, et, sur ce lac improvisé, on représentait des *naumachies*, c'est-à-dire des simulacres de combats navals. Le luxe des jeux, comme on le voit, n'avait pas de bornes.

Pompeï possédait un type de chacun des édifices que nous venons de décrire rapidement. Les deux théâtres étaient établis près du forum triangulaire, et n'étaient séparés l'un de l'autre que par une galerie ou passage couvert.

L'amphithéâtre était tout à fait à l'extrémité de la ville, dans la même direction que les théâtres, mais beaucoup plus loin, dans l'angle formé par l'enceinte entre la porte de Stabie et la porte du Sarno.

Donnons quelques détails sur chacun de ces édifices. Le *grand théâtre* se composait : 1° de la scène, de forme rectangulaire, qui elle-même comprenait le *proscenium* ou avant-scène : c'était là que les acteurs jouaient, la figure couverte d'un masque et le corps élevé sur de hautes chaussures. La *scène* proprement dite, qui était une sorte de décoration architecturale fixe très richement ornée, avec des effets de perspective et des dispositions acoustiques parfaitement aménagées ; la *scène* formait en quelque sorte le fond du théâtre. Le *postcenium*, ou derrière de la scène, formait comme les coulisses. Il communiquait avec le *proscenium* par trois portes percées dans la *scena*. Un rideau, que l'on ne levait pas, mais qu'on baissait pour découvrir la scène, cachait celle-ci aux yeux des spectateurs, quand il était levé.

Les spectateurs étaient assis sur des étages en gradins faisant le demi-cercle ou le fer à cheval (comme à Pompeï) en face de la scène, que nous venons de décrire. Les places étaient d'autant plus honorables qu'elles étaient plus près de l'orchestre. On appelait ainsi un demi-cercle laissé vide entre la *cave* (ou ensemble des gradins) et le proscenium. Le dernier rang de gradins, la dernière *précinction*, comme on disait, était ornée en arrière d'un portique richement décoré, qui terminait heureusement l'aspect général de l'édifice.

Des escaliers, au nombre de six dans le grand théâtre de Pompei, permettaient de descendre et de monter le long des gradins. Ils partageaient ainsi l'hémicycle en *coins* (cunei). Des tribunes réservées aux magistrats étaient disposées dans l'angle des *cunei* les plus voisins de la scène.

Les gradins du théâtre de Pompei étaient au nombre de vingt-neuf ; ils étaient en marbre de Paros. Les spectateurs assis sur ces gradins n'étaient pas, comme on peut le croire, exposés à toutes les intempéries des saisons. Sauf dans les cas de grand vent, un système très habilement combiné de poulies et de câbles, permettait d'étendre au-dessus d'eux un immense voile qui les abritait du soleil et de la pluie, tandis qu'ils écoutaient à l'aise les vers de Plaute ou de Sophocle.

On ajoutait à cet agrément le charme de nombreux parfums répandus fréquemment sur la scène ; et même par instants une pluie fine chargée d'essence était lancée sur les assistants et les aidait à supporter les ardeurs des chauds soleils du Midi.

On sortait du théâtre par de longs corridors ou vomitoires communiquant à des galeries voûtées. Ces corridors donnaient, à l'extérieur, sur un portique porté par six colonnes d'un bon style. L'aspect de l'extérieur présentait un édifice circulaire à plusieurs étages, élevé en raison de la hauteur des gradins, et laissant à son rez-de-chaussée de larges entrées pour le va-et-vient des spectateurs.

Petit théâtre

Les spectateurs *faisaient la queue* autour de ces portiques et l'on a pu lire encore les inscriptions plaisantes dont, pour se désennuyer, ils avaient chargé les murs de l'un et l'autre des théâtres pompéiens.

Nous ne dirons qu'un mot du petit théâtre, l'*Odéon*. Réservé aux représentations d'hiver et peut-être aussi aux fêtes musicales, aux lectures ou *récitations* si fréquentes à l'époque de l'empire, il était couvert tout entier. Ses gradins supérieurs ne formaient qu'un segment de cercle et non un cercle entier. Il semble que sa décoration était moins élégante que celle du grand théâtre. Il ne pouvait guère contenir que 1 500 spectateurs.

Gagnons maintenant l'amphithéâtre. Les amphithéâtres, quoique leur nom soit grec (ἀμφι θέαTρον, double théâtre), semblent être d'origine italienne. Les Grecs étaient, comme les Romains, amateurs des jeux violents du cirque. Mais, chez eux, la course, les luttes d'homme à homme tenaient la place la plus importante ; tandis que les Romains ne trouvaient un spectacle complet que s'il était assaisonné du régal sanglant d'un combat de gladiateurs ou d'une *chasse* de bêtes féroces. La disposition des édifices n'était pas la même chez les deux peuples. Les Grecs avaient le *stade*. Les Italiens l'*amphithéâtre*. L'amphithéâtre, comme son nom l'indique, était composé de deux théâtres se joignant par leur partie droite, de sorte que l'ensemble de l'édifice avait la forme d'une ellipse.

Les diverses parties d'un amphithéâtre sont : 1° l'*arène*, où se livraient les jeux et les combats ; sa forme elliptique était favorable aux courses, aux mouvements d'attaque et de poursuite ; l'arène communiquait avec les endroits où se préparaient les gladiateurs, où l'on conservait les objets d'équipement, où étaient enfermées les bêtes féroces destinées au spectacle ; 2° l'ensemble des gradins où s'asseyaient les spectateurs.

Ces rangées de gradins se divisaient elles-mêmes en parties différentes. Il y avait le *podium*, c'est-à-dire le gros mur des sièges ; les différents étages des gradins (*gradationes*) avec leurs escaliers ; les différents corridors qui séparaient les étages l'un de l'autre (*prœcinctiones*). Ces corridors communiquaient avec les vomitoires (*vomitoria*). Sous cet énorme édifice des gradins, de nombreux couloirs, soit parallèles, soit rangés les uns au-dessus des autres, étaient ménagés et servaient à la circulation du public. Ces corridors voûtés débouchaient à l'extérieur sous un portique.

Du dehors on pouvait contempler l'imposant spectacle des trois étages ou trois ordres de colonnes qui formaient la ceinture extérieure de l'édifice. Sur le plus haut de la muraille, s'élevait encore un portique qui régnait autour de l'amphithéâtre. C'était là qu'étaient établies les poutres auxquelles s'accrochaient d'immenses voiles que l'on tendait au-dessus des spectateurs.

Tel était en général l'aspect d'un amphithéâtre. Tel devait être en gros l'aspect de celui de Pompei. Comme il était d'usage, on avait profité, pour le construire à moindres frais, de la disposition du terrain au pied d'une éminence. 20 000 spectateurs pouvaient s'y asseoir. Des places honorables étaient réservées aux prêtres, aux prêtresses et aux magistrats.

La coupe des gradins, avec une moulure nettement profilée, était plus élégante qu'elle ne l'est généralement dans les édifices du même genre. Des scènes de luttes et de chasse étaient sculptées tout autour du *podium* et s'y entremêlaient aux inscriptions disant les noms des magistrats qui, à leurs frais, avaient achevé les parties diverses de l'édifice. À l'entrée des couloirs, dans les couloirs eux-mêmes, on voyait les statues de ces mêmes magistrats protégées par des grilles de fer.

Les descriptions, la vue des ruines, même de la partie actuellement restaurée de l'amphithéâtre, ne peuvent donner qu'une idée vague de tout ce qu'il y avait de luxe et d'éclat dans la décoration de cet édifice. Des cylindres en ivoire mobiles et des réseaux en or s'étendaient autour du podium ; le portique du haut était couvert de dorures ; au-dessus des spectateurs flottaient les immenses tentures teintes des plus riches couleurs ; des tapis ornaient les gradins réservés aux magistrats. Qu'on imagine, en outre, le murmure confus d'une salle pleine de 20 000 spectateurs, l'éclat et le bruit des armes des combattants, le rugissement des bêtes féroces et le cri des victimes, le sang coulant sur l'arène, et, au-dessus de tout, le chaud éclat et la grande lumière du soleil d'Italie, tel était le spectacle que ces anciens peuples aimaient avec passion, à l'occasion duquel s'élevaient parfois des cabales qui divisaient l'empire.

Amphithéâtre

Au moment de la catastrophe, l'amphithéâtre de Pompei était abandonné depuis plusieurs années. Une querelle qui s'était élevée dans cet édifice même entre les Pompéiens et leurs voisins les Nucériens, venus pour assister aux jeux, s'était terminée par une rixe sanglante. Les Pompéiens, plus nombreux, avaient eu l'avantage. Mais le Sénat de Rome les avait punis en interdisant les jeux pendant dix ans. Ainsi s'explique l'abandon de l'édifice, qui avait souffert des tremblements de terre antérieurs à la catastrophe. Ainsi se trouve démenti le récit du romancier, qui, d'après un historien mal renseigné, fait coïncider le moment soudain de la catastrophe avec une représentation donnée à l'amphithéâtre.

Nous venons de passer en revue les principaux types d'édifices publics que les fouilles ont mis à la lumière. Nous avons pu relever, à chaque instant, la trace de ces habitudes de vie extérieure que les textes de la littérature classique nous permettaient déjà de reconnaître chez les anciens. Si ces preuves n'étaient suffisantes, si la richesse et la splendeur relative des monuments publics dans une ville de province, n'étaient pas assez remarquables pour nous convaincre, on trouverait un nouvel argument dans l'étude des maisons privées, que les *lapilli* du Vésuve recouvraient en si grand nombre.

C'est là peut-être la partie la plus curieuse et la plus originale des renseignements que la découverte de Pompei a ajoutés à l'histoire de l'antiquité. On a pu enfin pénétrer dans le détail particulier et intime de la vie de chaque citoyen. L'ingénieuse hypothèse du *Diable boiteux*, qui, pour faire pénétrer le lecteur dans tous les secrets d'une grande ville, enlève d'un seul coup tous les toits des maisons, s'est trouvée réalisée à la lettre. Toutes ces maisons nous sont ouvertes. L'accident tragique a pris leurs habitants d'une façon si brusque que rien ou presque rien n'a été changé dans leur état habituel. Tout ce qui n'est pas en bois ou en matière susceptible de périr par l'action combinée du feu et du temps, tout cela a subsisté dans l'état et à la place même où on l'avait mis il y a dix-huit siècles.

Nous ne pouvons malheureusement prétendre dépeindre une à une, avec le soin minutieux qui serait convenable, chacune de ces habitations, qui toutes présentent leur côté intéressant. Nous ne pouvons, – faute de la place suffisante, – conduire successivement le lecteur chez l'édile Pansa, qui faisait inscrire ses louanges sur la porte même de sa maison ; chez le riche et voluptueux Salluste, qui réservait la plus belle part de sa demeure aux parties fines, aux plaisirs de la table et peut-être de la débauche ; dans la magnifique villa de Diomède, assise à proximité de la campagne, entourée de portiques et de jardins, avec ses bains richement aménagés, son péristyle somptueux, ses cabinets d'étude retirés, ses vastes caves où le bon vin était dressé dans les amphores.

Péristyle de la maison de Pansa

C'est là que s'est passé le drame le plus émouvant que nous aient révélé les fouilles faites dans la ville ensevelie. Cette maison était une des plus voisines du Vésuve. Peut-être a-t-elle été enfouie la première, peut-être ses habitants ont-ils cru trouver dans la solidité de sa construction un plus sûr abri. Quoi qu'il en soit, dans un des souterrains sur lesquels elle était bâtie, on a trouvé, en 1763, dix-sept corps de femmes et d'enfants. Autour des squelettes, encore voilés des vêtements dont ils s'étaient couvert le visage, on a retrouvé les bijoux, les objets précieux qu'ils avaient emportés dans leur fuite. Ils avaient aussi réuni des provisions que la rapidité du désastre ne leur laissa pas le temps d'entamer, et qu'on a retrouvées aussi. La nature de leur mort fut si singulière et si prompte qu'on a pu relever jusqu'aux empreintes que leurs cadavres avaient laissées dans la cendre durcie autour d'eux ; et on raconte qu'on put ainsi reconnaître le corps d'une jeune fille d'une admirable beauté ; la forme de son corps, le pli et le tissu de ses vêtements apparaissaient encore dans les empreintes que la cendre avait moulées si finement et si exactement il y avait dix-sept siècles. Ses bijoux étaient restés autour de son squelette, et on a pu, de leur richesse, conclure que l'on était en présence du cadavre de la fille même du propriétaire de cette riche maison. Non loin de là, dans un jardin, on a reconnu le squelette du maître lui-même. Accompagné d'un esclave qu'il avait chargé d'argent et d'objets précieux, il essayait de gagner la campagne, lorsqu'un dernier effort du volcan le surprit. Il tomba là, tenant entre ses mains les clefs incrustées d'argent de sa demeure. Plus loin encore dans la campagne, on trouva neuf autres cadavres.

Heureusement toutes les maisons de Pompei n'ont pas été le lieu de si lamentables découvertes. On peut dire que, lors du désastre, la ville était relativement déserte. Quelques retardataires malheureux ou avides, des malades peut-être, d'autres qui crurent trouver dans les maisons un abri plus sûr que dans la campagne, durent être les seules personnes qui ne purent échapper.

Revenons à la description de la ville elle-même ; et puisqu'il ne nous est pas loisible de donner des détails sur toutes les habitations privées, prenons-en une comme type et, à son occasion, essayons de reconnaître les parties principales d'une maison particulière chez les anciens.

En façade sur la rue dite *de la Fortune* qui semble être une des rues importantes de Pompei, occupant un îlot entier de forme rectangulaire, entourée de rues sur ses quatre côtés, se trouvait l'importante maison d'un Pompeien riche et homme de goût, mais dont le nom est inconnu ; c'est la maison du Faune, ainsi nommée d'une charmante statue de bronze qu'on y a trouvée. Elle a été découverte en 1830, et on a pu reconnaître avec soin tous les détails de son aménagement.

Jusque dans les dispositions de la maison Romaine on reconnaît combien la vie extérieure était prédominante aux yeux des anciens. La maison était un endroit retiré où l'on ne séjournait que le temps nécessaire au repos et au besoin de la vie. Aussi les chambres étaient-elles en général petites et peu confortables. On remarque surtout l'absence presque absolue de cheminées, absence que n'explique pas suffisamment la nature du climat : car il y a des journées très froides, même sous le ciel de Naples. Les anciens, comme nos contemporains de cette région, faisaient probablement un grand usage du réchaud à charbon, le *brasero*. On a supposé aussi que les maisons étaient chauffées au moyen de tuyaux renfermant de l'eau chaude.

À l'extérieur, la maison ancienne présentait en général un aspect sombre et triste. Peu d'ouvertures sur le dehors, de grands murs blancs percés d'une baie étroite, et couverts d'un toit en tuiles rouges. Tout au plus comme ornementation deux colonnes ou deux pilastres appliqués s'appuyant aux deux côtés de la porte d'entrée.

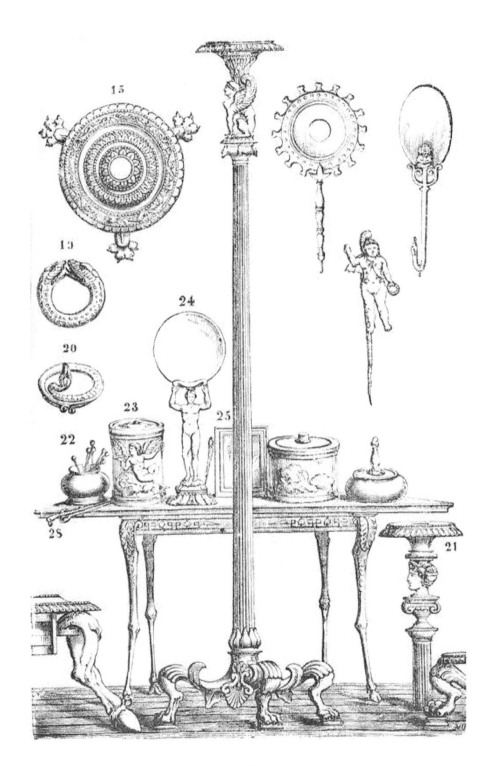

Si nous entrons, un chien de garde montre les dents et grogne ; l'esclave-concierge (*ostiarius*) traînant sa chaîne, examine le nouvel arrivant. Quelquefois à vrai dire le concierge manquait, et le chien était simplement représenté en figure, comme le Suisse peint du château de Scudéry ; c'est le cas dans une des plus jolies maisons de Pompei, où une mosaïque élégante représentait un chien aboyant, avec l'inscription : « cave canem » Prends garde au chien.

Allons plus loin encore. Toute maison bien conçue se divise en trois parties ; l'une encore publique en quelque sorte, là où vont et viennent les esclaves, où les étrangers attendent, où les clients arrivent dès la pointe du jour pour présenter leurs hommages au patron. C'est la région de l'*atrium* et de ses dépendances.

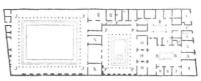

Plan de la Maison du Faune

D'après Breton.

La seconde partie de la maison romaine se groupe autour du *pérystile*. C'est là l'endroit où se tient le maître, c'est là que donnent les entrées des salons, des salles à manger, des chambres à coucher.

Derrière enfin s'étendaient les jardins et les appartements d'été.

Nous allons, dans la maison du Faune, rencontrer ces trois grandes divisions et les étudier avec un peu de détail. Avant d'entrer par la porte principale qui ouvrait sur la rue de la Fortune, observons, qu'à Pompei, comme dans nos villes modernes, le rez-de-chaussée des maisons privées était souvent occupé par des boutiques n'ayant que peu ou point de communication avec l'intérieur. C'est le cas dans la maison du Faune, où quatre boutiques étaient ménagées dans la façade (1, 2, 3, 4). Nous entrons par le corridor ou *prothyrum* (A). Ce corridor est coupé en deux par une porte double. Il est pavé en marbre de diverses couleurs. Les murs sont peints de façon à imiter le marbre.

Ce corridor ouvre sur l'*atrium* (B), c'est une espèce de cour intérieure, au milieu de laquelle se trouve une fontaine ou un bassin nommé *compluvium*. C'est au centre du compluvium que, sur un piédestal, se trouvait la statue du *Faune* qui a donné son nom à la maison. L'*atrium* avait des formes et des noms différents. Il était *toscan* quand il n'y avait point de colonnes ; *tétrastyle*, quand il y avait quatre colonnes seulement, une dans chaque coin ; *corinthien*, lorsqu'il était entouré d'un portique ; en *carapace* (*testudinatum*), lorsqu'il présentait au milieu une sorte d'abri porté sur des piliers, et vêtu d'un toit de tuiles ayant quelque analogie avec l'écaille d'une tortue.

Tout autour de l'atrium sont disposées des chambres (5, 6, 7, 8, 9) qui servaient probablement l'une de loge au concierge, les autres de demeure aux esclaves et aux gens de service. Deux de ces chambres du fond avaient une disposition particulière et portaient un nom spécial. C'étaient les *alœ*. C'étaient des espèces d'antichambre ou de salles d'attente, décorées avec goût et où le maître du logis donnait audience aux personnes qui ne pénétraient pas dans l'intérieur.

Dans les *ailes* de la maison du Faune, le pavé était fait de mosaïques très élégantes que l'on conserve maintenant au musée de Naples, et qui représentent des oiseaux, des pigeons, des canards, des cailles.

Avant de pénétrer plus loin dans l'intérieur de l'habitation, il convient de remarquer que la maison du Faune présentait une particularité qui n'est pas ordinaire aux autres maisons de Pompei. C'est qu'elle avait une double entrée sur la rue, et un double *atrium*. L'autre entrée était en C. L'*atrium* D plus petit que le premier était de forme différente. Il était tétrastyle. Cette partie de la maison semble avoir été réservée plus particulièrement à la réception des hôtes. On a trouvé dans les chambres qui entouraient l'atrium des pieds de lit en ivoire, des cassolettes, et des boîtes à parfum.

Ce second atrium communiquait d'ailleurs avec le premier par une sorte de vestibule. D'autre part il donnait entrée à droite de l'habitation sur une série de chambres et d'appartements qui formaient ce qu'on appelle aujourd'hui les communs. On a cru pouvoir y reconnaître des chambres d'esclaves, un pressoir pour les vins, une buanderie, une boulangerie, une cuisine. Toutes ces chambres donnaient sur un long corridor (*fauces* F) qui longeait le péristyle et qui conduisait directement du petit atrium au jardin.

Revenons dans le premier *atrium* et, pour pénétrer dans la partie la plus intime de la maison, traversons le *tablinum* (12) espèce de galerie où se trouvaient les titres de la famille et les images des aïeux. On sait que c'était un des plus vieux et des plus respectables usages des Romains de conserver ainsi la figure de ceux dont les exemples et les souvenirs honoraient la maison et servaient de modèle à leurs descendants.

> Tota licet veteres exornent undique ceroe
> Atria. Nobilitas sola est atque unica virtus.
>
> (JUVÉNAL.)

« Que les images de cire des aïeux emplissent ton atrium. La noblesse, la seule noblesse, c'est la vertu. »

À droite et à gauche du tablinum sont deux chambres (10 et 11) qu'on suppose avoir été les salles à manger *(triclinia)*. C'était d'ailleurs la place où ces salles se trouvaient d'habitude. Dans l'une et dans l'autre, le pavé était décoré de très belles mosaïques, les unes et les autres représentant des sujets « de salle à manger », comme nous disons aujourd'hui ; dans l'une était représenté un *Bacchus à cheval sur une panthère*, dans l'autre des poissons, des écrevisses, etc.

En traversant le vestibule ou tablinum, nous entrons dans le *péristyle* (P) qui, large de 24 mètres et profond de 20 mètres, avait un portique soutenu par 28 colonnes cannelées d'ordre ionique. Au milieu de ce péristyle, se trouvait un petit bassin carré rempli d'eau, c'était là le point véritablement central et réservé de la maison antique. « Les conversations de l'atrium n'arrivent pas jusqu'au péristyle », dit Térence. Quelquefois, le bassin du milieu était remplacé par une corbeille de fleurs, le péristyle était toujours richement décoré.

Entre le péristyle et le jardin ou *xyste* se trouvaient plusieurs chambres de repos ou de communication (*exèdres, X*). C'est dans l'une d'elles que l'on a trouvé le 24 octobre 1851, une magnifique mosaïque représentant un sujet de combat entre Grecs et Barbares, dans lequel on croit reconnaître une des batailles d'Alexandre contre Darius. Cette mosaïque forme un tableau de 5^m,50 sur 2^m,72. On y compte 15 chevaux et 26 guerriers au quart du naturel ; elle est maintenant au musée de Naples. Le sujet principal de l'action est un cavalier qui transperce de sa lance un autre cavalier richement vêtu au moment où celui-ci roule avec son cheval abattu. Près de là un écuyer semble tenir un cheval de rechange tandis qu'un corps de Barbares, cavaliers ou montés sur des chars, prennent la fuite dans le plus grand désordre. La beauté de l'exécution, la hardiesse des raccourcis, la vie répandue sur toute la scène, font de cette mosaïque l'une des pièces d'art à la fois les plus curieuses et les plus belles que nous ait laissées l'antiquité.

Cette chambre une fois traversée on pénètre dans le jardin (J) qu'entourait un superbe portique soutenue par 56 colonnes doriques. Au milieu de ce portique se trouvait une *area* divisée probablement en plates-bandes, et sur laquelle étaient répandus des marbres et des bronzes, en particulier un *sphinx accroupi* qui est maintenant un des ornements du musée. Le fond du jardin qui donnait sur la ruelle de Mercure, était occupé par des chambres d'esclaves avec sortie sur la ruelle.

Mosaïque de la maison du Faune représentant la bataille d'Arbelles

Il n'est pas douteux que la plupart des constructions de la maison du Faune, dont il ne reste plus aujourd'hui que le rez-de-chaussée étaient surmontées d'un premier étage où se trouvaient les chambres à coucher. Car, outre les nombreux débris que l'on en retrouve encore, on voit dans une des salles du fond du jardin, les premières marches d'un escalier.

On peut maintenant se rendre compte du luxe qui présidait à la construction et à l'aménagement des maisons particulières des riches Pompéiens. Les dispositions principales de la maison du Faune, on les retrouve dans la maison de Pansa, dans la maison de Diomède, dans la maison du poète, dans la maison de Salluste, variées seulement selon le goût de leurs propriétaires, ou la disposition du terrain. La maison de Diomède plus voisine de la campagne était remarquable par son riche jardin, par ses bains parfaitement aménagés. Elle rappelle plus que les maisons du centre de la ville, la description de la villa de Pline que cet écrivain nous a laissée dans ses Lettres.

Nous avons donné une idée générale des monuments publics et des maisons privées de Pompéi, mais que ne nous reste-t-il pas à faire pour compléter le tableau de la ville antique, telle qu'elle était autrefois, et telle qu'elle apparaît encore aux visiteurs. Nous n'avons rien dit des monuments de second ordre, comme les arcs de triomphe, les casernes, les prisons, les bains publics. Ces derniers forment certainement l'un des plus curieux restes de la civilisation dans laquelle ils tenaient une place si considérable. Nous n'avons pas parlé non plus de ce côté si particulier et si intime de la vie antique que nous a révélé la découverte successive des boutiques, boulangeries, fabriques de savons, boutiques de barbiers ou de parfumeurs, tavernes, fabriques de produits chimiques, etc.

Surtout nous n'avons pas insisté assez sur cette innombrable quantité d'objets d'art qui ont complété par une moisson si abondante, les traces de cet amour du beau si généralement répandu chez les peuples de la Grande Grèce. Nous ne finirions pas à décrire ces marbres, ces bronzes, ces peintures, ces mobiliers richement ornés, ces bas-reliefs, ces bijoux où l'art et l'industrie de nos jours vont chercher le meilleur de leurs inspirations.

Mais ici comme à Thèbes, nous terminerons par les tombeaux et les demeures des morts ; étude qui convient pour clore le récit que nous avons fait de la mort et de la résurrection des nécropoles antiques.

Pour aller à Herculanum en suivant le faubourg Augusto Felix, on prenait la célèbre voie des Tombeaux. Là les Pompéiens, selon l'habitude romaine, avaient disposé, des deux côtés de la route la plus fréquentée, les élégants monuments où reposaient leurs morts, au milieu des bouquets d'arbres et des jardins. Chaque monument avait sa forme particulière, depuis l'opulente masse du tombeau de Scaurus, jusqu'à la simple borne du tombeau de l'une des Tyché. À côté de la plupart d'entre eux se trouvaient autrefois, et se voient encore aujourd'hui, des sièges en pierre ou en marbre, s'offrant à l'entrée même de la ville à la fatigue du voyageur.

Ustensiles et bijoux

C'est cet endroit même qui inspire à notre illustre contemporain, M. Renan, l'une de ses pages les plus charmantes : « Nous visitâmes surtout cette rue des Tombeaux, un des lieux les plus poétiques du monde ; nous nous assîmes sur ces sièges hospitaliers que le mort offre aux vivants comme pour lui conseiller le repos (Oh ! le bon conseil que donnent les morts !). Nous allions saluer à la porte de la ville la place où fut trouvé le soldat fidèle, victime de son devoir, quand un de nos compagnons nous arrête brusquement : "Tout est changé, nous dit-il, ce petit réduit n'est plus, comme on le croyait, une guérite ; c'est bien à tort qu'on a voulu voir dans le cadavre qui y fut trouvé les restes d'une sentinelle qui aurait péri à son poste, acceptant le danger évident de l'asphyxie plutôt que de fuir. Cet homme ne méritait pas les honneurs qu'on lui a rendus ; c'était peut-être un voleur. " Cela nous rendit pensifs. Quoi ! même après la mort, un héros du devoir peut, selon les caprices de l'archéologie, être confondu avec un voleur ; le cadavre d'un voleur peut usurper, durant des années, par suite d'une erreur des antiquaires, les honneurs dus au héros ! Combien un jugement dernier est nécessaire pour reviser tout cela ! Mais dans celui-ci encore, que d'erreurs possibles ! » Et plus loin, poursuivant cette même idée du repos offert aux vivants par les morts, le même auteur fait allusion à un autre détail non moins pittoresque des tombeaux pompéiens. La présence de sorte de salles à manger, *triclinia*, près des monuments funéraires : « N'avez-vous pas remarqué, me dit mon guide, dans la rue des tombeaux, ces bancs en hémicycle, disposés exprès en forme de *scholœ* pour que les passants y vinssent se reposer, causer et disputer ? C'est une pensée aimable du mort qui offre à ses survivants une minute agréable et par-dessus tout ce bon conseil de goûter les joies honnêtes de la vie sans s'imaginer qu'elles dureront toujours. Et le festin funèbre, ne croyez-vous pas que c'était un acte pieux à sa manière ? – Certainement, répondis-je, et chez ceux de nos ancêtres qui conservèrent plus longtemps les mœurs barbares, ce repas devait aller jusqu'à l'ivresse, jusqu'à des batailles sanglantes. Il en est encore ainsi en Irlande, en Bretagne aussi ; on croirait manquer au mort si l'on revenait des funérailles avec sa pleine raison. »

Parmi les plus remarquables des tombeaux pompéiens nous citerons celui de Scaurus composé d'un cippe de pierre élevé sur trois gradins portés eux-mêmes sur un large soubassement. Sur le cippe se trouvait l'inscription annonçant que le tombeau avait été élevé à la mémoire du duumvir Aricius Scaurus, en partie aux frais de la ville de Pompei. Tout autour du soubassement régnaient des rangées de bas-reliefs représentant des combats de gladiateurs. Ils ont fourni les plus curieux détails sur ces sortes de spectacles si chers au peuple romain. Malheureusement ils sont aujourd'hui en mauvais état et presque détruits. Le soubassement recouvrait la salle funéraire ou *columbarium* entourée de quatorze niches dans lesquelles les urnes avaient dû être déposées.

Le tombeau de Nœvoleia Tyché était un magnifique monument en marbre blanc, ayant à peu près la même disposition extérieure que le tombeau de Scaurus. Les bas-reliefs qui se trouvaient sur le cippe représentaient un convoi funèbre. Sur un des côtés était sculptée une barque arrivant au port, symbole du repos qui suit l'agitation de la vie. Dans le columbarium placé au-dessous de l'autel, on a retrouvé des urnes de vitrage enfermées dans d'autres en plomb et contenant les cendres et les os des morts ; près de ce tombeau il y avait un *triclinium* funèbre.

On pourrait citer encore *le tombeau rond* dont l'autel avait la forme d'une tour, la *tombe souterraine*, où l'on a trouvé de beaux vases d'albâtre, *le cénotaphe* de Calventius, *l'hémicycle couvert*, tous entremêlés aux boutiques et aux hôtelleries des faubourgs.

Rue des Tombeaux

Mais nous poursuivons notre route et jetant un dernier regard sur la ville encore à demi ensevelie dans son triste linceul, nous gagnons la porte d'Herculanum, nous dirigeons nos pas vers cette autre ville qui a été la sœur de Pompei dans la vie et qui est restée sa sœur dans le malheur et dans la gloire.

L'importance des fouilles à Herculanum est beaucoup moins grande que celle des fouilles faites à Pompei. Et pourtant Herculanum a été découverte la première ; et le peu que l'on connaît d'elle fait espérer que la moisson artistique peut être encore plus heureuse ici que là. En effet Herculanum était la ville des amateurs et des rentiers, tandis que Pompei était la ville des travailleurs, des marins et de la bourgeoisie active.

Mais une raison grave a suspendu et retardé indéfiniment les travaux d'Herculanum. Tandis que Pompei s'est trouvée, ainsi que nous l'avons dit, ensevelie sous une couche de *lapilli*, petits cailloux qui mêlés à la cendre sont faciles à enlever, Herculanum au contraire, plus voisine du Vésuve, s'est trouvée enfouie et moulée pour ainsi dire, sous un torrent de laves. La lave a durci, et si elle a conservé d'une façon vraiment étonnante les objets qu'elle recouvre, par contre, le travail qu'il faut faire pour la percer et la briser, est bien plus rude que celui qui permet de déblayer Pompei. De là la cause de la lenteur et des interruptions des recherches à Herculanum.

D'ailleurs la physionomie générale que pouvait présenter cette ville, quoique plus riche que sa voisine, ne devait pas en différer notablement. Le peu que l'on a vu des maisons et des édifices d'Herculanum concorde absolument avec ce que nous connaissons déjà. Les seuls éléments nouveaux qu'offrent les parties bien minimes d'Herculanum qui sont aujourd'hui mises au jour porte plutôt sur les détails que sur l'ensemble. Nulle part on n'a trouvé de plus beaux bronzes, de plus beaux marbres. Tout fait espérer que des recherches entreprises avec méthode amèneront la découverte d'un véritable musée d'antiquités sans égales. Malheureusement, il faut le dire, les fouilles, telles qu'elles ont été entreprises à la fin du dix-huitième et au début du dix-neuvième siècle, ont été très mal dirigées ; les ruines à peine déblayées ont été recouvertes. Les plans et les figures ont été mal pris ou mal conservés. Les pièces d'art elles-mêmes et les inscriptions ne nous sont pas toutes parvenues en bon état.

Aussi, après avoir indiqué rapidement l'existence d'une *Basilique* (que les anciens archéologues ont pris pour le forum), et d'un *Théâtre* immense pouvant contenir plus de 10 000 spectateurs, mais analogue dans sa forme générale à celui de Pompei, nous donnerons quelques détails seulement sur la plus importante des découvertes faites à Herculanum, la *Maison des Papyrus*.

Cette maison fut mise au jour en 1750 par un particulier qui creusait un puits. Charles III y fit poursuivre des fouilles pendant près de dix ans. On découvrit ainsi presque en entier la plus importante des maisons privées qui soit sortie des fouilles entreprises aux environs du Vésuve. Malheureusement le plan qui fut levé, dit-on, à cette époque, n'a pas été publié, et l'on en est réduit, pour se faire une idée de sa disposition, à citer le passage que Winckelmann lui a consacré : « Cette maison de campagne, dit-il, renfermait une grande pièce d'eau longue de deux cent cinquante-deux palmes de Naples (66^m,30) et large de vingt-sept palmes (7^m,10), dont les extrémités se terminaient en portion de cercle. À l'entour de cet étang, il y avait ce que nous nommons des compartiments de jardin, et il régnait tout le long de l'enceinte un rang de colonnes de briques revêtues d'une couche de stuc, au nombre de vingt-deux sur le côté le plus long et de dix dans la largeur. Ces colonnes portaient des solives appuyées par un bout sur le mur de clôture du jardin ce qui formait une feuillée ou berceau autour de l'étang. On trouvait sous cet abri des cabinets de formes différentes, soit pour la conversation, soit pour prendre le bain ; les uns en demi-cercle, les autres carrés par leur plan ; des bustes ainsi que des figures de femmes en bronze étaient placées alternativement entre les colonnes. Un canal d'une médiocre largeur circulait le long de la muraille du jardin, et une longue allée conduisait au dehors à un cabinet ou pavillon d'été de forme ronde et percé de toutes parts, lequel s'élevait de vingt-cinq palmes

300

de Naples (6^m,60) au-dessus du niveau de la mer. Au sortir de la longue allée, on montait quatre marches et l'on parvenait ensuite à un pavillon où l'on a trouvé un beau pavé de marbre d'Afrique et de jaune antique ».

Tombeau de Tyché

Cette maison est ornée de tout ce que l'art antique a produit de plus beau et de plus raffiné. Les collections qui s'y trouvaient rassemblées étaient d'un si haut prix que les anciens eux-mêmes avaient essayé en fouillant la lave d'en reprendre quelque partie. Mais ils se découragèrent vite, et ce qui nous en reste dépasse probablement de beaucoup ce qu'ils ont pu emporter.

C'est par centaines que l'on compte les bronzes et les marbres aujourd'hui conservés au musée de Naples, et qui proviennent de cette maison. C'est le merveilleux *Faune ivre*, qui était dans le jardin entre deux statues représentant des coureurs ; c'est l'*Aristide*, d'une beauté sans égale, et dont la seule présence dans les fouilles mériterait de faire donner à cette maison le nom de *Maison du Philosophe* ; ce sont les bustes de Sapho, Platon, Épicure, Héraclite, Démocrite, d'Auguste, de Livie, d'Agrippine, de Caligula, de plusieurs Ptolémées, ce sont des satyres, des sylènes, des animaux, des oiseaux en bronze et en marbre ; ce sont encore des peintures parmi lesquelles le célèbre camaïeu sur marbre représentant *des femmes jouant aux osselets.*

Ces découvertes si importantes ont été complétées d'une façon aussi heureuse qu'inattendue par celle de la bibliothèque faite le 3 novembre 1783. On retrouva là près de 2 000 volumes de papyrus, que la lave avait protégés en endommageant seulement les parties extérieures. Il faut, pour se rendre compte de ce fait, ne pas oublier que les livres des anciens prenaient leurs noms de *volumina* (du verbe *volvere*), de ce qu'ils étaient réellement roulés, à peu près comme nos rouleaux de papiers de tentures ou comme nos cartes géographiques. On n'écrivait que sur un seul côté du papyrus, et les volumes, une fois roulés, étaient posés les uns sur les autres dans des armoires qui servaient de bibliothèques.

Quoique les manuscrits trouvés à Herculanum fussent en apparence collés et en partie carbonisés, il a été possible, grâce à un procédé ingénieux, inventé par un savant italien, de les dérouler en les appliquant au fur et à mesure sur une peau de baudruche. Ainsi, on a pu lire quelques centaines de manuscrits qui, par le choix, ont bien prouvé ce que nous disions plus haut, d'après le choix des bronzes, de la nature d'esprit du mondain raffiné qui, dans les temps anciens, réunit cette précieuse collection. En effet, ce sont surtout les œuvres des philosophes, la plupart écrites en grec, qui composaient sa bibliothèque. Nous citerons un fragment du traité d'Épicure, les œuvres de Philodème, épicurien du temps de Cicéron, et seulement, comme œuvres latines, un poème attribué à Rabirius.

En somme, au point de vue littéraire, si l'on en juge par ce que l'on connaît déjà, la découverte n'a pas été aussi importante qu'on eût pu l'espérer tout d'abord.

Aristide

Malgré les résultats considérables amenés par les recherches entreprises au dix-huitième siècle, les fouilles furent suspendues à Herculanum, dès que Pompei fut découverte. Le peu qui en avait été fait, d'ailleurs, ne donna pas lieu de regretter qu'elles n'aient point été poursuivies à cette époque. Si nous en croyons Winkelmann, elles avaient été conduites dans le plus déplorable esprit. À titre de preuves, nous lui emprunterons l'anecdote suivante : « Au-dessus du théâtre, dit l'antiquaire allemand, il y avait un quadrige, c'est-à-dire un char attelé de quatre chevaux ; la figure placée dans le char était de grandeur naturelle ; ce monument était de bronze doré et l'on voit encore la base de marbre blanc sur laquelle il était assis. Quelques personnes assurent qu'au lieu d'être un char à quatre chevaux, il y en avait trois à deux chevaux chacun ; variété dans les rapports qui prouve le peu d'intelligence et de soin de ceux qui ont conduit cette fouille. Ces ouvrages de sculpture, comme on le croira sans peine, avaient été renversés par la lave, écrasés, mutilés ; cependant quand on les a découverts toutes les pièces existaient encore. Mais de quelle façon s'est-on conduit lorsqu'on a recueilli ces précieux débris ? On les mit pêle-mêle sur un chariot qui les transporta à Naples ; on les déchargea dans la cour du château, où ils furent jetés indistinctement dans un coin. Ce métal demeura longtemps dans cet endroit, regardé comme de la vieille ferraille ; ce ne fut que lorsqu'on se fut aperçu que plusieurs morceaux manquaient pour avoir été dérobés, qu'on résolut de mettre en honneur ce qui en restait, et voici en quoi l'on fit consister cet honneur ; on fondit une grande partie du métal pour former en grand les deux bustes du roi et de la reine ! »

Cependant, à une époque plus moderne, on a repris le travail des fouilles à Herculanum. Cette nouvelle entreprise date de 1828, on a pu découvrir ainsi les rues qui conduisaient au théâtre et quelques maisons importantes, en particulier, la *maison d'Argus*, ainsi nommée d'une belle peinture représentant *Mercure devant Argus et Io.* On a pu compléter aussi les études sur le théâtre, et surtout remarquer combien les fouilles d'Herculanum pourraient produire de résultats supérieurs à ceux de Pompei, du moins au point de vue de l'art et de la parfaite conservation. Mais le travail ici sera pénible. Et il ne nous reste plus qu'à nous associer au vœu récemment formulé par un critique, que quelque riche archéologue s'applique à la recherche des antiquités d'Herculanum. Il y a une ville moderne à démolir, beaucoup d'argent à dépenser et, certainement « beaucoup de gloire à acquérir. »

Conclusion

En essayant d'esquisser dans les tableaux qui précèdent l'image de sept villes retrouvées, nous nous sommes efforcés de ne pas sortir du cadre unique que nous nous étions imposé à l'avance. C'est de l'antiquité classique seulement que nous avons voulu nous occuper. Mais nous avons désiré aussi présenter l'image particulière de chacune des civilisations qui sont les ancêtres les plus directs de la civilisation moderne.

Aussi nous ne nous sommes guère écartés du littoral méditerranéen.

Thèbes nous a fait pénétrer dans quelques-uns des secrets de la mystérieuse Égypte, à laquelle la Grèce dut la meilleure part de sa première éducation.

Lorsque nous avons gagné *Ninive* et *Babylone*, nous nous sommes enfoncés un peu davantage dans l'intérieur du continent asiatique. Mais de là nous avons pu jeter un coup d'œil sur les difficiles problèmes des premières migrations humaines, sur les premiers empires constitués, sur l'état ancien des populations aryennes et enfin sur un art particulier, original, autochtone, que beaucoup de liens rattachent au développement plus parfait de l'art européen.

Troie nous a rapproché de la Grèce, tout en nous laissant encore, par suite de l'incertitude qui plane sur les découvertes inattendues de M. Schliemann, dans un monde mystérieux, dont on ne saurait trop dire s'il est barbare ou s'il est civilisé. En tous cas, les souvenirs de l'antiquité homérique nous ont suivis sur cette côte et ont été souvent notre guide, toujours l'objet de notre préoccupation et de notre examen.

L'Asie, à son tour, ne nous a pas quittés alors que nous abordions à *Carthage*. Ici c'est la Phénicie, colonisatrice par excellence et peut-être le plus grand agent de civilisation qui ait existé dans les temps anciens, c'est la Phénicie que nous avons retrouvée sur la côte africaine, au centre même du bassin, en face de l'Italie. Et si l'histoire des peuples voisins, soumis ou rivaux, des habitants de l'Espagne, de la Sicile, de la Grande Grèce, de Rome enfin, se trouve mêlée à celle de Carthage, ce n'est là qu'une union factice qui n'a guère d'autre lien que la guerre ou la servitude, et qui n'a eu d'autre résultat que la destruction.

Pompei et *Herculanum* enfin nous ont montré, comme réunis dans un microcosme, les résultats les plus parfaits des différentes ébauches que les civilisations antérieures avaient tentées. Ici la Grèce et Rome se sont donné la main, l'une apportant son génie original, artistique, actif, amant du beau sous quelque forme qu'il se présente, l'autre son idée de force, de régularité, de constance, ses qualités pratiques et l'orgueil de la domination du monde ; toutes deux ajoutant ici à leurs qualités propres heureusement mélangées ce qu'elles avaient amassé d'expérience et de scepticisme, d'études et d'habileté, de procédés divers et d'idéal, dans la longue fréquentation des peuples qui les avaient précédées ou accompagnées dans leur marche civilisatrice.

Après avoir ainsi accompli un cycle dont les points culminants sont les villes les plus célèbres qu'ait connues l'antiquité ou qu'aient remises à la lumière les investigations de la science moderne, nous avons pu nous faire une idée assez exacte de la vie de la plus grande et de la plus célèbre partie des nations de l'antiquité. Mais nous avons été loin d'épuiser un sujet que les recherches de la science élargissent de jour en jour.

Depuis qu'on s'est aperçu des richesses archéologiques que renfermait le sol, on s'est mis, avec une ardeur sans égale, à le fouiller de toutes parts. Pas de coin de terre qui n'ait conservé quelques traces de l'industrie humaine ; pas de coin de terre où ne se soit mise déjà la bêche de l'homme de science, où elle n'aille bientôt se mettre.

Depuis les sables de l'Asie et de l'Afrique jusqu'aux tourbes et aux marais de la Suisse, jusqu'aux landes de la Bretagne, jusqu'aux fondrières de l'Italie, partout on creuse et l'on découvre. Les gouvernements européens rivalisent entre eux dans cette recherche, et les particuliers eux-mêmes, à leurs risques et périls, entreprennent parfois et exécutent des œuvres devant lesquelles les gouvernements peut-être auraient reculé.

Il semble que nos générations, ardemment poussées par le désir de retrouver la moindre trace laissée par celles qui les ont précédées sur la terre, aient pris pour devise les beaux vers du poète :

> Je ressusciterai les cités submergées
> Et celles dont le sable a couvert les monceaux.

Remettre sous les yeux le spectacle d'un travail si actif à la fois et si heureux, c'est montrer combien il serait ardu de donner même un résumé rapide de tout ce que comporte le titre de notre volume : *Les Villes retrouvées*. Nous n'avons pu guère que suivre les grandes lignes, laissant aux savants spéciaux le soin d'entrer dans les détails de leurs curieuses investigations.

Les civilisations classiques elles-mêmes, comme la Grèce, l'Asie-Mineure, les îles de l'Archipel, l'Italie, seraient aisément encore l'objet d'un volume pareil à celui-ci ; c'est avec regret que nous avons dû passer sous silence les découvertes de Santorin, les ruines de Palmyre, de Baalbek et de Petra dans le désert, les beaux résultats qu'ont produits les nouvelles recherches de M. Schliemann à Mycènes, celles de M. Carapanos à Dodone, celles de MM. Hirschfeld et Bötticher à Olympie. Récemment encore les journaux, annonçaient la découverte d'une nouvelle ville antique dans les champs incultes de la Pouille.

Ce n'est pas seulement le milieu habituel de nos études qui fournirait ample matière à de nouveaux étonnements ; les terres mêmes inconnues à nos ancêtres du bassin méditerranéen, s'ouvrent aujourd'hui pour nous offrir une moisson non moins abondante. Il n'y a pas bien longtemps que les prodigieuses ruines des villes Khmer ont appris au monde européen qu'en dehors des civilisations, dont nous connaissons le graduel développement, se sont développées, et se sont manifestées dans un tout autre sens des civilisations étranges, un art original, abondant, audacieux, qui déroute toutes nos idées en matière d'esthétique.

L'Amérique elle-même, quoique « jeune continent », nous a produit des ruines dignes d'étude. Là aussi des villes ont été *retrouvées*. Les anciens peuples du Pérou et de l'Amérique centrale ont poussé loin les progrès de l'industrie humaine.

Les Incas avaient leur capitale à Cuzco et étendaient une autorité sans borne sur un peuple organisé comme une ruche d'abeilles. Tout le pays était taillé sur un patron uniforme. Toute force et toute action découlait de la puissance royale et divine, enfermée dans les enceintes concentriques de Cuzco. L'architecture était cyclopéenne, la décoration pompeuse, le luxe inouï.

Dans l'Amérique centrale, la civilisation aztèque ne fut pas moins brillante. « Les arts et l'industrie avaient acquis un grand développement dans ces régions. La poterie, l'orfèvrerie, la bijouterie donnaient des produits qui font encore notre admiration. On tissait, teignait, peignait des étoffes superbes. Au moyen de plumes d'oiseaux, non seulement on composait des ornements très originaux, mais des artistes faisaient de véritables mosaïques de toute beauté. On sculptait et façonnait le bois de façon à garnir les habitations de très beaux meubles. Le mobilier était d'ailleurs très confortable et très complet déjà ; et l'on aura une idée du raffinement de ces Américains quand on saura qu'ils usaient de miroirs polis, en métal ou en pierre brillante, de cuillères et de couteaux en mangeant, d'écrans pour se garantir de l'ardeur du feu, de parfums et de bien d'autres objets de luxe.

Tandis que la cabane du pauvre et de l'homme du peuple était en bois, en roseaux ou en briques crues, recouverte de chaume ou de feuilles de palmier, les palais des grands étaient de majestueuses constructions de pierre, aux portes et aux murs couverts de peintures, de sculptures et de bas-reliefs étonnants, d'un art très original… Les temples étaient aussi d'une architecture puissante. Les villes abandonnées du Yucatan et du Guatémala, Palenqué, Copan, les débris des grands monuments de l'Anahuac sont les témoins de cette antique et grandiose civilisation ».

On le voit, le champ est vaste. L'histoire de la vieille humanité a beaucoup à apprendre encore.

L'importance des études archéologiques est apparue maintenant dans son plein jour. C'est par elles seulement qu'on parviendra à compléter le cercle des recherches entreprises pour reconnaître quelle fut la vie de nos aïeux.

Et cette étude n'est pas vaine ; il ne faut pas dire comme le poète anglais : « Les morts sont morts, pourquoi troubler leurs cendres ! » Il est bon au contraire de s'instruire de leurs exemples et de s'intéresser à leur gloire. C'est à leurs travaux inconnus que nous devons ce qu'il y a aujourd'hui de bien-être et de vertu sur la terre.

Le résultat atteint, si évidemment supérieur aux premiers essais des peuples enfants, donne au moins cette conviction consolante qu'aucun travail n'est superflu, que si le but échappe, du moins on marche, et que notre peine n'est pas en vain.

FIN.